LES DERNIERS JOURS DE SMOKEY NELSON

DE LA MÊME AUTEURE

Fiction

Ça va aller, Leméac, 2002.

Fleurs de crachat, Leméac, 2005.

Ventriloquies (avec Martine Delvaux), Leméac, 2003.

Omaha Beach, Héliotrope, 2008.

Le ciel de Bay City, Héliotrope, 2008.

Deuils cannibales et mélancoliques, Héliotrope, 2009. (Trois, 2000, pour l'édition originale)

Essai

La mauvaise langue, Champ Vallon, 1996.

Condamner à mort. Les meurtres et la loi à l'écran, PUM, 2003.

« Duras aruspice » dans DURAS, Marguerite, *Sublime, forcément sublime Christine V.*, Héliotrope, 2006.

L'éternité en accéléré, Héliotrope, 2010.

Catherine Mavrikakis

LES DERNIERS JOURS DE SMOKEY NELSON

roman

HÉLIOTROPE

Héliotrope
4067, boulevard Saint-Laurent
Atelier 400
Montréal (Québec)
H2W 1Y7
www.editionsheliotrope.com

Maquette de couverture et photographie : Antoine Fortin
Maquette intérieure et mise en page : Yolande Martel

Catalogage avant publication de Bibliothèque et Archives nationales du Québec et Bibliothèque et Archives Canada

Mavrikakis, Catherine, 1961-

Les derniers jours de Smokey Nelson

ISBN 978-2-923511-35-1

I. Titre.

PS8576.A857D47 2011 C843'.6 C2011-941047-8
PS9576.A857D47 2011

Dépôt légal : 2e trimestre 2011
Bibliothèque et Archives nationales du Québec

Les Éditions Héliotrope remercient de leur soutien financier le Conseil des Arts du Canada et la Société de développement des entreprises culturelles du Québec (SODEC).
Les Éditions Héliotrope bénéficient du Programme de crédit d'impôt pour l'édition de livres du gouvernement du Québec, géré par la SODEC.

IMPRIMÉ AU CANADA EN JUIN 2011

À ceux et celles qui meurent assassinés par
les gouvernements de nombreux États de l'Amérique

À David R. Dow qui, au Texas, tente de les sauver

Chacun d'entre nous a cette fée qui accorde un vœu. Mais rares sont ceux qui savent se souvenir du souhait qu'ils formulèrent : aussi rares sont ceux qui reconnaissent plus tard dans leur propre vie leur vœu exaucé…

Walter Benjamin

SYDNEY BLANCHARD

Mais vas-tu avancer putain de Chinois!!! Tu vois pas que tu vas me faire rater mon entrée dans le cimetière, pauvre type... Enfin, qu'est-ce que tu fous??? Va te garer, soleil levant! Dégage de ma route... J'ai jamais connu un connard comme ça! T'as vu ça, Betsy? Ils t'ont réveillée, ces salauds... Tu dormais bien, ma poule! Un vrai bruit de moteur que tu faisais... Un son de tracteur. Regarde, regarde... Putain! Voilà que toute la famille asiatique est là... Merde... Je peux plus bouger... Un cortège de chinoiseries en tous genres... Même pour les enterrements, ils lâchent pas le clinquant, ces gens-là... Ils foutent de l'or partout... Comme dans leurs pagodes... Faut que ça nous aveugle... Pire que les phares de ma bagnole! Y en a un qui a dû claquer et toute la communauté a rappliqué ce matin pour le conduire à son dernier repos! Fallait que ce soit le jour où je venais ici, au Greenwood Memorial Park Cemetery! J'ai mis un peu de temps à trouver l'endroit... J'ai tourné pas mal avec la voiture... Malgré les indications fournies par mon coloc Lewis... Tu dormais, Betsy... Tu faisais bien de ronfler, ma locomotive adorée, je m'étais vraiment perdu sur le chemin… Y avait rien à voir… Quelle poisse ! À croire que ces Chinois portent malheur ! C'est pas la première fois qu'ils me font un coup de la sorte… Ils envahissent la ville, oui ! Viennent de leur putain de pays de là-bas et se reproduisent ici comme des lapins… Ils sont des milliards chez eux… Il leur faut de l'espace… Allez-vous vous magner un peu, les gars ? ? ? Si vous continuez comme ça, vous risquez d'assister aux funérailles de quelques-uns d'entre vous… Ça va saigner ! Ma chienne va vous bouffer le nez et l'arrière-train ! Va falloir que tu montres les crocs, Betsy, que tu fasses ta dure, que tu les impressionnes les guerriers kung-fu ! Y a des limites à ma patience… Merde… Vais leur faire passer l'envie de pleurer, moi… C'est pas vrai… Mais… C'est pas vrai… Divine putain, je peux pas croire ce que je vois… Ils roulent comme des bonnes femmes, ces types, dans leurs voitures riquiqui… Mais oui, mon chéri, tu vas apprendre à te garer un autre jour ! Pousse-toi, demi-portion ! Je veux juste passer à droite… Pfff ! Non ! En voilà un qui veut sortir et qui a la bonne idée d'aller dans le sens contraire de ses petits amis… Il manquait plus que ce con ! Et puis, y a tous les copains qui ont décidé de lui faire des signes d'au revoir… Il s'en va sûrement chercher des cigarettes, les gars ! Pas la peine de lui jouer votre grande scène d'adieu… Inutile de sortir les mouchoirs et de préparer un discours… On dirait que la Chine dans son entier s'est donné rendez-vous ici aujourd'hui, dans cette merde de cimetière… Tout le peuple de mandarins… À Renton… Pour l'enterrement d'un vieux bonze… Ça n'en finit plus… Bon, voilà autre chose… Ça se gare… Oui, c'est ça, ma biche, comme ça… Juste comme ça… Oui, doucement, doucement… Tu vas y arriver… Prends ton temps, surtout… Je suis pas pressé… Personne n'est pressé… T'es décontract', à l'aise, mon ami… Je suis heureux pour toi… Dis-moi, juste de toi à moi : tu l'as trouvé dans une boîte de Cracker Jack, ton permis ? Oui, bien sûr que oui, hein ? Je répéterai ça à personne… Betsy conduirait mieux que toi, minable… Y a pas de bagnole dans ton pays, mon vieux ?… Arrête de me zieuter ! Je suis noir comme le charbon avec lequel tu chauffais ta maison dans ton trou paumé et ma bagnole est grande comme un paquebot… C'est autre chose que le rafiot qui t'a amené jusqu'ici… C'est la première fois que tu vois un truc pareil ? Faut pas te mettre dans un tel état ! Oui, oui, j'ai une Lincoln Continental blanche et décapotable qui date de 1966… T'as pas dû connaître, mon ami, celle de Kennedy à la télé… Chez vous, y avait la censure et puis vous aviez que la radio, je suppose… À Dallas, au moment de sa mort, John Fitzgerald était dans une Lincoln noire, décapotable… De 1961… Ça l'a pas empêché d'être assassiné… Kennedy, ça te dit quelque chose, mon chéri ? Tu te rappelles que Mao ? Ça t'impressionne, mon trésor, de voir Betsy, ma chienne, juste à mes côtés, sur le siège du passager, en train de te regarder comme si t'étais vraiment un con… Ben, tu apprendras, mon vieux, que Betsy est cent fois plus maline que toi… Elle fait plein de trucs que tu peux même pas imaginer ! Un bull-terrier comme elle, ça a rien à voir avec un caniche pomponné par sa mémère… C'est pas parce que chez vous ou chez des gens de ton espèce, on les vend comme du bétail et qu'on les bouffe les cabots que tu dois te mettre à saliver quand tu vois ma chienne ! C'est moi qui vais te dévorer, ma grosse soupe tonkinoise… Je vais te faire passer le goût du pain, si je descends avec Betsy de la bagnole ! T'as pas fini de nous fixer ainsi, Confucius ? Oui, ma poupée, l'intérieur de ma voiture est rouge, rouge et tu as raison si tu te dis qu'il fait un temps de merde à Seattle pour ce genre de bijou… Oui, t'as tout à fait raison, mon petit, mais maintenant que tu as pris bien ton temps pour regarder ma voiture, que tu as fait une photo de tout ça et enregistré la chose dans ta petite tête vide, que tu as copieusement dévisagé le négro patibulaire, dégueulasse qui est à l'intérieur de la bagnole et qui commence à te faire peur avec ses grandes dents blanches, tu pourrais simplement accélérer et passer ton chemin en te répétant qu'un engin comme ça, t'en auras jamais un… Il faut savoir conduire, avant de pouvoir se l'acheter ! Tu sais, ma voiture, c'est pas fait pour des abrutis de ton espèce… Rentre-toi ça dans ce qui te sert de cerveau ! Oh, mon Dieu… En voilà maintenant douze qui sortent de cette lamentable Mazda ! Ils nous envahissent avec leurs bagnoles moches qui inondent le marché… On est décidément pas sortis d'affaire, Betsy… Je te dis que ça… Mais te mets pas à aboyer, ma grosse ! Ça arrangera rien… Attention !!! Attention, la bagnole noire va te rentrer dedans, taré ! À moins que tu aimes ça te faire enculer, mon chéri, tu devrais klaxonner un coup… Super, tu te réveilles, ma chochotte… Arrête, Betsy ! Ça me casse les couilles, ton jappement ! Alors, camarade, tu vois que tu sais où trouver le klaxon sur ta voiture… Bravo !!! Le mec derrière toi, lui aussi est sorti de sa léthargie… D'ici trois heures, tous les samouraïs de la Honda, vous serez réanimés et prêts à fonctionner ! À force de conduire dans le parking du cimetière, vous allez finir par apprendre à piloter une voiture… C'est super, les enterrements pour vous… Ça vous permet de pratiquer votre conduite automobile… Mais, figurez-vous, les amis, que j'ai pas tout ce temps, moi ! Je peux pas attendre que finalement, les gars, vous vous décidiez à lâcher les Valiums et les somnifères… Ils vont finir, les cons, par se tuer les uns les autres, juste à l'entrée du cimetière… Remarquez que ce serait pratique… Y aurait plus qu'à vous déposer dans les trous ! Mais à la vitesse à laquelle vous faites tout, j'ai le temps de me construire ici mon propre mausolée et d'y faire enterrer les cinq générations qui me suivront… Vous voulez tous garer la voiture derrière le bâtiment et faire le chemin à pied ? Bonne idée, les amis ! Excellente idée, si vous saviez seulement le faire… J'ai rien contre vous mes petits hara-kiris, mais faut quand même pas empêcher les autres voitures de pouvoir entrer, surtout pas celle d'un négro pourri comme moi, qui est pas particulièrement porté sur les amitiés avec les Japs ou les chinetoques ou quoi que vous soyez… Et toi, la geisha, tu peux pas regarder avant de passer devant ma Lincoln ? Tu veux que je te fauche les deux jambes ? T'es déjà pas grande, ma puce… Ça doit être la peine qui fait que tu as failli te jeter sous ma voiture et te faire amputer tes deux maigres baguettes… Betsy aime les os, justement… Fais gaffe, ma belle ! A-t-on idée de s'habiller comme une call-girl pour un enterrement ? T'es pas venue ici pour baiser, mais pour enterrer le grand-père. Respectent rien ces filles-là… Jouent aux saintes nitouches, mais sont comme les nôtres… Mais les nôtres sont peut-être moins hypocrites… Je sais pas… J'en ai connu des garces noires, remarque… Plus d'une ! Il faudrait apprendre à se tenir et ne pas montrer son cul à la famille, pauvre conne… Tu ferais pas ça dans ton pays… Tu serais déjà en rééducation… Bon, je vais finalement pouvoir me garer ici… Loin de ces crétins qui m'ont fait carrément rater mon entrée… J'avais mis le début de « Voodoo Child ». L'enregistrement à Woodstock en 1969… Tu parles ! J'ai rien pu entendre ! Ça devait être ainsi, mon arrivée au Greenwood Memorial Park Cemetery… Je devais passer les portes en écoutant « Voodoo Child »… Betsy dormait… Je pensais aller directement tout près de la tombe de mon frère en écoutant sa musique très, très fort… Mais il a fallu que ces canards laqués trouvent un moyen de me saboter mon plan… J'étais tellement occupé à éviter ces chauffards-là que ça m'a déconcentré… J'ai même éteint sans m'en rendre compte le ghetto blaster que j'ai acheté spécialement pour la voiture… Il rend un son incroyable… Saletés de Chinois, vous me le paierez !!! À la fin de ma visite à mon frère Jimi, j'irai faire pisser Betsy sur l'une de vos tombes ! Vous m'avez fait vraiment tout louper… Tu restes ici, Betsy ! Non ! Tu te couches encore ! Tu serais pas bien dans le cimetière… L'odeur des os te rendrait folle… Je te laisse la fenêtre ouverte… Je reviens… Je serai pas long, ma grosse… Bonne chienne, va ! Où est-ce qu'ils l'ont mis, Jimi ? Ils ont dû le foutre loin… Pourtant Lewis m'a juré que je verrais tout de suite le mausolée… C'est un gros truc. On le repère immédiatement en entrant… Je vois rien… Que des tombes de Chinois, je suppose… Ah ! Ça doit être là-bas, cette espèce de petite maison en pierre, au milieu de ce grand terrain… Oui, c'est évidemment là qu'il est mon frère Jimi… Tu es là, non ? Je vais traverser en passant par la pelouse, même si l'herbe est…

merde de merde! Toute mouillée! Faut dire qu'il pleut toujours ici, à Seattle... Jamais vu un endroit pareil... Et pourtant à la Nouvelle-Orléans, on voit ça de la flotte... Les ouragans, ça nous connaît... Mais y a quand même des jours magnifiques... Il fait beau, il fait chaud, là-bas... Putain! Rien à voir avec ici! Aujourd'hui, c'est bizarre, il a plu très tôt ce matin, mais voilà qu'il fait presque soleil... Comme si Jimi était content que je sois là... Qu'il m'attendait... S'il y avait pas eu ces salauds de Chinois, j'aurais pu écouter « Voodoo Child »... Je me serais vraiment mis dans l'ambiance... Je serais en train de fusionner avec la musique de Jimi... J'arrive pas à me concentrer... À bien saisir l'importance de ce que je fais... Je voulais que ce soit un grand moment! Un événement solennel! Mais il a fallu qu'ils soient là, ces imperturbables de l'Est, et ils m'ont tout fait foirer avec l'enterrement d'un de leurs vieux bouddhas fripés... Wow! C'est gros ce tombeau-là! Franchement Jimi, on s'est pas payé ta tête en t'enterrant là! Tu es pas revenu de Londres pour rien! Tu as bien fait de pas te fourrer dans un cimetière anglais... Ils t'ont fait une superbe maison ici... Pour l'éternité... C'est impressionnant tout ce marbre, si c'est du marbre... En tout cas, c'est classe! Ça me fait penser aux cimetières de chez moi, à la Nouvelle-Orléans... Les cimetières de Saint-Louis... Il y en a un où la reine du vaudou est enterrée... Marie Laveau... La reine du vaudou, Jimi... Tu aurais aimé voir ça! Si seulement j'avais pu entendre « Voodoo Child »!!! Il me semble que je me sentirais davantage dans une espèce de recueillement... Je serais pas en train de penser à la Nouvelle-Orléans et à Marie Laveau: la reine... La grande reine de chez nous... Du vaudou, mon frère! Tu vois, Jimi, rien a fonctionné comme je voulais ce matin… Mais ton tombeau est diablement beau ! Y a même ta signature là et puis je vois que tu es enterré ici : James M., avec ton père Al Hendrix et ta grand-mère Nora Rose… Il paraît que pendant plus de vingt ans, t'étais ailleurs… T'avais une petite tombe de rien du tout dans ce putain de cimetière, et puis ils t'ont construit ce mausolée de bronze et de granit… Oui, c'est du granit, pas du marbre… Je me rappelle l'avoir lu… Je sais pas pourquoi je pensais au marbre… C'est pas du marbre… Vraiment pas ! T'as tes trois grosses colonnes de granit, Jimi, et t'es bien entouré par ta famille… C'est ton père qui a voulu ça. Il paraît que c'était un jardinier… Comme le mien ! Un chic type… Rien à voir avec ton beau-père, un alcoolo jamais repenti… Mais moi, mon père, il me ferait pas construire un truc pareil… Je sais même pas où il ira se faire enterrer à la Nouvelle-Orléans… Après Katrina, tout est vraiment étrange là-bas… Les cimetières, tu vois, chez nous, ça manque pas… Mes deux parents ont décidé de retourner tout de suite à la Nouvelle-Orléans, juste quelques semaines après l'ouragan… Des dingues ! Je te dis : deux dingues… Ils viennent du Lower Ninth Ward… Je sais pas si tu vois Jimi, mais là, ils pouvaient pas plus mal tomber… Manque de bol total ! Ça a été complètement inondé… Les digues, les salopes de digues, se sont brisées… C'est ce qu'on dit officiellement… Parce qu'il y en a qui pensent qu'on les a dynamitées pour protéger les quartiers riches du centre… Je sais pas… Ce serait pas étonnant… Ces ordures de Blancs, ils ont l'habitude de sacrifier les autres ! Mais une chose est sûre, c'est que la flotte est entrée dans le Lower Ninth Ward de tous les côtés… Une vraie pourriture, le Lower Ninth Ward ! Six mois après la catastrophe, y avait encore un putain de couvre-feu là-bas… Et c'est loin d'être reconstruit… Mais mes parents voulaient pas refaire leur vie ailleurs… Ils ont rien voulu entendre… Papa s'ennuyait de son potager… Ben, le potager, y en avait plus… Y avait plus rien… La maison, elle avait glissé à deux cents pieds de là et s'en était pris plein la gueule ! Y avait plus de baraque… Il restait que des débris, de la merde et des animaux crevés entre quelques cadavres humains qu'on arrêtait pas de découvrir, des semaines encore après la tempête… Ça me fait mal au cœur, mais les animaux, ils sont tous morts avec Katrina… Pour mes parents, laisser Bono, Jeff et Armageddon là, c'était pire qu'abandonner leur baraque… Mais fallait partir ! Ils y seraient passés… Mes parents vivaient là depuis 1969… J'étais même pas né… Je les ai poussés dans la bagnole d'un ami qui m'a aidé à les évacuer… Putain, que j'ai bien fait ! Chez nous, on enterre pas dans la terre… Y a que de l'eau sous nos pieds… On fait un peu comme avec ton mausolée, Jimi… Pour les morts, on construit un genre de maison… Je dois avouer qu'à la Nouvelle-Orléans, c'est beaucoup mieux qu'ici… Les tombeaux sont magnifiques ! Je te mens pas, Jimi… La mort, chez nous, on connaît ça ! On te fait de ces enterrements dont tout le monde se souvient ! Putain que c'est beau ! Des enterrements où les gens suivent le cortège en pleurant jusqu'à ce qu'on mette le type dans sa tombe… Ça, c'est la partie deuil de l'affaire… On chiale un coup, on hurle de douleur, on vit le chagrin à fond, alors qu'on met le cadavre dans la terre… Puis juste après, on change complètement d'humeur, de rythme… La vie recommence fort, reprend ses droits, comme on dit…

Alors… On se met à danser et à célébrer le moment présent avec des gars qui font de la musique… Ça se transforme du tout au tout en quelques secondes ! La tristesse s'en va ! Il faut bien continuer avec cette salope de vie, non, Jimi ? Les gens se trémoussent, font la fête, s'assurent qu'ils sont bien vivants… On renaît après une mise au tombeau, Jimi ! Je donnerais cher pour que tu voies ça… Mais t'es venu en Louisiane, mon frère ! Je pense pas que tu aies assisté à l'un de nos enterrements… Mon père et ma mère sont allés te voir le mercredi 31 juillet 1968, à Bâton-Rouge… Oui, le 31 juillet… Ils étaient fous de toi… Complètement… Mon père a conservé le ticket de ton concert, mais peut-être qu'il l'a plus depuis Katrina… Je sais pas… Faudra que je lui demande… Longtemps, il le gardait dans son portefeuille… Il le sortait quand moi ou mes frères, on le lui demandait… Il le brandissait fièrement… Je me rappelle… Nous les gamins, on voulait tous toucher ce billet-là. Place 7, section A, rang C… Spectacle à 8 h 30… Je voulais tout le temps que mon père me montre son ticket ! Une vraie maladie ! Ton nom y figure… Mes parents avaient pas pu avoir de place pour ton spectacle à la Nouvelle-Orléans… Ils sont allés à Bâton-Rouge pour te voir ! Ils auraient fait n'importe quoi pour toi… Quand j'étais petit, ils en parlaient encore de ton concert… Écoute, mon frère, je vais fumer une cigarette sur ta tombe, OK ? Je suis sûr que ça te dérange pas… Je vois que tes admirateurs viennent boire de la vodka et de la bière avec toi, Jimi, toi, le « Voodoo Child ». Ils ont laissé quelques cadavres de bouteilles qui traînent ici et là… Ça fait pas propre ! On est à Seattle… Putain ! Pas à la Nouvelle-Orléans après Katrina… La direction du cimetière n'a pas encore nettoyé ta tombe, Jimi, ce matin… Ils ont d'autres chats à fouetter… Ils doivent s'occuper de la mise en terre des Chinois… Alors toi, mon Jimi, tu passes après! Avec toi, le fric est déjà dans la poche… L'affaire est conclue depuis belle lurette… Avec l'asiadollar, les Chinois, ils sont tellement nombreux en ce moment à débarquer à Seattle… Y a pas mal d'argent à faire avec ces morts-là… Ils viennent avec tout le clan et les vieux claquent vite… Pas facile, l'exil… Ta famille t'a changé d'endroit et t'a fait construire cette belle cabane de granit, parce que y avait trop de gens qui voulaient venir te rendre hommage… Ben, je veux contrarier personne, mais aujourd'hui, ça se bouscule pas pour te voir… Je suis le seul ici à fumer ma cigarette à ta santé… Y a un monde fou pour le grand-père chinois, un vieux sage bien évidemment, qui est mort il y a trois jours… Mais pour toi, Jimi, on n'est pas là, même s'il fait beau, tout à coup… Oui, même s'il fait relativement beau… Les nuages se dissipent… Pour Seattle, remarque, c'est un temps splendide! Ça fait trois ans que je suis là, que j'ai quitté la Louisiane, à cause de la salope de Katrina. Qu'est-ce qu'elle nous en a fait voir, la garce! Je te raconte pas tout, Jimi… Alors, tu comprends, j'ai pu admirer toutes les teintes de gris. Je savais pas qu'il y en avait autant! Le gris, on le croirait pas, mais c'est subtil… Des millions de nuances… Tout ça à Seattle… Tu montes dans la Space Needle et tu peux voir de la grisaille à perte de vue… Tu as dû déjà monter dedans, dans la Space Needle, Jimi… Elle a été construite pour la foire de 1962… Tu étais parti d'ici, mais tu devais revenir de temps à autre, non? Tu vois alors ce que je veux dire? Depuis que j'ai quitté le Sud, j'ai pu apprécier la beauté du gris… Jusqu'à la nausée, mon frère ! Je comprends que tu prenais pas mal de drogues, parce qu'ici pour voir la vie en rose ou en couleurs, ça demande une bonne dose de substances hallucinogènes… Je m'en prive pas… J'aurais dû venir te rendre visite avant, mon frère… Ça fait bientôt trois ans que je suis ici et j'ai même pas bougé mon gros cul de négro paresseux pour te voir… Je sais pas pourquoi je suis pas venu plus tôt dans ce cimetière de Jaunes… Si j'avais eu le courage de prendre ma voiture avant et de venir plus tôt, ici, mon frère, je serais peut-être pas tombé sur cet enterrement de Chinois qui a gâché totalement le *high* que je cherchais… Je voulais mettre « Voodoo Child », mon frère… Putain que j'aime cette chanson : « Well I stand up next to a mountain / and I chop it down with the edge of my hand / Well I pick up all the pieces and make and Island / Might even raise a little sand / Yeah / Cause I'm a Voodoo child baby / Lord knows I'm a Voodoo child. » Oui, je suis ça, mon frère, tout comme toi ! Je vais te dire un truc qui m'a marqué pour toujours… Pour moi, ça a décidé de mon destin… Je suis né le jour de ta mort, mon frère, le 18 septembre 1970. Oui, oui, je t'assure ! Pas mal, non ? Ça te fait rigoler ? Le jour de ma naissance, mes parents te pleuraient. Ils savaient plus s'ils devaient être heureux que je sois là. Tu m'as presque volé la vedette ! Putain, je devrais t'en vouloir… Dès que j'ai compris mon lien à toi, j'ai tout fait pour te ressembler… Ça faisait rire mes copains qui me disaient que je me prenais pour Jimi Hendrix dès que je grattais ma guitare… On s'est ratés dans ce monde, mon frère ! On y a cohabité quelques heures, si j'ai bien calculé… Le décalage horaire, faut le comprendre… Mais j'ai travaillé fort pour être comme toi, Jimi… J'y suis pas encore arrivé, malgré les signes du destin... Je vais m'allumer une autre cigarette, si tu y vois pas d'inconvénient, mon frère... En fait, je vais me rouler un petit joint pour toi... Ça va me calmer... Si quelqu'un me fait chier, je lui rappellerai qui tu étais et comment tu es mort... C'est pas en buvant de l'eau d'un bénitier que t'as crevé! Tu sais, la chanson de Chuck Berry, « Johnny B. Goode », qui va comme ça : « Deep down in Louisiana close to New Orleans. » Je vais pas me gêner avec toi, mon frère, je te chante ça comme il faut : « Deep down in Louisiana close to New Orleans / Way back up in the woods among the evergreens / There stood a log cabin made of earth and wood / Where lived a country boy named Johnny B. Goode / Who never ever learned to read or write so well / But he could play the guitar just like ringin' a bell / Go go / Go Johnny go / Go go / Johnny B. Goode. » Tu te souviens, mon frère??? Tu l'avais reprise et chantée à Berkeley... Ils ont sorti un disque à partir de l'enregistrement de ton spectacle en Californie... En 1972, après ta mort, tout le monde a pu t'entendre... Ben, cette chanson, j'ai toujours cru, petit, que tu la chantais pour moi... Je changeais les paroles : « Go go / Go Sydney go... » C'était moi, Sydney Blanchard, qui allais devenir ce type que tu encourageais et qui était doué pour la musique... J'ai bientôt quarante ans, mon frère, en fait trente-huit... Je suis bien plus vieux que toi, quand le bon Dieu t'a demandé de venir le rejoindre! Putain! Il devait être jaloux de toi, le bon Dieu! Une vraie ordure! J'aurai trente-huit ans en septembre, le 18, et j'ai toujours pas réussi... J'ai une bonne vie pourtant... Je veux pas que tu me plaignes... Je fais partie d'un groupe de musique qui se promène un peu dans les Prairies canadiennes, dans l'État de Washington et à travers les États voisins pour faire des concerts en ton honneur… The Jimi Hendrix Tribute Band… Je suis fier de ça, Jimi… Fier de chanter pour toi… Mais tu vois, j'ai pas ton talent… J'aime la musique… Ça oui, putain que j'aime ça ! Et la tienne, plus que celle de tous les autres ! Je suis même gaucher comme toi ! Je connais ta vie par cœur, mon frère, et je suis un bon musicien… Très bon… Oui, sans me vanter… Mais ton talent, mon frère, je l'ai pas ! Tu étais trop fort pour nous tous ! On est tous des minables après toi, Jimi ! Qu'est-ce que tu veux que je te dise, putain, c'est comme ça ! C'est pas pour te lécher les bottes… Je fais pas ce genre de trucs… Je suis pas un négro soumis… Mais je dis seulement la vérité… Je gagne ma vie comme serveur… Je faisais ça déjà à la Nouvelle-Orléans… Je suis serveur et chanteur dans un groupe… Je joue aussi de la guitare… Bien sûr, Jimi… Je travaille toujours de nuit… Après Katrina, mes copains sont venus tenter leur chance à Seattle… On nous avait déplacés en Utah… J'allais pas rester chez les mormons, quand même ! Sont pas portés sur l'alcool, la drogue et les femmes, ces gens-là ! Ils me regardaient de travers ! J'ai laissé mes parents, ils sont retournés chez eux, même après le déluge… Je les ai ramenés aux abords de la ville et je me suis vite barré ! Ils pouvaient pas quitter leur terre natale, même si c'est le chaos là-bas… La Nouvelle-Orléans, c'était pas beau à voir ! Je suis venu ici… J'aurais dû aller à Washington et buter Bush, le salopard, qui voulait l'extinction des négros aux États-Unis et qui a presque réussi à nous exterminer, nous de la Louisiane et de l'Alabama… Mais j'ai simplement suivi mes amis pour vivre à Seattle… Pas pour longtemps… Je vais retourner dans le Sud… C'est pour ça, mon frère, que je suis venu te voir. Je voulais te rendre visite avant de repartir… Je sais pas quand je vais me décider… Mais ça va arriver bientôt… Je le sens… Je vais mettre mes vêtements et ma chienne blanche, ma Betsy, dans ma bagnole… Une super bagnole, Jimi ! Une Lincoln Continental de 1966, toute blanche avec l'intérieur rouge, assortie à ma chienne… T'as connu ça, ce genre de voiture, Jimi ! Tu vois, non ? Et puis, je vais mettre le cap sur la Louisiane… En évitant l'Utah… Putain, je suis un type normal ! J'ai besoin de boire un coup, moi… Sont dingues ces gens là-bas ! L'Utah, c'est pire que la prison ! Non, mon vieux, j'exagère pas… Je sais que tu as passé une nuit en taule à Toronto pour une affaire de drogue… Mais le Canada, c'est quand même des gens inoffensifs ! Tu as vécu à Vancouver, mon frère… Tu sais de quoi je parle… Oui, je me rappelle, tu as volé des voitures quand tu étais jeune, tu t'es retrouvé derrière les barreaux et tu as préféré aller à l'armée… OK, la prison, c'est pas joyeux, je te l'accorde… Mais l'Utah, c'est pire, mon frère ! Je te le jure ! Crois-moi ! Je mens pas ! Et c'est pas le joint qui me pousse à dire ça ! Moi, je me suis fait mettre au cachot à dix-neuf ans… Tout comme toi. Mais moi, je pouvais pas y échapper… L'armée, j'y avais pas droit ! J'ai passé quelques mois dans une prison de merde de l'État de la Georgie… On croyait que j'avais tué une famille… Les parents et deux enfants, dans un motel des environs d'Atlanta… Rien que ça ! Ils voyaient en moi un grand criminel ! Une espèce de Jeffrey Dahmer… Tu connais pas, Jimi… Cherche pas, tu étais déjà mort quand Dahmer sévissait… Le coupable était un autre négro de mon âge… Mais ça, les policiers ont mis du temps à le savoir... Je pourrais être encore en Georgie, en train de croupir dans un de leurs pénitenciers-de-mes-fesses ou encore je pourrais avoir grillé depuis un bout de temps sur une chaise électrique! Les erreurs judiciaires manquent pas dans ce pays. Du moment qu'ils ont un négro en prison, ils classent l'affaire! On s'en fout si c'est lui ou pas, le meurtrier! Faut plaire au peuple! Heureusement qu'un policier plus malin m'a cru... Lui, il a bien vu que j'étais pour rien dans cette sale histoire... Je leur disais: « Tous les négros se ressemblent peut-être, les mecs... Mais un fait demeure, c'est pas moi. » J'avais déjà fait des menaces à des types et puis aussi, je m'étais battu avec un Blanc raciste à coups de tesson de bouteille dans un bar de la Louisiane... Ça, les policiers d'Atlanta l'avaient su... Il leur en fallait pas plus... Mais c'était pas moi, le coupable! Je le savais, merde! J'ai passé des mois à essayer de les convaincre... Mes parents à ce moment-là en ont bavé! Donc la prison, je connais... Mais c'est préférable, quoi que tu en penses, mon frère, à l'Utah, et à leur Église-de-Jésus-Christ-des-Saints-des-derniers-jours-machin-chouette-Alléluia! J'invente pas le nom de leur saloperie... Là-dessus, je suis plus au fait que toi, mon frère! Tu sais que les mormons ont des ancêtres et des cousins sur tous les continents... Ben, ils ont décidé, depuis plus de soixante-dix ans, de microfilmer la planète pour sauvegarder les registres et les archives du monde entier! C'est tellement protégé, leur truc, que les microfilms survivraient à une guerre nucléaire! Mais sûrement pas à Katrina! Ils y ont pas pensé, les mecs, à Katrina... Je sais vraiment pas à quoi ça peut servir tout cet archivage... Ça rend pas les gens heureux! C'est le moins qu'on puisse dire! L'Utah, c'est un coin sinistre... À Salt

Lake City, tu peux pas vraiment t'éclater… Le décor est beau, oui… Les paysages ont l'air sortis tout droit des films de cowboys et d'Indiens, et je sais que ta grand-mère était cherokee… Oui, toute cette beauté te tourneboulerait, Jimi, mais à part la sensation d'être dans un vieux western, y a rien là-bas, en Utah, mon frère ! Putain, voilà Betsy qui aboie ! Qu'est-ce qui se passe ? ? ? Mais… Mais… Pauvre abruti, là-bas, oui ! Toi ! Passe ton chemin, l'ami, et arrête de vouloir faire des guiliguili à ma chienne, elle aime pas ça ! ELLE AIME PAS ÇA ! FOUS LE CAMP ! Est-ce qu'il faut que je crie plus fort pour qu'il comprenne ce type ? FOUS LE CAMP ! Ah ! Finalement… Il s'en va… J'ai même pas vu si c'était un gros plein de riz… Mais en tout cas, il avait pas l'air d'un gars très futé… Excuse-moi, Jimi, je sais plus où j'en étais… En fait, je vais être franc avec toi… Je vais te dire ce que je voulais te dire en venant ici… Tu le sais, de toute façon… Je suis né le jour de ta mort… Toute ma vie, je l'ai vécue avec des signes que tu me faisais… Y avait trop de coïncidences, mon frère, pour que tous ces trucs-là ne veuillent rien dire… Mes parents aussi, ils interprétaient les choses qui m'arrivaient en me racontant tous les moments de ton existence… J'ai vécu un peu avec toi, Jimi… Et même Katrina, cette salope, qui m'a forcé à venir ici, dans cette ville grise où y a tellement de flotte que je me prends pour Noé dans ma bagnole avec ma chienne, je l'ai perçue comme la preuve qu'il fallait que je me rapproche de toi, de ta vie… Le Jimi Hendrix Tribute Band marche bien… Un jour, je pourrai peut-être arrêter d'être serveur, même si j'aime bien ce métier… Dans les restos chic, tu sais, ça rapporte bien ! Mais franchement, mon frère, je sais plus trop où j'en suis… Je me sens encore comme un gosse… C'est comme si je venais de sortir de prison… Mais ça fait bientôt dix-neuf ans, putain ! J'ai pas vieilli… Un peu, peut-être… Je croyais que tu me ferais toujours signe et que j'aurais même pas besoin de choisir ma vie… Tu me montrerais la voie… J'aurais qu'à bien interpréter les messages que tu m'enverrais… Tu l'as fait, mon frère, tu l'as fait… Et je te remercie pour tout ! La nuit de ma naissance, comme dans ta chanson, la lune est devenue rouge, incandescente et toi, tu es mort dans cette lumière… J'y ai vu un destin… Mais depuis quelque temps, j'ai pas beaucoup de nouvelles de toi, frère… Je sais pas si j'ai fait quelque chose qui t'a déplu ou si tu as d'autres gens sur lesquels tu veilles… Je te fais aucun reproche… Tu penses bien, mon frère ! Je suis pas une bonne femme ! Elles sont toujours en train de se plaindre ! Mais y a des moments dans la vie où il se passe rien, où on a l'impression que le destin ou ce salopard de Dieu nous oublie… Je me sens plus élu, on dirait que j'ai été mis aux oubliettes. Toujours est-il que je suis tout seul et je sais plus quel chemin prendre… Je vais retourner chez moi, je crois, à la Nouvelle-Orléans… Mes parents seront contents… Mes frères sont depuis longtemps un peu partout dans le Sud… Ils ont des femmes, des enfants… Ils ont quitté le Lower Ninth Ward bien avant Katrina… Ils sont allés faire leur vie ailleurs… Malgré tout, cette putain de ville, je l'ai dans la peau ! C'est un lieu étrange, Jimi ! La mort et la vie sont toujours confondues là-bas… Toi, tu peux comprendre ces choses… Je voulais venir te voir avant de rentrer dans le Sud… Et puis te dire, mon frère, que j'aimerais encore que tu me fasses signe, que tu m'indiques quoi faire… Je vais avoir quarante ans dans deux ans… Tout ce temps, tu l'as passé dans la terre… Ta mort est déjà plus longue que ta vie… Et c'est pas fini ! Ça doit te donner un peu de pouvoir, non ? Tu es pas n'importe qui parmi les morts, merde ! Et tu as plus à prouver que tu peux faire ta place dans l'au-delà… Les batailles sont sûrement finies pour toi… Je voudrais un petit geste de ta part qui m'aiderait à savoir ce que sera la suite… J'aurais dû te demander avant… Quand je suis sorti de prison… il y a presque dix-neuf ans, je me disais que même là, j'étais comme toi… Je faisais un peu de taule… Mais après, tu vois, j'ai pas beaucoup avancé… Y a peut-être quelque chose que j'ai pas compris… J'ai peut-être pas bien lu tes messages, Jimi… Qui sait ? Mais tu vois un peu le tableau actuel de ma vie ? Rien de triste, mais rien de reluisant… BETSY !!! TA GUEULE ! T'es toute seule, maintenant ! Pas l'ombre d'un karaté kid… Personne autour de la bagnole… Tu me vois de loin et tu hurles à la mort… MAIS QU'EST-CE QUE T'AS ? Un fantôme est entré dans la Lincoln ? Bouffe-le en silence, ma cocotte ! Laisse-moi converser avec Jimi ! C'est pas souvent que je lui parle… OK, OK, JE REVIENS ! Je suis l'esclave noir de cette pouffiasse de chienne blanche ! C'est qu'une question de couleur… Je sais pas, Jimi, si tu peux faire quelque chose pour moi… Tu verras… C'est toi qui décides… C'est gênant de te demander… Je m'en vais, alors… Salut, mon frère, et fais-moi signe, quand tu veux… T'as toujours su où me trouver… Betsy m'appelle… J'y vais… Merde ! La terre est encore mouillée… J'avais oublié… Putain ! J'arrive, Betsy, j'arrive ! Je fais aussi vite que je peux ! Ouais, ma chienne… Ouais, bonne fille, bonne fille… Qu'est-ce que tu es énervée, toi alors ! Tu peux pas me foutre la paix cinq minutes ! OK, OK, calme-toi… Oui, c'est bien, bonne chienne… Tu aimes ça, les caresses… Oui, ma grosse… Oui ! En v'là plein ! Maintenant, va pisser là… Oui, là, juste devant la voiture et surtout ne te mets pas à courir dans le cimetière ! Pas envie de me faire emmerder… J'ai fumé un joint et tout est cool… On va essayer de rester relax… De sortir d'ici sans scandale… C'était peut-être le problème… Tu pouvais plus te retenir ! C'est un lac que tu me fais, ma grosse ! T'aurais dû réserver ça pour une tombe de Yin ou de Yang… Ça sera pour une autre fois… OK, bonne chienne ! Rentre dans la bagnole ! Il fait beau… Je vais descendre le toit… Là, je te fais ça tout de suite… Tu as l'air de la reine d'Angleterre comme ça, Betsy… Elizabeth qui dit bonjour aux Anglais de sa bagnole… On va rentrer à Seattle, tous les deux décapotés… Regarde, tu vas avoir les oreilles qui vont partir au vent, Betsy… Faudra faire attention de pas t'envoler ! T'es pas bien maigre, mais on sait jamais… Je sais pas pourquoi je suis venu ici, ma grosse… C'est pas pour voir les Chinois en tout cas, qui sont maintenant bien tranquilles, loin, là-bas, à l'enterrement d'un de leurs vieux… Je vais voir ce qui se passe pour moi, maintenant… Mais tout de suite, dans l'immédiat, je veux dire, je vais rentrer me coucher… Je travaille encore ce soir, et puis aussi une partie de la nuit… On va faire un gros dodo, Betsy, qui va nous remettre les idées et les oreilles en place ! En espérant que Lewis va pas passer la journée au téléphone à se faire bouger la mâchoire dans tous les sens, en se disputant avec Charley… Ouais… Ouais… Si j'avais pu entrer dans ce cimetière comme je suis en train d'en sortir, ça aurait été autre chose… J'aurais pas déconné… Il me semble que je me suis mal exprimé avec Jimi… Il a pas dû comprendre grand-chose à ce que je lui disais… Je vais mettre la musique sur l'autoroute, Betsy… Pas tout de suite… Il faut que je passe à la station-service que j'ai vue à côté d'ici, après m'être perdu dans cette putain de banlieue… Je dois nourrir ma « Foxy Lady », ma Lincoln toute blanche qui me coûte tout mon salaire… Toi, Betsy, et ta copine Foxy, dans laquelle tu te pavanes comme une grosse paresseuse, vous me ruinez ! Les bonnes femmes, vous êtes toutes pareilles ! Il va falloir que je dise à Gwen que je pars… Ça fait deux ans que je la fréquente… Elle croit peut-être qu'un jour on va se marier… Je sais pas à quoi elles pensent, les filles ! Elles ont que le mariage et les enfants en tête ! Je l'aime bien, mais je vais quand même pas l'amener à la Nouvelle-Orléans avec moi ! C'est pas comme ça, Betsy ! Tu as vu qu'entre elle et moi, c'est pas un vrai truc… Tu es témoin, ma grosse… Pas vrai ?… Bon, pas encore un gars qui apprend à conduire juste devant moi, avec sa Subaru… Merde, il entre justement comme moi dans la station-service… Je dois les attirer, les chauffeurs du dimanche ! C'est lundi, les mecs ! Vous devriez pas avoir le droit d'être sur les routes aujourd'hui ! Je vais pas aller me foutre derrière lui… Je vais même me diriger vers l'autre bout, devant une pompe à essence, bien loin, où cet abruti ne sera pas… Tu restes là, Betsy ! Foxy a soif… Toi, tu attends ton tour ! Et c'est pas parce que le toit est baissé que tu peux en profiter pour sauter hors de la voiture ! Je t'ai mieux élevée que ça, Betsy ! Bonne chienne, va… Tu restes là ! Bon, v'là autre chose… Ma carte de crédit est pas valide… Qu'est-ce que c'est que ce truc ? Je peux plus rien faire… Ça bloque ! Putain, je vais essayer de recommencer la manœuvre… Là… Non, y a rien à faire…

« La carte de crédit n'est pas valide. » Je dois me présenter à l'intérieur pour engueuler le préposé... Merde de merde !!! Quelle malchance, ce matin ! Il manquait plus que ça, après mon périple en Asie ! Écoute, Betsy, tu gardes la voiture ! Tu montres les dents si un abruti s'approche... Tu te mets à aboyer et j'arrive... Mais quoi qu'il advienne, tu restes dans Foxy Lady ! D'accord ? Je suis là, à l'intérieur, je reviens dans deux minutes, le temps que j'explique à ces gens que ma carte fonctionne très bien et que c'est leur pompe pourrie qui marche pas... Bonne chienne ! Oui, tu restes là ! Putain, v'là que le type que j'ai évité est juste devant moi, dans la file ! On dirait qu'y a un problème avec les pompes qui ne reconnaissent plus les cartes de crédit... C'est donc pas que les machines détectent les négros comme moi et leur refusent de l'essence... Ça me rassure... Le Blanc à casquette qui sait pas conduire sa Subaru et qui travaille sûrement pour Microsoft est dans le même bateau que moi... Mais on est pas sortis de l'auberge... La fille à la caisse a pas l'air pressée... Elle parle aux gens en regardant le poste de télé de l'autre côté sur le mur... J'espère que Betsy va pas se mettre à aboyer... Elle est pas patiente, ma fille... Tylenol. *Feel better*... Tu rigoles, mon ami ! Votre publicité, elle me donne à elle toute seule un mal de tête carabiné ! C'est quoi, ce truc-là ? Ah, oui ! J'aurais dû m'en douter... On est sur CNN ! Toute la région regarde cette chaîne... Je sais pas pourquoi ! Ce doit être un truc des gens qui travaillent chez Microsoft... On est engagés par la compagnie et on reçoit un abonnement pour CNN ! Après les employés, ils veulent retrouver leur CNN partout, même dans la station-service... Écoute, ma poule, arrête de répondre aux clients avec un œil sur l'écran de télé, ça ira plus vite ! Je t'assure… Je vais aller l'éteindre, moi, ce poste ! Mais je connais ce type-là ! C'est une vieille photo, mais je le connais… De la Nouvelle-Orléans ? Sa gueule m'est vraiment familière… Attends, ils parlent d'un condamné à mort en Georgie… Vos gueules, les mecs ! Je veux entendre ce qui se dit sur CNN ! Vous respectez CNN d'habitude ! C'est votre messe, non ? Je rêve… Je rêve… Oui… Il faut que je me pince… C'est Smokey Nelson ! Le gars qui a tué deux adultes et deux enfants ! Et dire qu'on m'a pris pour lui… J'ai fait de la taule à cause de toi, sale négro, sale meurtrier ! Ben oui, c'est lui ! Pas de doute… Ils passent sa photo de l'époque… Voilà pourquoi je le reconnais, ce salaud… Il s'est pas évadé, non ? Non, il va y passer dans cinq jours ! Ils vont l'exécuter ! Putain ! Toujours pas finie, cette sale affaire ! Ça, ce sont ces avocats… C'est quoi les noms qui sont écrits dans le bas de l'écran ? Bob et Hillary McDonald… Trop blancs pour être honnêtes… Il va être tué le 15 août… Je savais même pas qu'il était vivant, l'ordure de Smokey ! Il a fait de la bouillie avec cette famille… Et dire qu'on a cru que c'était moi le coupable ! À cause de cet enculé, j'ai passé des mois en prison… On me répétait que j'étais le meurtrier… Y avait la gérante du motel qui jurait que c'était pas moi… Mais la police mettait son témoignage sur le compte du traumatisme… Ils disaient qu'elle avait perdu la mémoire, qu'elle se rappelait plus que c'était moi… Ils auraient dû lui donner un texte à apprendre par cœur, pour qu'elle témoigne comme ils voulaient ! Mais elle persistait à dire que c'était pas moi ! Un flic a eu le bon sens de vérifier ! Une chic bonne femme celle-là, même si elle venait sûrement des pays jaunes… Pas de chance, les mecs, y a encore des gens bien ! C'est elle qui les a trouvés les cadavres... Ils étaient pas beaux à voir... On m'a interrogé en me détaillant bien tout ce que j'avais fait... Ça me donnait envie de gerber... Smokey Nelson... Mon pote, c'est bien toi ! Tu es une drôle d'ordure ! Je devrais me réjouir de ta mort... Mais ça me fait rien ! Je trouve même ça un peu triste qu'on t'exécute, vieux frère ! J'aime pas ça, moi, la peine capitale... J'aurais pu être assassiné là-bas, par l'État de la Georgie ! Tu serais pas venu te dénoncer, Smokey, hein ? Ça, y a pas de danger ! Pourtant j'étais complètement innocent, j'étais simplement allé faire la fête à Atlanta... Smokey, pauvre gars, tout ce temps-là, tu l'as passé en prison, à pas savoir l'heure de ta mort ! C'est salaud tout ça... Bon, voilà que c'est mon tour... J'ai juste à donner ma carte de crédit et la fille va s'arranger... OK ? On dit que c'est même pas sûr qu'il soit exécuté le 15, vendredi, le 15 août... Ce vendredi... On espère la clémence du gouverneur... C'est ce que dit l'avocate... Moi, si j'étais lui, je préférerais crever tout de suite... J'en aurais marre d'attendre... Putain, qu'est-ce que j'ai fait pendant ces dix-neuf ans, moi ? Comme lui, j'ai attendu, mais moi, je savais pas quoi... Me voilà, Betsy ! Il m'arrive un drôle de truc... Je te ferai un rapport en bonne et due forme plus tard, ma grosse... Je remplis Foxy qui doit maintenant mourir de soif et je te raconte, ma belle ! Je suis un peu chamboulé par cette affaire... Dix-neuf ans ! Putain ! J'ai pas fait grand-chose ! Si je mourais le 15 août comme lui, j'aurais pas beaucoup à regretter... Heureusement qu'il y a eu Katrina, autrement, j'aurais rien à raconter ! Mon père, il dit toujours qu'il y avait quelque chose de bien pour la Nouvelle-Orléans dans cette salope de Katrina... Boniments de vieux jardinier ! Mon père va trop souvent à l'église… On lui remplit la tête de conneries ! Mais je vais finir par dire comme lui ! Sans Katrina, mes dernières années seraient carrément vides… OK, Foxy, t'as le ventre plein… Tu peux ronronner sur la route… Il va falloir faire une révolution rien qu'à cause du prix de l'essence… Le rêve américain, il est plus du tout accessible… Faut que je sorte de ce putain de garage et le type de Microsoft est encore devant moi, avec sa Subaru ! Je vais le doubler vite fait, bien fait ! Accroche-toi, Betsy ! On décolle… J'ai pas envie d'avoir cet enculé juste devant moi jusqu'à Seattle… Les Microsoft, ils roulent comme des tortues… Savent pas conduire… Je vais nous mettre « Voodoo Child », baby… On entre sur l'autoroute et on est prêts à écouter Jimi… Pourquoi ce Smokey doit mourir maintenant ? Au moment où moi, je cherche à renaître, à recommencer ma vie… Je sais pas encore comment… Mais je peux trouver… J'ai peut-être encore un peu de temps… Qui sait… Pour lui, tout est fichu… On a le même âge, lui et moi ! Exactement le même âge… Quelques mois de différence… Je me souviens de ça. Pas de grand-chose, mais de ça, oui ! Sa mère vient de la Nouvelle-Orléans, comme moi… Plein de coïncidences… Toutes ces années en prison… Et moi, qui ai même pas apprécié tout le temps de ma liberté ! J'ai rien appris en faisant de la taule… Je suis un gamin qui croit que la vie durera toujours ou qu'il suffit de se laisser porter par les choses… J'ai pas vieilli et j'attends un signe, putain ! Si je me faisais exécuter vendredi, je serais même content que quelque chose ait lieu… C'est pas le vedettariat… Je l'envie pas de passer à la télé et dans les journaux… Ça, je l'ai vécu quand j'ai été arrêté… Rien de sympa là-dedans… Non, juste avoir l'impression que la vie m'a pas simplement oublié... Même la mort en ce moment voudrait pas de moi... J'existe pas pour ces garces de vie et de mort... Je suis né pourtant sous une bonne étoile... C'est celle de Jimi qui brillait pour moi... J'avais juste à la laisser auréoler ma tête... Je sentais que mon existence sur la Terre avait un sens... Je connaissais pas ce sens... Je suis pas Dieu, mais bon, c'est comme si dès ma naissance, on m'avait fait des clins d'œil, qu'on m'avait donné des coups de coude, lancé des signes de connivence... J'ai eu l'impression de recevoir des encouragements qui me répétaient sans cesse : « Mon petit, lâche pas. Il y a quelque chose pour toi, ici ! ! ! » Je me sentais jamais seul... J'étais avec Jimi qui me guidait... Maintenant, il reste plus rien ! Plus aucun coucou de mon étoile... Je me parle tout seul ou je cause avec Betsy... Je deviens vraiment ridicule ! Jimi, il est mort pas mal plus jeune... J'aurais peut-être dû crever au même âge que lui ! Mais je me souviens même plus de ce que je faisais à ce moment-là... Putain ! Le temps a passé, c'est tout... Est-ce que je suis encore un « Voodoo Child » ? OK, la nuit de ma naissance, la lune a tourné au rouge et Jimi est mort... OK, j'ai toujours senti qu'il y avait une force en moi, unique... Mais maintenant, soyons sérieux, les mecs ! J'ai Foxy, j'ai Betsy... Gwen, mais de celle-là, j'en veux pas... Encore quelques trucs que Katrina a laissés dans ma vie... J'ai été mis sur la touche... Maintenant, mon étoile, je peux dire qu'elle est pas mal éteinte... Réponds-moi Betsy, toi qui sais tout... Tu vois un « Voodoo Child » en moi ? J'ai perdu le contact avec moi-même... « Voodoo Child », mon cul ! Je crois plus ! Putain ! Est-ce que tu vas avancer, toi, la sale greluche dans ta Toyota or ?

PEARL WATANABE

L'avion venait à peine de décoller et Pearl regrettait déjà le voyage qu'elle allait entreprendre. À Honolulu, elle avait fini par retrouver une vie tranquille et douce dans un monde protégé. C'est sur l'île d'Oahu qu'elle avait passé, entre ses deux parents, une enfance heureuse, bénie. C'est là qu'elle espérait un jour mourir dans la sérénité. On l'enterrerait parmi ses ancêtres, à côté de son père et de sa mère, au terme d'une existence qui finirait par être sans histoire. Vieillir à Hawaii et s'éteindre tranquillement devant le Pacifique... C'est tout ce que Pearl demandait. Elle ne voulait rien d'autre... Les déplacements n'exerçaient plus aucun attrait sur elle. Pour Pearl, la sagesse consistait dans l'apprentissage du grand bonheur d'être chez soi et dans la découverte béate des joies cachées au cœur de son propre jardin. La routine était devenue depuis longtemps une amie. Était-ce pour cela qu'au moment où elle avait reçu le billet à destination du continent que sa fille lui avait fait livrer chez elle, alors même qu'elle venait de refermer la porte derrière l'employé d'UPS qui avait sonné vers neuf heures du soir en mai, Pearl s'était écroulée sur son canapé clair et avait longuement pleuré en regardant au loin la silhouette noire de son vieil ami, le volcan apaisé de Diamond Head, se détacher du bleu profond de la nuit ? Elle ne savait pas exactement la nature de son soudain désespoir, visiblement disproportionné, presque gamin. Elle avait bien évidemment envie de passer un mois avec ses petits-enfants, son gendre et surtout sa fille, sa fille adorée, mais comme elle craignait de revoir le Sud des États-Unis ! Elle l'avait quitté précipitamment après avoir tenté de s'y établir alors qu'elle était encore jeune et elle avait juré ne plus y remettre les pieds… Depuis plus de treize ans, Tamara insistait pour que sa mère lui rende visite. Les prétextes qui justifiaient un refus étaient de plus en plus difficiles à invoquer. Tamara avait décidé de payer un billet à Pearl et il n'y avait plus de tergiversations possibles. La mère se devait d'y aller et cela lui paraissait bien terrifiant… Au moins, ce serait l'été… Le mois d'août… Il ferait beau. Un peu trop chaud. Très humide… Tout était réglé… Pearl avait remarqué tout de suite que, sur le billet, figurait en rouge le nom d'Atlanta. C'est dans cette ville que l'avion atterrirait ! Rien pour arranger les choses… Tamara avait dû penser que sa mère serait plus à l'aise de prendre le vol direct de la compagnie Delta, qui faisait Honolulu-Atlanta en neuf heures à peine… Pearl n'aurait pas à se presser, à paniquer dans les aéroports de Los Angeles, de Chicago, de Dallas ou de Denver. Elle ne pourrait pas dire qu'on ne lui facilitait pas le voyage… Elle partirait d'Honolulu dans l'après-midi et arriverait à Hartsfield-Jackson très tôt le matin à cause du décalage horaire. Tamara, en fille parfaite, avait tout prévu. Elle irait chercher sa mère à sa descente de l'avion. Elles auraient alors une heure et demie à deux heures de route pour arriver à Chattanooga. En chemin, comme Pearl serait vraisemblablement fatiguée par le voyage, elle pourrait s'assoupir dans la Chevrolet Astro, véritable petit camion dont Tamara vantait les mérites! Tamara se réjouissait tant de la venue de sa mère! Pearl riait de toutes les craintes que sa fille entretenait quant au voyage. La mère savait bien que, malgré les craintes de Mara, elle n'aurait pas besoin de faire un somme dans l'Astro et qu'elle pouvait même être en transit quelques heures dans un grand aéroport sans se perdre. Pearl dirigeait depuis des années le service à la clientèle d'un grand hôtel d'Honolulu. Seule sa fille pouvait voir en elle une vieille dame impotente. Pourtant, au moment de sentir l'avion prendre de la vitesse et quitter violemment la piste pour s'envoler dans le ciel encre du Pacifique, Pearl pensait encore à ce nom d'Atlanta qui l'avait tant perturbée quand elle l'avait vu inscrit sur le billet... Retourner dans le Sud des États-Unis lui semblait une chose si douloureuse... Certes, elle pourrait s'amuser avec ses petits-enfants et s'occuper bien d'eux pendant une partie de l'été. Même si la saison était très avancée, elle travaillerait aussi à aménager le potager de sa fille. Cela leur ferait plaisir à toutes les deux! Depuis le mois de mai, Pearl avait tout de même réussi à apprivoiser l'idée du voyage. Elle avait demandé un long congé à la direction de l'hôtel Sheraton-Westin, où elle travaillait maintenant depuis dix-huit ans. On lui avait accordé toutes ces journées. Une vieille employée comme elle méritait bien de s'absenter un peu pour aller voir sa fille. Pearl avait fait de nombreuses heures supplémentaires avant son départ, histoire de rendre service et de combler les absences durant les vacances des collègues. Elle n'était pas peu fière d'être une employée consciencieuse, dévouée... Ce séjour en famille se déroulerait de façon très agréable. Les enfants seraient adorables. Howard, son gendre, ne la laisserait même pas faire sa propre lessive! Lui et Tamara la bichonneraient, la gaveraient de tout! Elle allait là-bas prendre un peu de poids, c'était couru... Elle tenterait de le perdre en bêchant le jardin et puis aussi en joggant tous les matins. Elle aurait tout son temps... De plus, elle ne connaissait pas Chattanooga et elle pourrait enfin voir la maison de sa fille. Mais après le décollage, alors que le Pacifique nonchalant étalait sous la carcasse de l'avion les deux mille cinq cents milles qui le séparent du continent américain, il semblait à Pearl que passer par Hartsfield-Jackson et traverser d'une façon ou d'une autre les banlieues d'Atlanta qui lui rappelaient tant de souvenirs étaient au-dessus de ses forces et elle ne comprenait pas comment sa Mara n'y avait pas songé. Elle qui encore hier au téléphone se vantait à sa mère de penser à tout.

★

Tamara avait rangé la vaisselle et couché ses deux enfants Luke et Ava, âgés de quatre et cinq ans. Elle venait tout juste de s'asseoir à la table de sa cuisine et attendait de façon un peu distraite que la bouilloire rouge en fonte émaillée l'avertisse par son sifflement aigu que l'eau était chaude. Tamara tenait à se faire un thé vert. Encore essoufflée par tout ce qu'elle venait d'accomplir, elle méritait bien un petit moment de repos. S'était-elle seulement arrêtée une seconde? Les courses, le ménage, les repas, la lessive ne l'avaient pas laissée en paix...

Il fallait que tout soit prêt pour demain! Les enfants avaient passé l'après-midi chez Deborah, la seule amie que Tamara avait gardée de ses premières années sur le continent. Debbie élevait seule deux enfants plus ou moins du même âge que Luke et Ava. Souvent Deborah et Tamara se rendaient des petits services. Aujourd'hui, cette entraide avait permis à Tamara de faire l'essentiel. Howard rentrerait d'ici une heure. Il travaillait encore ce soir, le pauvre homme! Les horaires chez les concessionnaires de voitures n'avaient été guère faciles dans les derniers temps… Howard n'était pas à la maison avant les neuf ou dix heures… Tout cela pour pas grand-chose, puisque avec le prix de l'essence et la récession qui semblait bien là, les voitures ne se vendaient guère… Durant l'été, du moins… Tamara était nerveuse. Une tisane la calmerait peut-être… Même vert, le thé n'était pas, après tout, une bonne idée… Elle ne pourrait fermer l'œil de la nuit. Une infusion sans caféine était préférable. Où avait-elle donc mis les sachets de tisane? Demain, sa mère arriverait très tôt à l'aéroport d'Atlanta. En ce moment même, Pearl devait être en train de décoller ou en tout cas elle n'était pas loin du départ… Elle angoissait sûrement à l'idée de revoir le continent américain. Cela, Tamara le savait bien. Elle s'inquiétait pour sa mère. Elle lui avait envoyé un billet plus tôt dans l'année. Elle tenait tellement à ce que Pearl voie la maison, sa vie et les enfants dans leur environnement quotidien. Il ne fallait pas trop traîner avec la tisane aux baies rouges que Mara venait de trouver sur l'étagère du buffet, dans la salle à manger, alors que la bouilloire émettait déjà un bruit strident. Demain serait bien dur! Un peu de sommeil était nécessaire. Mais l'eau rose était encore trop chaude. Il ne manquerait plus que Tamara se brûle le gosier juste avant d'aller chercher sa mère... Durant la journée, malgré toutes les choses qu'elle avait eues à faire, Tamara avait vu maints scénarios catastrophe se presser dans sa tête. Ce soir, elle commençait enfin à en rire... Elle était bien fatiguée ! Elle ne pensait qu'aux retrouvailles avec sa mère qui ne pourrait pas s'empêcher de pleurer en voyant sa fille. Quelle femme émotive ! Mara se targuait de savoir garder la tête froide en toutes circonstances. Ce n'était pas sa mère qui lui avait donné l'exemple ! Elle devait se lever à trois heures du matin pour être là quand Pearl passerait la porte des arrivées à l'aéroport d'Atlanta. Il y avait presque deux heures de route pour aller de Chattanooga à Hartsfield-Jackson. Elles seraient toutes les deux de retour avant que les enfants ne s'aperçoivent de l'absence de leur maman. Elles arriveraient à la maison, très vraisemblablement vers huit heures trente. Si l'avion avait du retard, Howard préparerait le petit-déjeuner et s'occuperait d'Ava et Luke. Howard était une vraie mère poule avec sa femme et ses enfants ! Il s'occupait de tout et veillait sur la famille, malgré des temps très difficiles au boulot. Il avait perdu, quelques mois plus tôt, son emploi d'informaticien, mais il avait vite retrouvé un travail : de quoi nourrir les siens et payer l'hypothèque de la maison. Sans plus... C'était, personne ne pouvait le contester, un homme bon et courageux ! Comme Mara travaillait depuis treize ans comme institutrice à Chattanooga, elle ressentait bien moins que son mari les effets de la crise qui grondait. Mais les absences répétées de Howard le soir commençaient à lui peser. Sa mère serait là un mois ! Cela lui changerait les idées en août, juste avant de retourner au travail.

Elle pourrait profiter le soir de la terrasse qu'elle avait aménagée et décorée de fleurs. Les soirées étaient toujours agréables l'été dans le Sud… Tamara s'était installée dans le Tennessee avec son mari en 1995. Elle avait rencontré Howard durant un séjour chez son amie Deborah. Elle était allée annoncer à sa mère à Hawaii sa décision d'abandonner le ciel béni du Pacifique pour aller vivre dans le Sud des États-Unis. Elle s'installait avec celui qui serait son mari. Comme il n'avait pas été facile d'apprendre cela à Pearl ! Tamara en tremblait encore en y repensant… Sa mère et son père avaient divorcé alors qu'elle était encore jeune et Mara, fille unique, avait tissé un lien très fort, très passionné avec Pearl. L'enfant et la mère s'étaient retrouvées toutes les deux dans une banlieue du grand Atlanta pendant cinq ans, alors qu'elles connaissaient très peu de gens, à part Shawna, qui était à l'époque la meilleure amie de Pearl. Cet exil les avait soudées l'une à l'autre. Quitter sa mère et Hawaii définitivement avait paru à Mara être une trahison. Mais elle avait rencontré Howard… Il fallait bien tôt ou tard couper ce cordon ombilical qui lui semblait étrangement de plus en plus court… Tamara avait promis à sa mère de revenir à Honolulu tous les deux ans. Là-dessus, comme sur le reste, elle n'avait pas manqué à ses devoirs de fille. Elle parlait au téléphone à Pearl toutes les semaines. Depuis quelques années, elle lui envoyait des courriels tous les jours. Elle organisait aussi des soirées ou des fêtes Skype avec les enfants. Luke et Ava étaient si mignons ! Pearl les voyait grandir sur son écran d'ordinateur. Malgré la distance pas toujours facile à apprivoiser, Tamara avait quand même réussi à partager avec sa mère les moments forts de l'existence. Comme les années passaient vite ! Mara rêvait de voir Pearl s'installer chez elle. Elle souhaitait gâter sa mère, qui s'était tant sacrifiée pour elle. Bien qu'elle fût très en forme et travaillât à temps plein au prestigieux Moana Hotel à Waikiki, Pearl avait tout de même plus de soixante ans, et Tamara pensait au jour pas si lointain où sa mère ne pourrait plus vivre seule. À la retraite, sa mère méritait de couler des jours heureux auprès de sa famille, de Luke et d'Ava…

Tamara finissait sa tisane en pensant à l'organisation des prochains jours. Elle savait confusément que l'on ne décide de rien dans la vie, que parfois, des incidents ou des accidents viennent détruire tous les plans, tous les grands échafaudages, tous les rêves. Ce soir pourtant, Tamara s'abandonnait au bonheur… Elle avait même tout récemment avoué à Howard que ce retour de Pearl après dix-huit ans d'absence sur le continent américain lui redonnait un espoir fou. Le refus obstiné de sa mère de remettre les pieds dans le Sud semblait être chose du passé. On entrait dans une nouvelle ère. Pearl abdiquait… Un jour, la mère de Tamara viendrait vivre à Chattanooga ! C'est ce que la fille souhaitait. Et elle ferait tout, absolument tout, pour que cela advienne. Tamara se disait cela en lavant d'un air absent sa tasse tachée par le rouge des baies de la tisane.

Demain serait un commencement. Le voyage de Pearl s'annonçait si bien ! Il fallait donc dormir pour se lever tôt et accueillir le jour qui serait rempli de joies.

★

La dame assise à côté de Pearl dans l'avion avait passé sa vie à New York. Elle venait de faire son premier voyage à Hawaii, puisqu'elle s'était toujours méfiée, comme beaucoup d'Américains un peu snobs, du clinquant des îles du Pacifique. Elle n'avait jamais osé aller à Honolulu, confiait-elle doucement à Pearl, parce qu'elle avait toujours eu peur du kitsch, du « très mauvais goût » de ces lieux que l'on dit paradisiaques et qui lui semblaient de loin ressembler à un verre de punch jaune fluorescent ou à une vahiné trop plantureuse. Elle avait donc été surprise de voir combien les choses étaient différentes des images d'Hawaii qu'elle s'était faites toute sa vie. La New-Yorkaise avait regardé quelques fois à la télévision avec son fils, devenu depuis chirurgien à Washington, une série des années soixante-dix mettant en vedette « un assez bel homme », et elle avait gardé depuis toujours l'impression qu'Hawaii était un « repaire de criminels et de vendeurs de drogues ». Pearl écoutait distraitement cette dame de la côte Est, imbue de sa classe et de ses valeurs esthétiques et morales. Les gens du continent continuaient à mépriser le Pacifique dont la couleur locale les amusait. Honolulu ne pouvait aux yeux d'une certaine bourgeoisie américaine lutter contre l'attrait qu'exercent naturellement sur elle « Boston et New York, deux villes pleines d'un passé si pittoresque et authentique ». À l'hôtel, Pearl passait ses journées à entendre des gens de tous âges raconter avec force détails les idées qu'ils avaient d'Hawaii pour enfin s'étonner de visiter un lieu somme toute civilisé. Les touristes japonais qui venaient à Oahu étaient en général plus au fait que les Américains de l'histoire des îles et des peuples qui se sont succédé sur ces petits morceaux de terre arrachés à l'océan.

Les Japonais ont un attachement intense à ces bouts de lave, de glaise qui ont réussi à former Hawaii. Leur condition d'insulaires leur fait peut-être comprendre combien la vie sur des territoires exigus, menacés, est précieuse. Mais pour la plupart des peuples, Hawaii reste un lieu de débauche et de soleil où les Américains les plus ringards et les nouveaux mariés les plus bruyants sont en mal de sensations fortes, de plaisirs de quatre sous, de cocktails tape-à-l'œil sous des néons bleus ou roses et des palmiers verts.

Pearl ne tenait pas à répondre à sa voisine. Par où aurait-elle d'ailleurs commencé ? Il aurait fallu éduquer cette dame pourtant très instruite. Et Pearl savait bien que, de toute façon, la dame ne pouvait passer que d'un mépris pour Honolulu à un étonnement condescendant. Pearl était née à Pearl City, dans le comté d'Honolulu en 1947. De la ville et de la guerre, Pearl tenait son nom. Après le bombardement de Pearl Harbour, la situation d'Hawaii avait été assez dramatique. Il avait fallu du temps et du courage pour redonner aux îles leur vigueur. Le tourisme qui s'était pratiquement arrêté pendant la guerre avait été relancé avec difficulté. Personne ne voulait alors venir dans une île où les cicatrices des conflits étaient encore si visibles. Pourtant les parents de Pearl avaient décidé qu'il fallait que le monde changeât et que les événements dramatiques tournassent à leur avantage. Ils avaient eu leur enfant alors qu'ils étaient âgés. Elle était un véritable cadeau du destin et ils voyaient en la petite tout le symbole de la reconstruction de l'île. C'est pourquoi ils l'avaient nommée, contre toute attente, Pearl. Ce nom, c'était un pied de nez à l'horreur des bombardements ! Ces gens-là avaient pourtant beaucoup souffert pendant la guerre. Pearl l'avait senti dans les bribes d'histoires que ses parents racontaient parfois durant son enfance. Le père de Pearl était d'origine japonaise et même s'il avait épousé une jeune Américaine très blonde, dont la famille aisée au début du vingtième siècle avait quitté l'Iowa pendant la crise pour venir gagner un peu d'argent dans la culture du sucre, il avait subi la véritable ségrégation qu'avait imposée la guerre contre le Japon. Même la fête des morts qui était d'origine bouddhiste et toujours très populaire sur les îles avait été interdite durant la Seconde Guerre mondiale pour satisfaire l'esprit japonophobe qui sévissait alors. Des livres érudits soutenaient que les Japonais d'Hawaii étaient la cause de la défaite de Pearl Harbour. Certes, Hawaii n'était pas la Californie de l'époque, et la haine des vrais Américains contre ces « étrangers » s'était manifestée à Oahu et dans les autres îles avec moins de virulence que sur le continent, mais Pearl se rappelait très clairement comment, petite, presque dix ans après la guerre, on la traitait encore de « sale Jap » et combien on se méfiait d'elle à l'école quand l'institutrice enseignait l'histoire américaine. Pearl n'en avait pourtant jamais voulu à aucun de ses camarades. Son père lui avait appris la tolérance. Il avait toujours cru en la grandeur des États-Unis, ce pays qui avait accueilli chaleureusement ses propres parents. Il n'avait cessé de répéter à la petite Pearlie que les préjugés pouvaient être vaincus et que les choses avec le temps s'arrangeraient. Il n'avait pas eu complètement tort. Les conflits raciaux s'étaient peu à peu estompés à Hawaii. Le mélange des races semblait l'emporter sur la pureté bien imaginaire d'une ethnie. Le candidat démocrate à la présidence, Obama, venait de ce melting-pot qu'est, bien encore davantage que le continent américain, Hawaii. Pearl espérait de tout cœur que cet homme-là remporte les élections en novembre. Elle voterait pour lui, ça c'était certain ! Et elle souhaitait surtout qu'il puisse endiguer le racisme dans le reste des États-Unis. La haine des Noirs... Pearl en avait été témoin à Atlanta durant les cinq ans qu'elle y avait passé à la fin des années quatre-vingt... De cela, elle préférait ne pas se souvenir... Elle avait hérité de ses parents une confiance inébranlable dans l'avenir qu'un sens du devoir et du travail consolidait sans cesse. En 2006, lors du tremblement de terre, elle avait pu constater que le peuple des îles était capable de petites choses tout à fait constructives. La pauvreté qui pouvait sévir dans certains lieux à Hawaii ne conduisait pas toujours au pire. Au contraire... À l'hôtel, Pearl entendait beaucoup les touristes apeurés qui demandaient à la réception qu'on leur indique sur la carte qu'ils tenaient à la main les quartiers à éviter. Elle avait surpris un des employés répondre un jour à un Américain du continent, un homme visiblement conservateur, qu'il fallait éviter les Schofield Barracks, là où l'armée réside, parce que l'on ne sait jamais ce que les soldats américains font le soir. Loin de réprimander ce garçon, Pearl lui avait fait un clin d'œil complice, amusé.

Alors que, contemplant l'ennui des heures du vol Honolulu-Atlanta, la New-Yorkaise s'installait confortablement dans le récit de toutes les impressions de son voyage, Pearl se laissait aller à ses pensées, à sa vie presque entièrement passée à Honolulu. Elle avait quitté l'île à peine cinq ans et avait vécu alors en Georgie. Après la mort de ses parents et son divorce, elle avait suivi une amie qui, comme elle, voulait tenter sa chance ailleurs, et qui lui avait trouvé un emploi de gérante de motel dans la grande banlieue d'Atlanta. Pearl était bercée par le ronron des phrases de la touriste de New York et elle ponctuait les mots de cette dame de quelques hochements de tête, de « Oh ! » et de « Ah, vraiment ! » distribués sans effort. De toute manière, la voisine de Pearl semblait peu intéressée à ce qu'on lui réponde. Elle préférait sans aucun doute que Pearl l'encourageât discrètement par une danse aussi discrète que savante du cou et des lèvres à ne pas interrompre le flot de ses paroles qui arrivaient tout de même à couvrir le bruit des réacteurs du 747 et permettaient à Pearl de voir son esprit vagabonder. Pearl avait toujours travaillé dans l'hôtellerie. Comme son père. Et quand elle était revenue à Honolulu, en 1990, elle avait demandé un poste de responsabilité au Moana Hotel. C'est là que Watanabe Chiko avait gagné sa vie durant de nombreuses années comme électricien et homme à tout faire. Pearl aimait travailler dans cet établissement qui lui était familier et qu'on avait tout de suite surnommé la « Lady de Waikiki » dès son ouverture en 1910. « Oui, la Lady de Waikiki, vous devez connaître », disait justement la New-Yorkaise qui était en train de se perdre dans le récit du tour guidé de ce grand « hôtel historique ». C'étaient peut-être les propos de la dame qui conduisaient Pearl à se souvenir de ses visites, petite, à son père dans l'enceinte de l'hôtel ou c'était simplement la douleur de quitter son île pour aller à Atlanta qui la rendait nostalgique de l'enfance. Tout lui paraissait alors grandiose ! Les gens qui venaient là après la guerre étaient riches et le décor somptueux des lieux éblouissait la petite Pearlie lorsqu'elle allait chercher son père au travail ou quand il y avait une fête de Noël organisée pour les employés et leur famille. Le Moana avait été bâti par un type original, Walter Chamberlain Peacock. Cet homme fortuné avait installé dans l'immeuble le premier ascenseur de l'île. À l'époque, on pouvait louer une chambre pour un dollar cinquante ! Il arrivait souvent à Pearl de se substituer au guide de l'hôtel et de mêler ses souvenirs personnels à l'histoire d'Honolulu. Avec l'assainissement des marais de la ville, l'hôtel était devenu un haut lieu de villégiature où beaucoup d'artistes américains des années trente avaient été lancés. Même Frank Sinatra était venu au Moana, avait appris la voisine de Pearl lors de sa visite de l'hôtel. « Quel grand chanteur ! Je l'adorais ! déclara-t-elle, enthousiaste. Il paraît qu'une chambre peut coûter maintenant jusqu'à six cents dollars la nuit. Mon fils qui est chirurgien, je ne sais pas si je vous l'ai dit, ne mettrait pas tant dans une chambre d'hôtel et pourtant il vient de s'acheter une maison en face de Martha's Vineyard. » Le père de Pearl travaillait au Moana Hotel déjà dans les années trente… Durant la guerre, de 1941 à 1945, l'hôtel, qui de toute façon ne recevait plus de clients, avait été réquisitionné par l'armée afin que les gars envoyés dans le Pacifique aient un lieu agréable pour oublier le sort qui les attendait. Watanabe racontait souvent cette période difficile à sa fille. « On peut voir dans la cour de l'hôtel un arbre magnifique, un figuier planté au début du vingtième siècle, sous lequel les soldats se reposaient entre 1943 et 1945, continuait la dame. Il en a vu de toutes les couleurs, ce figuier, mais il est toujours là… J'en ai d'ailleurs vu un semblable à Fort Myers, en Floride, chez ma sœur. » Cet arbre, Pearl le connaissait bien. Son père lui en parlait quand il rentrait à la maison.

Il amusait souvent sa petite fille avec les aventures du figuier. Pearlie adorait avoir des nouvelles de l'arbre magique, aux racines apparentes qui semblaient vouloir atteindre le ciel. Depuis un certain temps, le soir très tard ou encore très, très tôt le matin, avant de commencer sa journée de travail, Pearl prenait quelques instants pour s'asseoir sous le figuier merveilleux et se sentait alors proche de son père, de ses parents morts depuis déjà longtemps. L'océan à perte de vue devant l'hôtel, Diamond Head, le vieux volcan éteint mais pourtant fier qui bâille d'ennui devant la beauté du Pacifique, à un ou deux milles du Moana, ne la rassuraient jamais autant que cet arbre aérien dans lequel elle avait trouvé ses racines et qu'elle ne quitterait pour rien au monde.

Tamara se tournait et se retournait dans son lit et n'arrivait à trouver qu'un sommeil brisé, entrecoupé de cauchemars effilochés, sans queue ni tête. Toutes les quinze minutes, elle se réveillait en sursaut et en sueur et regardait l'heure que des chiffres bleus, fluorescents, affichaient de façon narquoise, agressive sur le radio-réveil. 1:48. C'est du moins ce que Mara crut découvrir quand elle parvint à ouvrir les yeux durant trois petites secondes. Si c'était bien vrai, cela faisait plus de quatre heures que Tamara cherchait la compagnie abrutissante et réparatrice du sommeil, mais celui-ci la boudait, lui battait froid. Des histoires lui revenaient à l'esprit, des dialogues avec sa mère, sa rencontre avec Howard, son départ pour Chattanooga, tout cela dansait, se chevauchait pêle-mêle sous son front brûlant.

Les événements se succédaient dans une java endiablée. Il lui semblait que le poids des quinze dernières années venait la terrasser. Dans cet état de somnolence lourde et pourtant impossible, affolée, elle tenait à se sortir du sommeil pour ne pas laisser aux impressions vivaces et terrifiantes la possibilité d'élire domicile dans sa tête. À la manière des pensées se pressant dans l'esprit de Tamara, la pluie violente d'un orage cognait contre la fenêtre de la chambre. Mara espérait un grand vent qui balaierait tout. Elle voulait réveiller Howard qui était allongé à côté d'elle, mais ne parvenait pas à bouger ni à crier. Le sommeil semblait, malgré son caractère fracassé, plus fort que tout. Elle entendit la porte du garage claquer. Elle crut crier le nom de son mari : « Howard ! » Puis elle ajouta quelque chose comme : « Il y a quelqu'un qui entre dans la maison ! » Sa propre voix la réveilla alors un peu. Elle se dressa sur son lit et vit distinctement son mari qui venait tout juste de rentrer du travail et qui passait le seuil de la chambre à coucher, souriant. « Tu ne dors pas ? demanda-t-il doucement à Tamara. Il fait un temps horrible dehors. Mais cela va nous rafraîchir l'air. Il fera meilleur demain… Pour ta mère… J'ai une bonne nouvelle. J'ai vendu deux énormes voitures ce soir et j'aurai une bonne commission. C'est pour cela que je rentre tard. Les clients riches ne sont pas pressés de partir. Ils paient, tu vois… Tu as pu quand même te reposer un peu ? » Howard s'approcha de sa femme et l'embrassa. Mara, le regard vaseux, ne bougeait pas. Au bout d'un moment, elle tourna la tête vers le réveil et constata qu'il n'était que dix heures cinquante-quatre. Dans l'état de confusion où elle s'était trouvée, elle avait mal lu l'écran à affichage numérique qui avait pourtant l'habitude de lui donner l'heure juste dans ses périodes d'insomnie. Ces maudites insomnies ! Elle les avait héritées de sa mère qui, depuis tant d'années, ne dormait presque plus... Elle pensa encore qu'il serait bon d'acheter un radio-réveil à la mine moins patibulaire, aux couleurs moins violentes pour qu'un objet doux et bienveillant accompagne ses nuits sans sommeil. « Je ne dors pas vraiment, Howard. Tu sais bien comment je suis, et cette nuit, je suis particulièrement incapable de trouver le repos. Maman vient et cela me met, sans que je m'en rende compte, dans tous mes états. Mais Dieu soit loué, tu es là ! Va te préparer pour le lit et on pourra bavarder cinq minutes avant que tu me prennes dans tes bras et que tu t'endormes rapidement, alors que moi, je n'oserai plus bouger pour ne pas te réveiller... » Mara riait en disant cela à Howard. La vue de son mari, de sa chambre malgré tout bienveillante, bien réelle, la tirait du côté de la vie, de l'ordre des choses. Il ne fallait pas s'inquiéter ! Howard avait gagné de l'argent ce soir. Il était rentré sans problème malgré l'orage menaçant. Les enfants ne s'étaient pas réveillés. Demain matin, Mara partirait pour Atlanta. Sa mère serait là pour un mois. Tout irait bien. Oui... Elle le sentait. Howard vint se coucher rapidement et sa femme put lui raconter sa journée épuisante. Elle espérait tant qu'il retrouve bientôt un nouvel emploi comme informaticien, elle n'aimait pas qu'il ne soit pas là le soir. Elle tenta de se rendormir dans les bras de celui pour qui elle avait quitté sa mère et Hawaii, de son mari qui l'avait toujours protégée de tout. Alors qu'elle allait s'assoupir, soudain rassurée par la douceur de la vie, Howard, dans un mouvement brusque qui vient à l'improviste quand le corps se détend avant de s'abandonner à la nuit, eut ces quelques phrases : « Demain, tu pars tôt pour Atlanta. Tu feras attention sur la route… Je n'aime pas la Georgie, tu le sais. Ils vont exécuter un type là-bas à la fin de la semaine prochaine. Tu dors Mara ? J'ai entendu cela à la radio en rentrant. Le troisième, cette année ! En Georgie, ils sont forts sur les exécutions… Encore un Noir, Mara… Ils exécutent les Noirs en priorité, on dirait. Ils veulent vraiment se débarrasser d'eux. Je ne sais pas pourquoi je pense à cela. La fatigue… Le gars n'était pas un enfant de chœur, même s'il a commis son crime alors qu'il n'avait pas vingt ans. J'ai pas envie de le plaindre. C'est sûrement un salopard. Il a tué un couple et ses enfants, si j'ai bien compris… Pas joli, joli… De là à mourir comme cela, presque vingt ans plus tard, c'est très moche ! Il vaut mieux pas traîner en Georgie. Je suis un gars du Tennessee, moi. Tu reviendras vite après l'aéroport, d'accord ? Bonne nuit, ma puce… » Le sang de Mara ne fit qu'un tour. Elle entendait son cœur battre violemment contre les parois de sa cage thoracique. Une voix hurlait dans sa tête, stridente, apeurée. Elle tenta pourtant de se calmer et en prenant une voix très, très douce, elle demanda à Howard comme si de rien n'était, comme si les choses étaient encore banales, anodines, si par hasard, il savait le nom du condamné à mort dont il parlait et s'il pouvait se rappeler un peu plus les meurtres commis. C'est dans un état second, très proche du sommeil que Howard fit un effort pour répondre : « J'ai pas vraiment entendu ce qui se disait sur les meurtres. C'était au début du reportage… Je ne prêtais pas encore attention à cette histoire. Mais le type, oui, il a un nom intrigant, c'est pour cela que j'ai écouté. Attends… Il s'appelle comme un chanteur rock, Smokey…

Smokey quelque chose. Cela ressemble à Smokey Robinson. Smokey Robinson and the Miracles. Tu sais le gars qui a fait "Baby, baby, don't cry", mais c'est pas son nom… Smokey… Smokey… Smokey… Merde, je ne sais pas… je te le dirai demain. Cela me reviendra. Bon, dodo, Mara… Tu as besoin de dormir… J'aurais pas dû te parler de ce Smokey… Smokey… Ah ! vraiment je ne sais plus son nom. » Mara fut terrassée par la voix de son mari qui n'arrêtait plus de répéter, dans un état de somnolence, le prénom du type afin qu'un nom de famille s'impose. Howard, malgré toutes ses tentatives désespérées de retrouver le patronyme du prisonnier, n'y parvenait pas. Mara frissonna. Elle se blottit très fort contre le corps chaud de son mari et dit très calmement, d'une voix morte : « Smokey Nelson. » Un autre qu'Howard n'aurait pas entendu le son faible, presque avorté, que la bouche de Mara venait d'émettre, mais même épuisé, cet homme avait l'habitude d'être très attentif à sa femme et à ses gestes. Il connaissait tous les mouvements du corps de Mara et il comprit vite que celle-ci n'allait pas bien. Howard tentait de se réveiller : « Oui, c'est cela, Smokey Nelson ! Quel nom ! Tu as écouté les informations, toi aussi ? Mais Tamara… Mais qu'y a-t-il ? Qu'est-ce qui t'arrive ? Depuis que je suis de retour, je sens que quelque chose ne tourne pas rond. Ta mère sera avec nous dans quelques heures. Tout va bien se passer. » Il prit sa femme dans ses bras pour la blottir contre sa poitrine. Tamara se mit à pleurer. Elle ne pouvait rien dire à son mari. Comment aurait-elle avoué ce qui la tracassait ainsi ? S'entendre raconter sa peur aurait rendu les choses beaucoup trop concrètes. Elle dit à son mari à travers ses sanglots : « Je suis vraiment fatiguée. J'en ai trop fait aujourd'hui.

Tu es mon amour. Je te raconterai tout plus tard. Je me sens à bout. Laisse-moi dormir. Cela ira mieux. Nous devons nous endormir pour de bon maintenant. Il faut que je me lève à trois heures. Cela ne me laisse pas beaucoup de temps ! Je t'aime… Ne t'en fais pas… Bonne nuit ! » Howard, malgré une certaine inquiétude, s'endormait déjà. Il pensait sincèrement que sa femme était un peu anxieuse de revoir sa mère qui refusait de voyager et de venir dans le Sud. Seul le temps arrangerait les choses. Et ce soir, il fallait dormir. C'était un grand moment pour elles deux. Demain, tout serait arrangé. Mara, elle, faisait semblant de s'assoupir afin que son mari se mette à ronfler doucement. Elle ne pourrait plus fermer l'œil de la nuit. Cela ne faisait aucun doute. Mieux valait ne pas essayer. Elle était encore tout abasourdie… Après la panique et le désarroi, l'étonnement la submergeait maintenant. Tamara n'avait pas un tempérament qui donnait très longtemps prise à l'affolement. Très vite, elle reprenait contact avec la réalité, ses possibles et ses impossibles. Comment était-il possible que ce Smokey Nelson se fasse exécuter au moment même où Pearl revenait dans le Sud ? C'était pas de chance… Il semblait y avoir là plus qu'une coïncidence, même si ce n'était pourtant qu'un vulgaire hasard. Les choses arrivaient dans le monde sans pour autant avoir de sens. La vie est absurde par moments, grotesque. En fait, il y avait presque de quoi rire devant le caractère formidablement ironique de la situation. Howard, quand il serait au courant, rigolerait avec elle de toute cette histoire. Malheureusement Pearl ne l'entendrait pas comme ça. C'était couru d'avance… Elle verrait un signe dans cette rencontre de deux temporalités, et ce signe irait dans le sens de ses précédentes interprétations. Pearl cultivait une attitude passive et même craintive devant les événements qui exaspérait sa fille. Malgré une bonne situation à l'hôtel, qu'elle avait obtenue par son sérieux et son travail, Pearl était une femme qui se contentait trop souvent de ce qu'on lui donnait. Pearl avait pris une seule vraie décision dans sa vie : quitter Hawaii. Après que son mari l'avait laissée pour tenter l'aventure en Asie et que ses deux parents étaient morts dans un accident de voiture à Maui, Pearl avait choisi de partir d'Hawaii en emmenant sa fille. Elle l'avait vite regretté. Cinq ans à peine après son arrivée à Atlanta, alors qu'elle commençait à s'habituer un peu aux us et coutumes du Sud du continent, les événements de 1989 l'avaient assommée. Elle n'avait pensé à rien d'autre qu'à se réfugier à Honolulu avec Mara, alors devenue adolescente, qui ne voulait plus retourner dans le Pacifique, au milieu de rien. Là, Pearl avait petit à petit retrouvé son équilibre et s'était promis de ne plus jamais abandonner ses îles et sa petite vie excessivement réglée. Mara en avait toujours voulu à sa mère de ce qu'elle croyait être de la résignation. Quelque temps après le retour à Hawaii, alors que Tamara avait seize ans, sa mère et elle avaient loué pour les vacances une petite maison sur Big Island. La maison était mal située, près d'une route très bruyante et pas loin d'un petit aéroport. Les voisins d'à côté s'étaient plaints de la fausse image qu'on leur avait donnée du lieu. Ils étaient donc allés voir l'agent de location en rouspétant et avaient été relogés dans une très belle villa dominant l'océan. Mara avait poussé sa mère à suivre l'exemple de ces gens. Mais la petite maison convenait à Pearl qui ne voyait pas de raison de rouspéter. La vie était bonne, douce. Pourquoi en demander plus ? Ce furent les dernières vacances que Mara passa avec sa mère. Cette docilité quotidienne face à des choses ennuyeuses qu'il était possible de changer exaspérait Mara. Sa mère, dans les restaurants, ne renvoyait jamais un plat qu'elle n'avait pas commandé. Elle laissait faire les erreurs des serveurs ou les tactiques malhonnêtes de certains vendeurs, se disant qu'après tout, du poulet était préférable au steak et que la couleur des chaussures qu'un employé paresseux ou cupide lui conseillait était peut-être la bonne. Tamara avait du mal à comprendre qu'une femme aussi déterminée que sa mère, qui courait dix milles par jour et qui faisait deux marathons par année, puisse accepter sans rechigner ce qui lui était imposé par la bêtise, l'insouciance ou la malhonnêteté humaine. Elle ne pouvait apprécier que sa mère se moquât ainsi des choses terrestres. Pearl voyait dans les détournements de ses petites volontés et ridicules desiderata l'occasion de ne pas trop s'attacher à des réalités anodines et banales. C'était très agaçant pour la fille… Avec l'exécution de Smokey Nelson qui aurait lieu dans quelques jours, s'installerait en Pearl la conviction d'un impossible retour dans le Sud. Elle imaginerait que le continent n'était vraiment pas pour elle. Elle en verrait la preuve dans ce hasard idiot. Dès qu'elle avait mis les pieds à Atlanta, fin 1984, Pearl avait décidé que ce sol ferme, vieux, que constitue l'Est du pays, lui était hostile. Les meurtres de 1989 lui avaient confirmé que sa place était parmi les siens, sur la terre gamine, capricieuse et éruptive des îles du Pacifique. Elle n'aurait jamais dû aller à Atlanta. Elle ne pouvait échapper à l'horreur ou au passé en se retrouvant maintenant sur les lieux du crime. Pearl s'entêterait à voir en Hawaii le seul endroit où elle puisse vivre. Sans compter qu'elle passerait un mois épouvantable à voir ressurgir l'époque du procès. Mara n'avait pas envie de repasser à travers tout cela... Dans son lit, elle s'insurgeait contre ce revirement du sort qui allait lui gâcher la visite de sa mère. Mara aussi avait beaucoup souffert en 1989. À l'époque, elle avait quinze ans et découvrait la vie américaine, la vraie. Pas celle qu'on exporte à Hawaii. Et tout à coup, à cause de ce qui s'était passé au motel, plus rien n'avait été pareil. Sa mère ne s'était jamais débarrassée de ce qu'elle avait vu. Oui, Mara avait accepté tout cela. Mais elle regrettait vivement que Pearl ne lui ait jamais rien dit, qu'elle ne se soit jamais confiée à personne. Pendant quelques mois, Pearl, hagarde, s'était installée dans un mutisme total. Pour comprendre un peu l'affaire, Mara avait dû lire la presse en cachette de sa mère. C'est ainsi qu'en première page du *National Enquirer*, elle avait vu le nom de Smokey Nelson associé à celui de sa mère, Pearl Watanabe. Tamara avait alors épluché d'autres journaux plus sérieux. À la fin du procès, alors que Pearl n'arrivait pas à retrouver l'usage normal de la parole, la mère et la fille étaient reparties pour Hawaii. Tamara en avait été vraiment peinée. Mais elle n'avait rien dit à sa mère pour ne pas la faire souffrir. Pearl était visiblement très secouée par les événements. Avec les années, Mara n'avait plus pensé aux meurtres d'Atlanta. Au début, parfois la nuit, lui revenait le nom de Smokey Nelson et ce nom la terrorisait. Elle se rappelait horrifiée ce que l'homme avait fait à cette famille innocente. Certains journaux avaient donné des détails très troublants qui ne pouvaient qu'attiser la haine contre le criminel. Mais le temps avait pourtant fini par effacer de sa mémoire Smokey

Nelson. Ce n'est que ce soir, alors que Howard répétait ce prénom pour tâcher de reconstituer le patronyme du condamné à mort que Mara, lovée dans les bras de son mari, avait fait appel à ses souvenirs. Même le visage assez beau de cet homme lui était revenu en mémoire, comme quoi… Tamara se moquait de ce type et espérait qu'il soit exécuté rapidement ! Il avait gâché la vie de tant de gens, après tout ! Il avait brisé sa mère et puis avait éventré sa vie à elle. À l'époque, elle était repartie d'Atlanta, la mort dans l'âme. À la demande de son amie Deborah, devenue jeune adulte, elle était revenue en Georgie, pour y faire un petit voyage. Elle avait alors connu Howard et son existence avait enfin repris un cours moins dramatique. Maintenant, elle vivait dans le Tennessee… Elle y était bien… Elle y avait retrouvé le bonheur de son adolescence… Oui, Pearl avait été bouleversée par le meurtre de cette famille. Mais les lieux n'étaient pas responsables de tous les maux… Des histoires sordides, il n'en manquait pas à Honolulu, non ? Où est-ce que sa mère s'imaginait vivre ? Et dans son île paradisiaque Pearl n'était pas plus à l'abri que dans une banlieue d'Atlanta ou de New York ! Il faudrait bien qu'un jour sa mère se rentre cela dans la tête. Ce Smokey aurait dû être exécuté bien avant… Tamara avait cru qu'il était mort depuis belle lurette. Et voilà qu'il réapparaissait pour finalement mourir sous les yeux de Pearl. Il vaudrait mieux ne pas faire de publicité sur ces affaires ! On en savait trop… Que les condamnés à mort soient exécutés en silence ! Ils ont fait assez de mal comme ça ! Pearl ne devait en aucun cas apprendre la mort de Smokey durant son séjour. Mara s'arrangerait pour que sa mère n'ait pas accès à la télévision, ni à Internet, ni à la radio. Howard l'aiderait. Elle mettrait le feu aux trois téléviseurs de la maison s'il le fallait ! Elle partirait avec sa mère et les enfants faire du camping dans les Smoky Mountains, loin de toute civilisation. On en profiterait pour visiter Gatlinburg et Dollywood. Les enfants adoreraient cela. Sa mère ne devait rien savoir. Tamara la convaincrait d'un besoin de silence de la famille, d'un vœu de calme de Howard bien décidé à vivre loin de la dépendance aux écrans. Elle inventerait quelque chose ! Pearl, avec ses croyances de bonne femme un peu mystique, toujours en train de prêcher la relaxation et un certain art de vivre, goberait une telle histoire et serait plutôt contente. Elle n'aurait plus rien à reprocher à sa fille. Dans l'obscurité, Tamara souriait. Elle venait de trouver un moyen efficace pour que ce meurtrier de 1989 n'assassine pas encore ses espoirs de 2008 avec sa mort. Elle allait passer le reste de sa nuit à peaufiner son plan… Subitement, l'extraordinaire de la situation lui apparut et lui donna envie de rire. Elle venait de comprendre qu'elle n'était qu'une petite fille perverse qui tenait à jouer un bon tour à sa mère. Et elle obtiendrait, sans aucun doute, ce qu'elle voulait…

★

Pearl avait eu quelques heures pour penser à ce qui l'attendait. Après le repas, la New-Yorkaise assise à ses côtés s'était assoupie, très certainement épuisée par le débit de ses propres paroles. Pearl n'avait pas envie de s'endormir. En fait, Pearl depuis de très nombreuses années ne dormait que quatre à cinq heures par nuit. Cela lui suffisait. Elle avait feuilleté le dernier numéro d'un magazine portant sur la santé et le bien-être qu'elle aimait bien et qu'elle avait acheté à l'aéroport. Elle y avait dévoré un extrait d'un livre de Deepak Chopra, dans lequel il était question d'exploiter les coïncidences et la synchronicité des événements. Elle avait déjà entendu parler à la télévision cet homme, ami proche et gourou de Michael Jackson. Intuitivement, elle l'avait tout de suite aimé. Pearl n'était pas une fille particulièrement croyante. Elle avait été élevée par un père, un peu bouddhiste, et une mère catholique, très peu fervente. Elle n'avait donc été habitée que très légèrement par l'esprit religieux. Mais ses parents avaient une philosophie du quotidien qu'elle retrouvait dans certaines pratiques auxquelles elle-même s'adonnait. Cela allait de la méditation au jogging qui restait chez elle une vraie hygiène de vie. Pour Pearl, il s'agissait de prendre soin de son corps comme de son esprit, et d'éviter quand cela était possible les êtres et les lieux qui exercent sur vous une influence anxiogène. Mais peu de choses irritaient Pearl. Elle apprenait à apprécier et même aimer ce qui lui arrivait dans la vie. Combien cela agaçait les gens et en particulier sa fille qui la trouvait superstitieuse, résignée ! Pearl était simplement détachée du monde et de sa frivolité. C'est pourquoi la réaction violente de panique qu'elle avait encore en pensant à son propre retour à Atlanta l'étonnait. En 1990, juste après le procès, elle était revenue à Hawaii sur un coup de tête. Elle suffoquait dans le Sud, n'arrivait même plus à parler, ne pouvant se débarrasser de certaines images terribles qui surgissaient en elle à tout moment. Mais depuis dix-huit ans, elle avait, pensait-elle, fait la paix avec l'horreur et accepté ce qui avait eu lieu. Pourtant, si elle voulait être vraiment honnête,

Pearl avait toujours ressenti confusément un malaise quant à son passé dans le Sud. Le départ de sa fille pour là-bas avait été rude. Tout n'était pas réglé pour Pearl dans cette histoire. Elle s'en voulait de quelque chose, mais elle n'avait jamais su de quoi. Elle n'aurait tout de même pas pu prévoir le crime, ni encore moins le prévenir ! Elle était arrivée au motel alors que tout avait déjà eu lieu. C'est ainsi qu'elle avait croisé le meurtrier qui quittait les lieux. Elle avait toujours affirmé à la police que le premier accusé, un gars drôle nommé Sydney, n'était pas le type qui lui avait parlé dans le parking, juste devant la réception du motel. Plus tard, elle avait identifié le deuxième accusé comme l'homme avec lequel elle avait eu une conversation sympathique, amicale, le temps de deux cigarettes. De toute façon, Smokey Nelson avait lui-même tout avoué. Ce n'est pas le témoignage de Pearl qui avait fait inculper ce meurtrier. Pourquoi se sentait-elle alors si coupable ? Tout le monde avait cru que la vue des corps mutilés l'avait traumatisée. Oui, en effet, il avait été terrible de découvrir les cadavres éventrés des deux parents et de leurs enfants. Les images du carnage dans la chambre ensanglantée la hantaient souvent. Mais quelque chose d'autre la troublait encore davantage. On avait eu beau, dans les journaux, faire d'elle une pauvre victime des circonstances, de la police qui ne croyait pas en son premier témoignage et plus généralement de la vie, Pearl ne pouvait s'empêcher de se voir comme une espèce de bourreau dans cette affaire. Même après tant d'années... Apparemment, Smokey Nelson n'était toujours pas exécuté. Du moins, il ne l'était pas encore en mai quand Pearl avait reçu le billet d'avion de sa fille. Elle était tout de suite allée vérifier sur Internet.

Depuis 1990, une ou deux fois par année, Pearl cherchait à connaître le sort de cet homme qui avait massacré une famille, pour pas grand-chose. Depuis le printemps, elle n'avait pas eu le courage de se renseigner pour savoir si Smokey avait subi sa sentence. Elle avait voulu plusieurs fois prendre connaissance des dernières informations sur lui, mais une voix en elle l'avait arrêtée. Elle avait beaucoup pensé à cet homme durant toutes ces années… Oui, beaucoup… Pour lui, très certainement, elle n'existait pas. Elle n'était que le témoin superflu d'un crime sur lequel il avait été prêt, dès son arrestation, à tout dire. Depuis dix-huit ans, une partie d'elle vivait sans qu'elle s'en rende toujours compte dans le pénitencier de Charlestown, et parfois quand le soleil se levait à Honolulu et que Pearl partait faire son jogging sur les sentiers près de Diamond Head en respirant d'aise, elle pensait à Smokey en prison qui ne pouvait pas profiter de la beauté du jour. Pearl ne se sentait pourtant pas coupable de pouvoir jouir du bonheur de vivre. La sagesse qu'elle avait acquise ou qu'elle avait héritée de ses parents, exigeait d'elle qu'elle éprouve de la joie à être vivante. Et franchement, l'existence était presque toujours pour Pearl une source d'émerveillement infini. Au moment de son divorce et de la mort de ses parents, Pearl avait perdu la foi dans ce monde. Les événements d'Atlanta, alors qu'elle commençait à se remettre de moments difficiles, l'avaient précipitée dans un désarroi sans fond. Mais depuis elle avait retrouvé la confiance dans l'aurore qui sait chasser les folies malignes de la nuit. L'existence était douce pour ceux et celles qui savaient l'apprivoiser. Rien ne troublait Pearl, si ce n'est cette sensation de malaise qu'elle éprouvait de temps à autre et qu'elle avait particulièrement ressentie quand elle avait reçu le billet et la feuille qui portaient tous deux la mention assassine d'Atlanta. Un sentiment qu'elle n'arrivait pas à accueillir s'était déposé en elle en octobre 1989 et ne la quittait jamais complètement. Dans son témoignage, Smokey avait avoué qu'il aurait pu tuer cette dame qu'il avait rencontrée dans le parking et avec laquelle il avait échangé assez longuement. Il avait explicitement dit qu'il ne savait toujours pas pourquoi il ne l'avait pas forcée à entrer dans la chambre des autres victimes et ne l'avait pas égorgée rapidement... Mais il avait ajouté que c'était parce qu'il ne l'avait pas fait qu'il passait aux aveux. En ne tuant pas Pearl cette journée-là, Smokey avait compris qu'il était défait, qu'il ne ferait pas tout pour sauver sa peau. Il avait eu tort, disait-il en cour, de ne pas la tuer. Mais il n'avait pas pu. C'était trop. Même pour lui ! Il l'avait épargnée et par là même il s'était condamné. Pearl avait souvent revu ce moment où elle avait croisé Smokey Nelson dans le parking. Elle n'avait pas eu peur pour sa vie et ne s'était même pas sentie menacée. Au contraire... Avec cet étranger, pendant quelques minutes, elle avait été heureuse. Oui, insouciante... Elle avait éprouvé un vrai bien-être... Ils avaient parlé de cette journée qui s'annonçait magnifique après des semaines de pluie. Ils avaient même ri ensemble en partageant une deuxième cigarette qu'il lui avait demandée. Elle n'avait pas été assassinée. C'était miraculeux. Tous les journaux l'avaient affirmé. Surtout que Pearl avait pu constater de ses propres yeux de quoi il était capable, le Nelson ! La tuer n'aurait pas été bien difficile pour un homme tel que lui. Mais l'extraordinaire, c'est qu'il ne l'avait pas fait... Allez savoir pourquoi... À cette époque, Pearl n'avait pas été à la hauteur de ce qui se passait. Elle avait été droite, honnête dans ses témoignages. Cela avait impressionné tout le monde et particulièrement les médias qui avaient fini par l'adorer. Mais cette probité lui était naturelle. Il n'y avait aucun mérite à cela. Elle avait vécu à ce moment précis dans le parking quelque chose d'inouï, d'incroyable, mais elle avait été incapable de voir cela sur-le-champ, pensant qu'elle échangeait simplement quelques mots joyeux avec un client, en fumant et flirtant un peu… Encore maintenant, elle n'arrivait pas à concevoir ce qui s'était passé entre elle et Nelson ce matin d'octobre 1989.

À bord du Boeing de la compagnie Delta qui devait la ramener après presque vingt ans à Atlanta, Pearl venait de tomber sur l'extrait du livre de Deepak Chopra. Une phrase fit tout à coup sens pour elle : « Si vous étiez témoin d'un miracle, seriez-vous capable de le reconnaître ? » Certes, depuis des années, Pearl s'efforçait de voir les grands et petits miracles de la vie. Mais le miracle de ce mois d'octobre 1989, au moment où elle avait fumé une cigarette en riant avec le meurtrier de la famille O'Connors, elle n'arrivait pas à en prendre toute la mesure. De même, son retour dans le Sud devait être accueilli comme un événement précieux, merveilleux, qui lui enseignerait ce qu'elle ne savait pas encore et ce qu'elle avait fui. La vie était faite de détours et d'égarements, de moments vides et de temps accélérés. Il fallait être prête à voir ce que l'existence réservait aux êtres. Pearl ne voulait pas rater les rencontres avec le destin.

L'avion qui volait en direction d'Atlanta conduisait Pearl vers un morceau de sa propre étoile qu'elle voulait soudain décrocher du ciel et tenir à bras-le-corps.

RAY RYAN

Le soleil se lève aujourd'hui, Ray. Et cette aube, mon fils, célèbre le dernier jour pour les impunis. Demain matin, à cette heure-ci, tu le sais, l'impie sera mort. Le royaume des vivants sera expurgé du mal qu'il abrite depuis si longtemps. J'en ai décidé ainsi... Les hommes ne peuvent rien changer à cela. Ils ont toujours été bien impuissants devant moi. Et ils le resteront. Que ma volonté soit faite! Demain, Ray, le sacrilège comparaîtra devant la justice divine et je serai le seul à le juger. La loi des hommes est faible, ridiculement petite face au tribunal du ciel, l'immense, l'unique dans l'éternité.

Depuis longtemps, je te promets un châtiment pour le meurtrier et demain, avant le lever du soleil, Ray, toi mon fils si fidèle, ton vœu le plus cher sera exaucé. Sois-en sûr! Et je récompenserai ta foi inébranlable en moi, ta ferveur tranquille, celle que tu me témoignes sans rancune ou rancœur depuis tant d'années... Que vienne mon règne! Et il adviendra! Comme tu as eu raison de prier, mon fils... Et demain, à l'aurore, au moment où le soleil caressera la terre de ses rayons roses et embrasera la Georgie encore incandescente, fiévreuse du mois d'août, l'assassin arrivera nu, désarmé et devra répondre devant moi et moi seul des horreurs qu'il a commises, il y a dix-neuf ans. Dans ce petit coin de ta Georgie si douce, si paisible, mon fils, toi et ta famille, vous retrouverez enfin la paix. Je te le dis, en vérité : ta souffrance comme une plaie sera cautérisée. Et je t'offrirai enfin le baume que tu espères tant. Je serai ta guérison…

Le soleil grandiose se lève ce matin sur ta propriété, Ray. Et tu contemples devant ta maison les montagnes à l'est et lorsque tu portes ton regard vers l'ouest, tu vois les champs où les chevaux et les vaches iront paître bravement tout à l'heure. Tu entends au loin, alors que tu prends ton café, les poules caqueter autour du coq. Tes cinq chiens se dirigent vers la véranda de bois blanc qui fait le tour de ta demeure et sur laquelle tu te tiens, une tasse à la main, pour admirer les premières lueurs tendres du jour. Tes animaux viennent te demander nourriture, caresses, bienveillance, amour, et comme chaque matin leur force animale, leur vigueur brute, alors qu'ils courent puissamment devant les arbres qui entourent ta demeure, t'émerveille. Comme au commencement du temps lorsque Adam fut frappé par les beautés du jardin d'Éden, tu es là, Ray, à savourer chaque moment de cette aurore encore pourpre dans laquelle le soleil perce fièrement les brumes cotonneuses au loin et tu te rappelles en souriant que j'ai créé ce monde en six jours. Oui, c'est vrai ! Il n'y a pas de doute. Tout est possible à Dieu. Tu le sais, mon fils. Et toi, tu sais voir. Comme ma puissance est infinie ! J'ai fabriqué le ciel et la terre, de mon souffle. Puis, j'ai dit : « Lumière. » Et Lumière, il fut ! J'ai rassemblé les eaux sous le ciel et j'ai créé la terre sèche pour que l'homme puisse y vivre. Et l'homme y a vécu ! J'ai ordonné à cette même terre de donner naissance à tout ce qui pousse. J'ai engrossé le monde par ma parole et j'ai béni tout ce qui vole, tout ce qui rampe, tout ce qui se meut dans les eaux des mers, tout ce qui est petit et tout ce qui est grand, tout ce qui respire et meurt grâce à moi. Uniquement grâce à moi. J'ai séparé le jour de la nuit pour éclairer ce monde afin que la vie soit. Et la vie fut ! Multiple, foisonnante. L'herbe à semence a donné la semence. L'arbre à fruits a donné les fruits. L'Adam a donné l'Ève. C'est l'œuvre bien abondante de Dieu qui aujourd'hui s'étale devant tes yeux, comme au premier matin du monde. Et te voilà Ray, fervent devant cet univers impénétrable que tu ne peux cesser de trouver simplement grand et bon.

Le soleil se dresse à l'horizon et dans la lumière farouche du levant qui illumine doucement les Blue Ridge Mountains que tu connais depuis ta venue dans ce monde, Ray, tu jouis de tous tes biens. Ceux que j'ai voulu te donner et pour lesquels tu me remercies. À huit cents pieds de ta véranda, dans la maison de ton fils John, ta belle-fille Cindy allaite le dernier-né, ce messie familial, venu au monde le jour béni de Noël et les autres enfants s'étirent dans leur lit, après avoir dormi du sommeil réparateur que j'offre aux petits justes. Aujourd'hui, les gamins s'ébattront sur l'herbe de ton domaine, heureux comme d'innocents animaux, et ils profiteront de cette Terre que j'ai créée pour eux. Encore plus loin, de l'autre côté de la grange, ton fils Tom, celui qui te ressemble le moins et qui pourtant travaille avec toi de façon si acharnée, si intègre, quitte sa maison et part à la quincaillerie. Il agite son bras hors de sa jeep pour te saluer. Les marchandises arrivent ce matin et il faut que quelqu'un soit là pour superviser le travail des camionneurs venus de tous les coins des États-Unis décharger le contenu de leur cargaison. Sa femme Patricia s'occupe des bambins qui se réveillent alors que les grands paressent encore cinq minutes dans leur chambre. Ray, mon fils préféré, tu peux être fier de ta vie! Alors même que le soleil vigoureux se prépare à engrosser la fertile terre de la Georgie, ta progéniture se multiplie comme les pains et les poissons des Saints Évangiles. Tes fils vivent auprès de Susan et de toi sur le domaine que tu as acquis à force de labeur et de courage. Tes petits-enfants grandissent à l'ombre des malheurs et poussent bien droit sous les auspices de ta douce épouse et de toi, Ray, mon élu. Tes belles-filles élèvent les fruits de tes semences maternellement, dignement, selon les préceptes de Dieu. Elles ont tenu à garder ces enfants si sacrés loin de l'enceinte putride des écoles, à l'abri de ces lieux de perdition où le mensonge et l'impiété règnent de nos jours. Tes dix-sept petits-enfants, Ray, apprennent que moi seul suis le créateur de ce monde et qu'il faut me craindre tout en m'adorant. Ils découvrent avec joie qu'une vie n'a pas besoin d'être bercée par les rumeurs fallacieuses, calomnieuses des savoirs humains les plus prétentieux et les plus vains. Ce que Dieu a voulu que les humains sachent, il vous l'a donné à déchiffrer dans son Livre. Tout est consigné là. Et toi, Ray, tu gardes occulte et vivante ma parole en la prodiguant à tous. Le reste est le mystère divin sur lequel aucune science n'a prise. La vie pour toi reste simple. L'homme vrai doit se contenter de ce qu'il obtient par le travail et la prière, dans la soumission inconditionnelle à ma volonté.

Le soleil commence à peine sa course éclatante en ce matin fougueux du mois d'août et déjà, de ton immense véranda, tu apprécies, comme tu le fais chaque matin, Ray, les richesses que tu possèdes. Les montagnes bâillent encore en étirant les couleurs de l'azur. Le silence matinal te permet d'entendre crépiter l'eau de la rivière Toccoa dans laquelle les truites bleues bondissent vers l'air ardoise. Le soir, quand tu rentres du travail, parfois encore bien tard, malgré ton âge et l'aide précieuse que te fournit ton propre fils Tom, tu regardes avec bonheur la vie qui s'écoule auprès de toi, calmement, selon la volonté divine, la mienne. Tu es élu de Dieu, Ray ! C'est moi qui en ai décidé ainsi ! Oui, je t'ai choisi, mon fils, parce que je savais que toi, toi seul, avais la force de subir les plus grandes épreuves et de ne jamais perdre la foi. J'ai eu raison d'avoir confiance en toi, Ray. Dieu ne met à l'épreuve que ceux qu'il aime. Tu te souviens de l'homme du pays d'Uts ? Il s'appelait Job. Comme toi, c'était un homme droit, intègre. Il ne craignait que Dieu et luttait fermement contre toutes les tentations du mal. Un jour, ses biens, ses enfants, ses joies lui sont retirés. Le temps passe et Job sait qu'il ne peut blâmer le ciel tout-puissant. Ce que Dieu donne, il peut le reprendre. Qui est Job pour discuter ce qu'il ne peut comprendre, les merveilles divines dont il n'a aucune idée ? Et Job apprend à se consoler dans la cendre, la poussière, puisque je suis là pour l'instruire. Job meurt vieux, sa nouvelle descendance à ses côtés. Il expire comblé de joie. C'est ainsi que Dieu bénit la vie de cet homme qui n'a pas perdu la foi, malgré ses douleurs. Ray, mon fils, jamais tu n'as failli et je sais combien je t'ai éprouvé. Mais que ton cœur ne pleure pas, parce qu'à toi et à ta famille, je réserve mon ciel…

Dans mon infinie miséricorde… Tu as servi Dieu depuis ton enfance au pied de ces magnifiques montagnes et Dieu, tu le sais, n'a rien d'un ingrat.

Le soleil darde quelques rayons encore poudreux et toi, Ray, tu te perds dans tes pensées qui, comme les nuages que le vent chasse précipitamment du sommet de Brasstown Bald, traversent ton esprit encore ensommeillé. Ne doute pas de moi, mon fils ! La magnificence du jour que je t'offre n'est que le signe de ma présence. Je suis à tes côtés. Comme toujours. Comme autrefois, lorsque ta fille, Sam, est partie vivre à Atlanta, pour quitter, comme une jeune ingrate, le nid familial que, durant toute ton existence, tu avais construit pour elle et ses deux frères plus jeunes. À l'époque, tu as désespéré un temps de ma puissance et de la tienne. Il y a eu en toi quelques idées de blasphème et de révolte. Mais très vite, après une longue discussion que tu as eue avec moi, un soir où tu étais bien triste, toi, ma brebis égarée, tu es revenu vers moi, ton Dieu. Dans la Lumière ! Tu m'avais appelé et comme toujours je t'ai répondu, Ray. Tes prières seront entendues par le Seigneur. Demain matin, tu en auras une ultime preuve… Après le départ de ta fille, quelques années ont passé, lentes, violentes. Puis par un de mes miracles, Sam est revenue vous voir, sans que l'on s'explique ni comment ni pourquoi. Les voies de Dieu sont impénétrables, Ray. Tu le sais mieux que quiconque, mon fils, parce qu'en moi, tu crois. Et malheur à celui qui a l'illusion de comprendre le sens des choses ! Dieu seul connaît le destin des hommes, Ray. Aucun moment, aucune seconde n'appartient au monde terrestre. Le temps reste mien. Et ce matin amarante qui languit devant toi est à moi. Magnanime, je te l'offre et te voilà qui l'accepte humblement. Comme il se doit. Soumets-toi à ton Dieu ! Enfant, il t'arrivait parfois de douter de moi. Tu étais un esprit rebelle, rétif à ma voix. Ta mère, Gertrude Weaver, la sainte femme, était si inquiète ! Et c'est pourquoi tu t'es vite reconnu en ta fille Sam, l'indocile. Tu avais peur pour elle, comme quelques années avant, ta mère avait eu peur pour toi, Ray. Avec le temps néanmoins, ma puissance t'a pénétré. Bien violemment, Ray. J'en conviens. Je le sais. Oui, Sam était ton enfant préférée. Tu avais élevé cette créature comme un fils et tu lui avais montré la technique des armes, comme ton père te l'avait à toi-même apprise. Dans les forêts de Chattahoochee, tu l'avais initiée au colt M1911 et au .300 Winchester Magnum. Elle maniait ces engins puissants avec une dextérité qui vous faisait rire tous les deux. Ta fille était un excellent chasseur et ton bien le plus sacré. Tu lisais à Sam les aventures de David qui tua le lion et l'ours pour arracher l'agneau de leur gueule. Et vous riiez de conserve. Vous partiez ensemble souvent vous perdre dans les Blue Ridge Mountains du côté de Shenandoah et vous reveniez triomphants avec la voiture pleine de lapins, d'écureuils et d'opossums. Il a fallu qu'elle parte... Elle ne vous a rien dit... Un jour, elle n'était simplement plus là. Quelque temps avant son départ, elle avait voulu te parler, mais la conversation avait mal tourné. Elle avait fini par t'insulter en te reprochant tes idées et ton amour démesuré pour Dieu. Comme un vrai père, tu l'as chassée de chez toi, en lui ordonnant de me demander pardon pour ce qu'elle faisait à ses parents. Tu voulais simplement qu'elle se repente. Et tu étais dans ton droit, Ray ! Elle s'est enfuie... Durant de très longues années, tu n'as pas revu

Sam. Tu souffrais et priais. J'étais là, Ray, et tu le savais. J'étais pour toi consolation. Malgré l'intensité de ta peine, tu n'as pas perdu la foi. Un jour donc, le miracle eut lieu. Elle revint à l'improviste, comme si de rien n'était... Puis elle repassa de temps à autre vous dire bonjour, s'affairant autour de vous, ne voulant pas rester longtemps sur le domaine de son père. Jamais, vous n'avez reparlé de votre dispute. Tu avais promis à Susan de ne pas mentionner toute cette sale affaire. Qu'aurais-tu pu dire? En 1985, Sam, ta fille adorée, t'a présenté son mari. Tu as senti alors que ta brebis égarée pourrait peut-être rentrer au bercail. L'espoir en toi est revenu. Puis, elle est arrivée un après-midi avec Rosa Mae, sa petite fille à qui elle venait de donner naissance. Tout de suite, tu as été conquis par cette gamine qui ressemblait tant à sa maman, petite. C'était le plus beau cadeau que je pouvais te faire. Te redonner ta Sam et une enfant sortie de ses entrailles bénies. Ton sang, Ray... Oui, ton propre sang! La chair de ta chair! À peine un an plus tard, Josh a illuminé ce monde. Et les deux nourrissons ont ramené plus fréquemment leur mère chez toi, dans ta propriété à quelques milles de Blue Ridge, en Georgie, où tu as vécu toute ta vie et dont tu contemples les contours au loin qui se dessinent en vermillon alors que le soleil se lève pour mieux veiller sur ta ville. Que Dieu en soit remercié... Sam, tu en étais sûr, allait revenir vivre avec vous. Son mari projetait de vendre son commerce situé dans la grande banlieue de Miami. Il était très tenté par l'idée de s'ouvrir une auberge dans les montagnes, de venir en Georgie, tout proche d'ici, et surtout très loin de l'odeur sulfureuse des cités moribondes. Tu lui proposais de lui prêter de l'argent pour démarrer une nouvelle affaire. Sam viendrait, tu le savais bien au fond de ton cœur, s'installer sur ton domaine et un jour demander pardon à Dieu et à toi. Tu lui aurais bâti comme à tes deux autres fils une maison et tous tes enfants et petits-enfants auraient vécu heureux et t'auraient accompagné jusque dans ton dernier souffle. Tu serais mort sans aucun regret. Le ciel se serait simplement ouvert à toi et quand tu aurais fermé les yeux, tu aurais immédiatement vu la splendeur immaculée de mon royaume. Tel un juste.

Le soleil se lève très lentement ce matin, comme si le temps s'était arrêté quelques instants sur les crêtes des montagnes bleues qui sillonnent la Georgie. Pourquoi a-t-il fallu qu'au moment où tu retrouvais un peu l'espoir, Ray, mon fils, je te mette à l'épreuve ? Pourquoi a-t-il fallu que ma volonté soit faite et que ma puissance soit affirmée ? Pourquoi a-t-il fallu que je te ravisse ta fille, tes petits-enfants, ton gendre d'une façon « violente, cruelle, infâme », comme le crièrent les incroyants, les blasphémateurs ? Qu'ils soient maudits par moi ! Les cadeaux que je fais, les dons que j'envoie, sachez combien ils sont fragiles ! Vous les humains, si mortels, devez apprendre que tout ce que je vous confie, je peux le reprendre, sans crier gare ! Si tu n'avais pas eu cette foi en moi, Ray, cette confiance inébranlable en Dieu et en son fils, si tu n'avais pas eu cette conviction qui caractérise ton âme inflexible et droite, tu aurais perdu la tête ou tu aurais sombré dans l'alcool et la haine. Tu serais devenu un impie, comme tant d'autres, Ray. Tu croupirais comme toutes ces âmes perdues que tu croises parfois quand tu vas en ville et qui pourriront bientôt et pour toujours en enfer. Mais je n'ai pas voulu cela pour toi, Ray. Si je t'ai fait ainsi souffrir, c'est qu'en toi, mon fils, je croyais.

J'avais vu en toi et en ta douce Susan deux vrais et fervents croyants que la vie ne pouvait faire abjurer Dieu, leur sauveur. Je ne me suis pas trompé, mon fils ! Comment l'aurais-je pu ? Jamais tu ne m'as renié. Toujours, tu disais qu'il ne t'était pas possible de comprendre ce que Dieu faisait pour édifier la force de ta foi, mais cela ne t'empêchait pas d'affirmer dans tes prières que tu te soumettais inconditionnellement à ce que j'exigeais de toi. Et même au procès, alors que l'ignoble criminel racontait l'agonie de ta fille et de tes petits-enfants, la chair de ta chair, tu n'as pas pu croire que Dieu t'avait abandonné. Tu as redoublé d'ardeur dans tes prières, mon bon fils ! Tu as refusé d'exercer ta vengeance. Tu as remis ton sort et celui de ta famille entre mes mains infaillibles. Et petit à petit, de façon obscure, ma présence a fini par t'habiter, te réconforter. Que ma volonté soit faite ! Et ma volonté fut faite ! Oui, Ray, tu t'es plié à mes lois. Dieu sait de quoi tu es capable pour lui ! Gloire à lui !

Le soleil joue à cache-cache ce matin en disparaissant à l'autre bout de ton domaine derrière les chênes et les caryers cordiformes qui se teintent de lumière pour aussitôt retomber dans l'obscurité. Le soleil à présent t'aveugle, Ray, et tu tentes de t'en protéger en déplaçant ton corps un tout petit peu, en t'appuyant franchement sur la balustrade blanche de la véranda qui fait le tour de la maison. Ton poids est retenu par la rambarde solide et tu peux laisser s'agiter des pensées fugitives. Ton esprit erre, Ray, à travers ton histoire, et tes bras, tes jambes, ton torse bien appuyés contre la rampe de bois inébranlable ont perdu le sens du temps, alors que des idées disparates se précipitent dans ta tête. Voilà des années que cet homme doit mourir. Un juge en aurait décidé ainsi. Mais l'État de la Georgie ne peut rien trancher sans Dieu. Je suis celui qui règle l'ordre du monde et aucun être, fût-il gouverneur, ne peut aller contre ma toute-puissance ! Si je n'ai pas vite rappelé le monstre auprès de moi, c'est pour une raison, Ray, qu'il te faudra toujours ignorer. Demain, dès l'aube, il sera exécuté, ce descendant de Cham et de Canaan. Tu connais si bien, Ray, cette histoire dans mon livre, le livre de Dieu que j'ai dicté aux vivants, cette histoire où Noé se met à boire du vin et se dénude au milieu de sa tente... Tu la lis souvent dans les grandes occasions à ta famille. Et tu la donnes en exemple à tes fils et petits-fils, comme je t'ai enseigné à le faire, Ray. Tu te rappelles... Cham, fils de Noé, surprend la nudité de son père. Or, loin de se taire, loin de protéger la honte que subit Noé, Cham va chercher ses deux frères qui, eux, ont la décence de couvrir immédiatement le patriarche d'un manteau. Quand Noé se réveille de son vin et lorsqu'il apprend ce que son plus jeune fils a osé faire, il s'écrie : « Maudit soit Canaan, ton fils ! Les esclaves en feront leur esclave, ses frères seront ses maîtres. » Noé ne punit pas directement son fils impie. Sa punition en est plus grande, plus étincelante. Il attaque Cham dans sa chair. Canaan, fils de Cham, est damné. C'est toute la descendance de son fils que Noé condamne durant des siècles et des siècles par cette prophétie qu'il prononce dans la colère, la rage. Tu sais comme moi et les tiens, Ray, que les hommes à la peau foncée ou noire sont les descendants de Canaan et de Cham. Tu sais comme moi et les tiens, qu'une race a été à jamais fustigée par moi et le restera pour l'éternité. Le peuple des esclaves ne peut être libéré malgré la justice humaine, vaine et prétentieuse. Seul moi décide du sort de mes créatures. Sur la terre, à travers le monde, les hommes de couleur apportent le stupre, la paresse, le malheur et la fornication. Souvent, je les mets à l'épreuve, pour essayer d'en sauver quelques-uns du mal qui les habite, mais jamais ils ne parviennent à accomplir mes volontés, à respecter mes désirs... En eux coule un sang mauvais, en eux réside l'esprit maléfique, rebelle, blasphémateur. Dans le grand livre que Dieu vous a donné, Abraham, tu te rappelles, plaide en faveur de Sodome. Il dit à Dieu : « Tu te débarrasserais de tous ces hommes, des innocents comme des coupables ? Tu te débarrasserais d'eux, de cette ville, sans pardonner pour les cinquante innocents qu'elle abrite ! » Et Dieu accepte de sauver Sodome si l'on trouve en la cité dix hommes innocents. Mais Abraham doit accepter que dans Sodome, il n'y ait même pas dix cœurs purs. Abraham ne peut rien faire contre cela. Dieu se voit contraint de faire tomber une pluie de soufre et de feu sur Sodome et Gomorrhe. Il détruit les villes et les champs, tout ce qui est vivant et tout ce qui pousse. Cela, tu le sais depuis toujours, Ray. Et il n'y a rien à faire avec les hommes de couleur ou encore avec les descendants de Sodome et Gomorrhe. Ils sont mauvais et il me faudra les punir. Mais, moi seul, je choisis le moment des sentences et des jugements. Sache pourtant que le moment du châtiment est proche.

Le soleil s'extirpe enfin des montagnes saphir et s'élève le cœur léger. Aujourd'hui, Ray, est le dernier jour de l'impie. Le jour qui naît en ce moment et qui célèbre ma splendeur, l'ignoble enfant de la malédiction le voit une ultime fois. Toi qui vas assister à l'exécution de cet être mauvais, toi qui vas pouvoir constater que l'impie n'appartient plus qu'à Dieu et sa justice, tu sais déjà que demain sera pour toi une délivrance. L'œuvre du Seigneur sera accomplie et tu pourras respirer en pensant que cette vermine est enfin asphyxiée. Le meurtrier infâme sera en train de brûler en enfer. Auprès de moi, ta fille Sam et tes deux petits-enfants Josh et Rosa Mae sont heureux, Ray. Ils te sourient. Tu les aperçois peut-être dans la beauté du jour qui se lève, dans ces teintes lavande de l'azur. Ils baignent dans la lumière des justes. Ils sont illuminés par la clarté céruléenne, pure du paradis de Dieu. Leurs visages immatériels, diaphanes voltigent intacts dans les lueurs célestes du matin auquel je donne encore naissance. Tout à l'heure, mon fils, tu iras dans le cimetière pas très loin d'ici où les corps de tes aimés reposent, à côté, comme il se doit, de ceux de ta mère, de tes parents et de tes aïeux. Tu iras prier sur la tombe où reposent les corps démembrés de ta fille et de ses enfants. La terre chaude de la Georgie accueille les dépouilles des tiens et les berce en son sein. Tu pourras annoncer fièrement à Sam, en nettoyant paternellement sa pierre tombale, que la justice de Dieu aura bel et bien lieu. Tu lui expliqueras que si parfois il t'est arrivé dans des moments de faiblesse de douter de mon pouvoir, tes incertitudes n'ont jamais été bien longues. Dieu triomphe de tout et surtout du mal, de la gangrène noire qui sévit sur la Terre. C'est avec ces paroles que tu as élevé Sam, Tom et John, et c'est encore ces mêmes mots que tu répéteras devant la digne sépulture de ta fille. Voilà Ray que le sacrilège meurt et que le Seigneur te permet de te reposer comme tu le mérites. Tu pleureras encore, mon fils, sur la tombe de Sam, ta fille bien-aimée, dans le petit cimetière qui borde la rivière bleue où tu iras un jour prochain la rejoindre, tu verseras encore des larmes sur la stèle de celle que le criminel t'a ravie, selon la volonté de Dieu. Mais cette fois-ci tes pleurs seront mêlés à ta joie et à ta foi. Dieu exauce les vœux des justes et finit toujours par rompre les fils du mal. Tu pleureras de bonheur, Ray, devant la tombe de Sam, Josh et Rosa Mae, en contemplant ma grandeur et en te répétant que Dieu ne t'a jamais abandonné. Tu promettras à Sam de revenir demain, premier jour du monde, alors que la terre sera débarrassée de la pourriture qu'elle portait en son sein vicié. Demain, Ray, tout pourra commencer pour toi. Tu envisageras la mort sereinement, sans révolte. Mon règne sera le tien.

Le soleil surplombe déjà la Georgie. Il réchauffe l'arête érodée, vaporeuse, de la chaîne altière des Appalaches qui se laisse caresser voluptueusement. Plus tard, aujourd'hui même, durant cette journée extraordinairement chaude, alors que l'astre solaire complètera fatalement son trajet diurne, mon fils tant aimé, tu iras rencontrer tes amis, ceux qui t'ont durant toutes ces années de souffrance soutenu et réconforté. Tu passeras là quelques heures à prier et à chanter ma gloire à l'église. Des hommes et des femmes se lèveront de leur chaise et viendront prendre la parole, pénétrés par la langue de Dieu. C'est dans un langage incompréhensible pour les impies que ces êtres se mettent spontanément à dire ce que le Sauveur leur souffle. Toi, comme tes amis, vous savez que je me manifeste quand je le veux à ceux qui croient en moi. Et dans ton église, Ray, parmi les tiens si bons, Dieu est souvent prompt à révéler sa grandeur céleste. Aujourd'hui, des hommes et des femmes prononceront des mots que je te destine à toi, Ray, mon fils tant aimé. C'est pour toi que je parle. Tout le monde sait combien vive a été ta douleur et combien fort tu as été en ne perdant jamais la foi. Tu seras célébré par moi, parmi ceux de ta communauté et tous communieront dans ta peine et partageront tes malheurs. Leurs chants qui s'élèveront à ma gloire te consoleront de tes peines. Il faut célébrer l'assassinat de l'impie par Dieu. Il faut crier « Alléluia ! » devant la mort de l'infâme. Et avec ceux de ton église, vous consacrerez l'exécution du mécréant en chantant et priant ensemble. Voilà que ton tourment prend fin ! Que mon règne vienne ! La mort de l'impie annonce mon avènement. Le jugement dernier n'est pas loin et toi et ta famille, vous serez à mes côtés. Courage, mon fils ! Seules les prières peuvent aider les hommes… Et tu remercies le Seigneur que tu sens confusément dans le vent léger, venu de l'ouest, qui frôle doucement ton visage sur la véranda de ta demeure. Oui, tu le loues de te donner à contempler ainsi le jour qui se lève dans le bonheur qui s'annonce fièrement, sans honte. Tout à l'heure, vers la fin de l'après-midi, tu rentreras à la maison et tu prendras le dernier repas avant ta libération. Tu béniras le pain de cette ultime réunion de ta famille avant la purge que je m'apprête à faire. Et puis tu partiras, Ray, accompagné de ton fils Tom, le plus loyal des fils. Susan a choisi depuis longtemps de ne pas vous accompagner. Depuis le début, tu approuves sa décision. Et tu la quitteras rapidement, sans un mot, comme si tu allais simplement vers ton devoir. Elle ne viendra pas avec toi. Elle te serrera rapidement sur son cœur sans laisser transparaître son émoi. Là-bas, ce n'est pas un lieu pour les femmes. Ces prisons sont remplies de l'esprit du mal nègre et il faut avoir un tempérament viril pour supporter sans sourciller l'atmosphère criminelle, satanique qui règne dans ces lieux. Susan restera donc à la maison. Patricia veillera sur elle. Alors que le soleil ira se coucher après une journée exténuante durant laquelle il aura gorgé la terre de la Georgie de sa chaleur, vous monterez, toi et Tom, à l'intérieur de ta jeep rouge et vous prendrez la route d'Atlanta ensemble. Toi le père, lui le fils. Tu contourneras la ville, Ray, pour ne pas te fourvoyer dans les méandres de cette cité perdue où la luxure et l'impureté tentent de me narguer. En vain. Sur le chemin, Tom et toi, vous serez solennels. Il te faudra plus de deux heures pour parvenir au pénitencier de Charlestown où l'impie noir coule des jours sacrilèges depuis bientôt dix-neuf ans. Vous serez graves. Émus, mais résolus. En arrivant là-bas, avant de sortir de la jeep, Tom marmonnera quelque chose sur le coût de ces pénitenciers et sur la nécessité de se débarrasser rapidement des mécréants, des profanateurs de Dieu. Tu répondras alors fermement, Ray, que c'est moi, uniquement moi, qui décide quand donner la vie et comment la reprendre. Même s'il t'arrive parfois de penser comme ton fils, tu lui rappelleras durement que Dieu a voulu que les choses se passent ainsi. Le Seigneur a décidé que la vermine ne serait pas tout de suite exterminée et qu'elle irait en prison pendant de longues années. Il n'y a qu'à accueillir cela. Tu répéteras à ton fils que l'on doit se soumettre aux ordres de Dieu et qu'il n'est ni dans le pouvoir d'un homme de son âge ni même dans celui du sage de juger de la volonté du Seigneur. Tom se taira. Humble, doux. C'est ton fils le plus fidèle et jamais, non jamais, il ne lui est arrivé de contrarier son père, ni son Dieu. Tu sais qu'il croit en moi et que, comme toi, il ne peut faillir. Quand tu entreras dans la salle où tu pourras assister à la fin terrestre du scélérat, tu ne sauras plus si la joie de le voir mourir pourra encore soulager quelque chose de ta douleur. Tes souffrances se mêleront à ton bonheur et tu penseras, comme durant le procès, aux mains du criminel qui ont touché les corps purs des tiens. Mais quand l'ignoble pécheur, Smokey Nelson, sera exécuté, tu oublieras ta peine. Le ciel s'ouvrira enfin à toi. Tu apercevras ta fille Sam dans un coin de la salle. Elle te sourira, ses deux petits dans les bras. Smokey ira souffrir en enfer.

Le soleil se dilate dans le ciel bleu et décide tout à coup de séparer nettement l'ombre de la lumière, le bien du mal. Les couleurs s'intensifient, Ray, alors que tes yeux se ferment doucement afin d'éviter le vif éblouissement que l'éclat brutal des rayons suscite. Tu clos rapidement tes paupières et malgré la chaleur qui commence à incendier l'air doux du matin, tu frissonnes, mon enfant. Quelque chose en toi reste inquiet, malgré ta foi, et tes pensées, comme des oiseaux de proie captifs, se frappent sur les parois fragiles de ce qu'a été ta vie. Il t'arrive de t'inquiéter pour Tom, pour ce premier fils, celui qui est né juste après Sam et que tu avais peut-être négligé pour cette dernière. Ce n'est pas Tom qui t'aurait reproché pareille chose… Il n'est pas de ces enfants qui discutent la volonté paternelle. Il est si obéissant. Mais en ses yeux, tu as parfois vu de la souffrance. Tom a cru que tu lui préférais sa sœur aînée. Tu as en effet beaucoup aimé Sam, Ray. Sa naissance, il te semble, t'a rempli de joie. Tu ne sais plus très bien si tout cela est vrai ou si ces souvenirs-là ont encore une quelconque importance. Le temps a estompé tant de choses. De ta vie, parfois, tu as l'impression qu'il ne reste que de la douleur et ton amour pour le Seigneur. L'homme diabolique mourra bientôt. Seul Dieu restera en toi à travers ton histoire, le reste ne sera que poussière et ruine. Depuis des années, tu tentes de montrer à Tom ton affection. Celle que ce fils si dévoué mérite. Avec lui, tu es allé plusieurs fois rencontrer un homme de l'organisation qu'il fréquente. Cela vous a rapprochés. Thomas a vu que tu t'intéressais à lui, que tu admirais ses valeurs. Bien sûr, ces réunions te paraissent un peu vaines. Ta façon d'aimer et de respecter Dieu n'est pas celle de ces hommes jeunes, qui décident souvent de servir ma justice en exerçant eux-mêmes la vengeance céleste. Ces garçons se disent mes combattants. Et en un sens, ils le sont, Ray… Oui, ils le sont! Tu dois les croire. En eux, par eux, ma volonté est faite. Ils s'organisent en mon nom, fustigent les impies, flagellent les descendants de Sodome et Gomorrhe, corrigent les fils de Cham. Ils croient en la pureté qui a été ravie à ce monde, foulée aux pieds. Ces hommes luttent pour ma gloire et je ne peux les abandonner, mon fils. Je te le dis en vérité, l'humanité traverse des temps épouvantables car le mal règne partout. En tous lieux, Ray, la débauche et la lubricité sévissent. Les crimes se perpétuent. Les monstruosités contre nature s'ajoutent les unes aux autres et le désordre du mal réorganise le monde des humains. Quand ton regard quitte ta maison et ne fixe plus la course céleste du soleil, quand tes yeux se fixent un peu plus loin et qu'ils ne contemplent plus ce qui t'appartient, Ray, tu te dis ce qu'Abraham pensait alors qu'il dressait ses tentes jusqu'à Sodome: « Les gens ici sont de grands scélérats et d'horribles pécheurs contre Dieu. » Oui, telle est la vérité, et ton fils, brave enfant digne de son père et de sa mère, ne supporte plus la souillure qui pourrit ce monde. Depuis la mort de Sam, Tom a beaucoup réfléchi et il a vu le ciel vierge se faire tacher par les émanations ignominieuses, pestilentielles du mal terrestre. Thomas a compris que la lutte avec le diable devait avoir lieu. Il est venu te voir pour te prévenir : « Père, ne vois-tu pas que nous assistons aux derniers jours de l'Amérique ? Le gouvernement fédéral veut la mort de notre nation. Bientôt notre monde sera anéanti. Il nous est impossible de contempler, impuissant, le spectacle terrifiant de la fin. Je dois devenir soldat de Dieu. Imaginer une sécession. » Tu as écouté Tom, et pour une fois, il a su que tu pouvais l'entendre. Et quand ton fils, vaillant soldat, s'est fait le gardien du sanctuaire divin, du territoire du Sauveur, tu as acquiescé doucement, fièrement. Que Dieu sauve l'Amérique ! Tu te rappelles ce qui est écrit dans le livre de Dieu, Ray, au début de la Genèse que tu as apprise par cœur. J'ai dit un jour : « Je ferai pleuvoir sur la terre quarante jours, quarante nuits. J'effacerai tout ce que j'ai créé, toute vie debout sur le sol. » Et la terre fut inondée sous les trombes d'eau du déluge. Une pluie lourde, divine s'abattit sur la Terre, durant quarante jours et quarante nuits. Mourut tout ce qui vivait et respirait, tout ce qui était vivant. Fut effacée toute vie sur la Terre. Resta seul Noé sur son bateau. Et les animaux que j'avais sauvés du déluge. C'est alors qu'à la fin de la pluie diluvienne, je dis à Noé, comme je pourrais te le dire à toi, Ray : « Non, plus jamais je ne maltraiterai ainsi la Terre. Non, plus jamais je ne détruirai la vie comme je l'ai fait. Il n'y aura plus de déluge pour ruiner ce monde. » Et cette promesse faite à Noé, Dieu la tient encore, Ray, précisément parce qu'il y a des hommes comme toi, descendants de Noé, qui vivent dans leur domaine comme sur le dernier bateau avant l'apocalypse et qui gardent intacte la pureté de Dieu. Je ne détruirai plus toute la Terre. Je ne blesserai ce monde qu'ici et là, même s'il me semble parfois bien difficile de retenir ma colère. Les enfants assassinés lâchement dans le sein de leur mère, la violence judaïque et fourbe qui s'infiltre partout, la terreur exercée par les hommes noirs à l'intérieur du pays, les tours saintes abolies par les blasphémateurs sombres d'une religion profanatrice, le viol perpétuel des frontières du territoire par des étrangers de toutes espèces, le complot permanent contre les hommes blancs, l'hystérie féministe des créatures hommasses, véritables monstres, hybrides, contre nature, l'excitation frénétique des sodomites qui entachent à jamais l'idée même de mariage, le retour du communisme et du socialisme abjects sur le sol américain, l'étouffement progressif du pouvoir d'achat des travailleurs honnêtes mené systématiquement par un gouvernement cynique, le non-respect du drapeau des États-Unis sur lequel les séditieux crachent vulgairement, l'insolence des jeunes envers les patriarches, les aînés, la désertion des églises, l'esprit scientifique qui s'empare de tout et qui croit mettre à mal le mystère divin, la télévision blasphématrice et l'Internet vénéneux, les crimes pullulent tels des rats, et tout cela, Ray, mon fils, tout cela met Tom hors de lui et le force à prendre les armes. Tom veut lutter de front contre les troupes bien organisées de Satan qui, s'il n'y avait pas quelques braves fils de Noé sur lesquels je veille dans ma bienveillance infinie, triompheraient. Tu as lu les mots de mon livre sacré, Ray. Tu connais si bien ce passage qui pour toi, comme pour ton fils, recèle mon ultime sagesse et tout mon pouvoir. J'ai déjà fait sentir à cette Terre toute la force inhumaine de ma colère. Abraham le sait bien, lui. Il me vit déchaîner mon pouvoir sur Sodome. Dieu envoya lui-même le fléau : « Abraham se leva de bon matin et se rendit à l'endroit où il s'était tenu en présence de Dieu. De là, il tourna ses regards du côté de Sodome et de Gomorrhe et vers toute l'étendue de la plaine, et il vit monter de la terre une fumée, semblable à la fumée d'une fournaise. » Je te le dis, Ray, s'il n'y avait pas des hommes comme ton fils, si quelques troupes de croyants n'avaient pas décidé de châtier les méchants de ce monde et de reconquérir le territoire divin abandonné honteusement aux impies, j'aurais déjà exercé ma vengeance et, malgré la promesse faite à Noé, j'aurais depuis longtemps anéanti à jamais la Terre entière. Tu sais, Ray, de quoi je suis capable.

Le soleil s'est maintenant tout à fait hissé au-dessus des montagnes fières de ta terre natale et gorge le sol et les hommes de vie. Et toi, Ray, tu regardes la beauté de ce monde les yeux mi-clos, éblouis, et tu penses admiratif que le temps appartient à Dieu et que moi seul décide du moment de la fin et du sens des choses. Je suis l'alpha et l'oméga. Les savants en ce moment parlent beaucoup et inventent de nouvelles théories toutes aussi folles les unes que les autres. On explique les malheurs qui s'abattent sur la Terre par quelques causes humaines, par quelques bêtises des mortels. Pauvres fous ! Fétus de paille ! Il n'en est rien ! Vous n'avez pas, vous les hommes, cette puissance-là. Toi, Ray, tu le sais bien, et ton fils Tom, le brave Thomas, le sait aussi. Vous ne décidez pas du sort de l'univers. Moi seul prononce les arrêts de mort. Les catastrophes que je vous envoie en ce moment et depuis quelque temps sont des signes bien clairs qui montrent la splendeur et la magnitude de la colère que je contiens. Si je donnais libre cours à ma rage, il ne resterait plus rien de ce monde. Et ce que j'ai créé en six jours, je le détruirais en quelques secondes. Les tremblements de terre, les ouragans, les raz-de-marée, les feux de forêts, les éruptions volcaniques, les inondations intempestives ne sont que l'œuvre de Dieu, des avertissements. Les hommes n'ont pas la capacité de changer le cours du monde. Seul Dieu signe la création perpétuelle de la vie et de la mort. Katrina, tu l'as compris, Ray, n'était que le nom caché de Dieu. Le signe de ma fureur si puissante. Il fallait bien que mon courroux se manifeste contre la luxure, la fornication et le blasphème qui sévissaient à la Nouvelle-Orléans, dans le perpétuel mardi gras de Bourbon Street. Malheur aux impies ! C'est ainsi que je vous rappelle à vous, mortels, que vous devez obéir aux lois naturelles de Dieu et ne jamais faillir à vos devoirs. Je tiendrai la promesse faite à Noé. Mais je ferai en sorte que vous ne puissiez oublier que vous n'êtes que vermisseaux pour Dieu tout-puissant, créateur du ciel et de la Terre, qui peut détruire en un clin d'œil tout ce qu'il a fait sortir du néant. Devant moi, Ray, vous devez vous agenouiller. M'adorer est votre seule raison de vivre. Ton fils Tom le sait. Mais tu n'as pas, Ray, à te mêler aux amis de Thomas, à ses frères de combat. Lorsqu'il sort le soir en bande à travers le comté et qu'il purifie par le feu ce pays, tu n'as pas à le retenir. Ta mission, mon fils, est accomplie. Toi, tu as travaillé toute ta vie pour ma renommée. Tu as fait tout ce qui a été en ton pouvoir, Ray. À d'autres, à tes fils de prendre le relais. Les temps deviennent sacrilèges, Ray. Tu seras ma lumière. Tom sera mon feu sacré. Dieu est partout souillé ! Il faut aux cœurs francs et blancs comme le sien beaucoup de détermination et de force pour résister à l'avancée des troupes du mal. La guerre, Ray, n'est pas seulement à livrer loin de ce pays. Elle doit avoir lieu ici, sur ta terre fertile de Georgie et à travers tous les États-Unis que je protège amoureusement. Tom reste mon meilleur soldat. Que Dieu le protège !

Le soleil éclabousse de ses rayons roses la terre carmin de la Georgie et tu t'assieds tranquillement dans la balancelle de la véranda en espérant que le coup de feu que tu viens d'entendre au loin n'est pas de mauvais augure. Te voilà qui t'assoupis et tu voudrais oublier quelques instants le jour qui s'annonce si difficile. Ray, c'est à toi que je parle, mon fils. M'entends-tu ? C'est à toi que je m'adresse d'homme à homme pour t'aider à passer à travers la toute dernière épreuve. Que te dit ma voix ? Un jour, Ray, ton corps sera redevenu poussière et de toi, de tes yeux voraces et de tes membres parfois si désespérément avides de vie, il ne restera rien, qu'une petite inscription sur une pierre tombale, qu'un minuscule lieu sur lequel tes petits-enfants et arrière-petits-enfants iront se recueillir. De ta douleur présente, des heures terribles qui ont été les tiennes et des moments difficiles qu'il te reste à accueillir, alors que le soleil se lève somptueux ce matin, de cela, Ray, comme du reste, il n'y aura qu'une toute ridicule trace presque imperceptible qui s'effacera lentement. Inéluctablement. Seul mon esprit survivra. Il est en toi, l'Éternel ! Dieu se moque du temps humain. Il ne peut que rire des tourments des mortels qui sont si vains, si petits. Je méprise les souffrances des hommes. Celles-ci m'appartiennent. De ta vie, mon fils, je connais le sens, la direction, la fin. Tout est écrit, tel que je l'ai voulu. Le présent, le soleil qui se lève et que tu regardes maintenant bien franchement alors que ta journée va débuter, n'existent que pour célébrer ma puissance. Le temps divin avale et broie ton existence et celle de ta femme Susan qui vient de se réveiller et qui viendra te rejoindre sur la véranda dans quelques instants en mettant sa main avec précaution sur ton épaule gauche. Rien de ce qui t'arrive ne t'appartient, mon fils. Le sens du monde et la trajectoire du temps se dérobent, te glissent entre les doigts. Seul le nom de Dieu que tu murmures encore face au levant parvient à donner une signification au présent, au passé ou encore au futur. Dieu vous a volé le temps à vous, mortels, et c'est mon visage que tu contempleras demain dans les yeux effrayés du scélérat qui sera enfin assassiné.

Par moi, ton Dieu.

SYDNEY BLANCHARD

Je… Je… Mmm… Mmm… Veux pas mourir… C'est pas le moment… Pas l'eau… Pas comme ça! Je me… je me… L'eau, toute l'eau! À l'aide! À l'ai… Je veux pas… J'veux pas… J'étouf… Ah! Putain! Ah! Merde… Je suis là! Je suis pas mort!!! Oui, je suis là!!! Arrête d'aboyer Betsy! Tu vas réveiller les gens dans les chambres à côté… Les murs sont pas épais! Arrête, ma toute belle, je faisais un mauvais rêve, je mourais noyé… Tu t'es mise à japper… Cela m'a réveillé… Pas une mauvaise chose! Je te dois même une fière chandelle, ma belle… Ouais, ouais! Quelle histoire! J'en tremble encore. C'est ce qu'on appelle un cauchemar! Un sacré mauvais rêve! Je coulais à pic… Dans le golfe du Mexique ou le Mississippi… C'est vague… Ma voiture était tombée d'un pont qui ressemblait au Danziger… J'avais les poumons pleins d'eau. Brrr! J'ai mangé trop tard hier soir… Ça m'est resté sur l'estomac, toute cette bouffe… Je suis en nage, mais j'ai des sueurs froides… Il y a quelque chose qui cloche… Tu as pas chaud toi, la grosse? Non, la climatisation marche bien, c'est vrai! Je vais aller me passer un peu d'eau sur le visage… OK? De quoi me remettre!

Attends-moi, Betsy ! Non, je me lève pas pour de bon ! Tu peux rester couchée, ma petite truie… Je digère pas cette saloperie de burger… J'avais trop faim… J'ai avalé ça en trois minutes… Ketchup compris… Quelle heure peut-il bien être ? Il est cinq heures du matin ! Oui, c'est ce que m'indique cette horloge minable qui m'a empêché de m'endormir avec ses chiffres fluorescents qui clignotent à la hauteur de mes yeux… Ça fait quatre heures à peine qu'on est couchés, Betsy… Bien que toi, c'est pas pareil… T'as roupillé toute la journée, pendant le voyage ! Je reviens au lit, ma belle… Pousse-toi un peu, tu prends toute la place ! Tu fais vraiment de l'embonpoint avec l'âge, Betsy. Comme tous ceux de ta race… Le bull-terrier devient gras… Tu t'avachis, ma fille. T'es plus aussi fringante… À la Nouvelle-Orléans, va falloir reprendre l'exercice… Oui, on ira jogger, tous les deux… On aura enfin une autre vie… Tu connais pas la Nouvelle-Orléans, Betsy… Tu as juste connu ton bled perdu au nord des États-Unis… Seattle… Ton pays de merde où il pleut tous les jours… Voilà pourquoi j'ai rêvé de cette noyade. Seattle, c'est le déluge… Et dire que j'ai quitté chez moi à cause d'une inondation… Y a pas à dire, la flotte me suit partout… Je suis damné… Je ressemble à Noé avec mon chien ou à un type du genre… Je me souviens plus de son nom. Diogène ? Je sais plus trop… J'aurais dû aller en Arizona, là il pleut presque jamais, mais je sais pas pourquoi, je préférais me retrouver chez les bobos, les « Microsoft » à la bonne conscience sociale et aux bons sentiments, plutôt que dans l'État de John McCain ! On le voit partout ce type à la télé… Il manquerait plus qu'il soit président des États-Unis ! Après l'autre clown du Texas… Le Sud, c'est désespérant, c'est vrai, Betsy ! Mais le Nord, c'est pas mieux… Malgré toutes les histoires qu'on se raconte sur les États là-haut, c'est semblable à chez nous… Les gens, il y en a des mauvais partout… J'ai payé pour l'apprendre ! Ils m'ont fait chier, les bobos, depuis trois ans, depuis Katrina la salope, mais bon, l'État de Washington, c'est quand même pas l'Arizona, ni l'Utah… Hein, Betsy ? Je t'ai évité ça hier, l'Utah. J'ai fait un peu d'Idaho, un long bout du Montana qui n'en finit plus, puis je me suis tapé le Wyoming que tu as l'impression de traverser dix fois tellement c'est long et puis le Colorado… Mais j'ai pu échapper à l'Utah… On a roulé presque mille trois cents milles, ma Betsy ! On est des champions, ma grosse ! Plus de dix-sept heures de voiture… J'ai pas ménagé Foxy… On peut dire qu'elle a roulé, notre copine ! Elle est pas mal sale… Je la ferai laver à mon arrivée en Louisiane… Je veux qu'elle soit présentable devant mes parents… L'Idaho, le Montana, le Wyoming, il y a pas un chat… Des vaches, oui ! Ça oui… Tu pourrais aller en Formule 1, là-bas, personne ne s'en apercevrait… Il y a que les bêtes qui te suivent des yeux… On dirait que les gens se planquent… J'avais peur de tomber en panne d'essence à un moment… Il faut trouver de quoi nourrir Foxy dans l'Amérique bien profonde… Elle bouffe pas encore de bœuf, ma bagnole ! T'inquiète pas, Betsy, on y retournera pas là-bas ! Plus jamais ! Je rentre chez nous pour de bon… J'ai eu ma leçon… On est plus très loin de Denver. C'est quoi le nom de ce trou ? Je sais plus… Je regarderai plus tard… Hier, vers minuit, j'ai pris le premier hôtel pas cher sur le bord de l'autoroute qui avait un resto encore ouvert… J'étais claqué… Je suis encore trop fatigué, Betsy… Je vais me rendormir quelques heures… Oui, de quoi faire le plein et digérer la bouffe d'hier soir… Arrête de ronfler, merde, je te cause, ma fille… Fais comme Gwen, ma douce! Tu mens, tu prétends que tu m'écoutes, alors que tu penses complètement à autre chose… Oui, Gwen est comme ça… Comme toutes les filles avec leurs hommes… Un peu soumises, un peu rebelles… Faudrait que tu apprennes! T'es pas assez lady, Betse… Tu dois jouer la candide… Remarque que tu t'y prends pas si mal, tout le monde me mène pas par le bout du nez comme toi, ma grassouillette… Je l'ai plantée là-bas, Gwen… Sans lui dire! En fait, pas vraiment… Je lui ai quand même annoncé que j'allais passer deux semaines chez mes vieux, que je revenais bientôt… Mais qu'il fallait que je sois à la Nouvelle-Orléans pour la fin août… Oui, trois ans après Katrina, il est bien normal que j'aille dire bonjour à ma famille… « La prochaine fois, tu pourras venir Gwen. Je te ferai connaître mes parents. » C'est comme ça que je lui ai présenté la chose… J'étais presque sincère… Il y a une part de moi qui se voyait continuer à vivre comme ça, pour l'éternité, dans la grisaille de Seattle… Elle a rien dit, Gwen… Elle a seulement demandé la date de mon retour… J'ai dit vers septembre… Je t'ai regardée à ce moment-là, Betsy… Et tu m'as fait les gros yeux… C'est vrai que j'aurais pu lui expliquer à Gwen… Mais il y aurait eu une scène, des pleurs… Et tout le reste… Le chantage… Et puis les reproches : « Elle croyait que… », « Je lui avais dit que… », « Elle était sûre que… », « Nous avions des projets que… » Les bonnes femmes, quoi… Oui, toi aussi, t'en es une! Tu donnes pas ta place! Ce que tu peux m'emmerder! Écoute, Betsy. Arrête! C'est mieux ainsi! Charley ou Lewis lui dira… Lewis s'en occupera… Il l'aime bien… Je lui avais déjà dit que je lui casserais la gueule s'il s'approchait trop près de Gwen ! Maintenant, il l'aura pour lui ! Il l'épousera… C'est un type qui veut avoir une famille… Elle sera mieux avec lui… Ils aiment la pluie tous les deux, c'est déjà pas mal et puis, je suis pas facile, moi, c'est vrai ! Ah ! Tu dors plus, Betséputе ! Dès que j'évoque un petit travers de ma personnalité, tu te réveilles et tu es là pour me montrer ta déception… Ben, tu es une imbécile, Betsy ! Tu penses que si on était avec Gwen, tu serais avec moi dans mon pieu, à me faire des reproches et à puer comme une vache du Wyoming ? J'ai dû en bouffer deux vaches hier soir dans cet hamburger que j'arrive toujours pas à digérer… Le bœuf frais, il faut croire que c'est pas très comestible… Tu sais quoi, Betsy… Elle t'aurait foutue hors du lit, Gwen, avec un bon coup de pied dans le ventre ! Les bonnes femmes, ça se méfie toujours des chiennes et particulièrement des grosses gâtées comme toi… Elles ont peur que vous preniez la place des enfants… Oui, Betsy ! Ça suffit de défendre ta copine ! Elle aurait pas voulu de toi et j'aurais dû faire un choix et tu aurais peut-être fini avec une petite piqûre du vétérinaire, qui t'aurait envoyée sans aucun remords au paradis des chiens où l'on ne bouffe que du Dr Smith à l'agneau… C'est peut-être meilleur d'ailleurs que cet hamburger pourri d'hier soir… Au paradis, tu y aurais retrouvé les trois cabots de mes parents, Bono, Jeff et Armageddon… Morts noyés, oui, noyés au Lower Ninth Ward ! C'est ce qu'on croit… On était très attachés à ces bêtes… J'ai pas pu les amener avec nous… Il y avait trop de monde dans la voiture et je savais pas où on allait… Qu'est-ce que je pouvais faire des chiens, dis-moi ? Mes parents pleuraient… Je leur ai menti ! Ils me croyaient pas de toute façon. J'allais pas empêcher la Berta, notre voisine, de monter avec ses mômes dans la voiture pour sauver nos bêtes ! Je savais pas quoi décider, Betsy… Même si je déteste les gamins de Berta, ces enfants mal élevés, ces vauriens qui vont finir en prison… Ils sont peut-être déjà derrière les barreaux au moment où on se parle ! J'aurais dû prendre les chiens ! Toujours est-il qu'on les a pas revus ces malheureux-là, les clebs ! Mais des chiens morts, il y en avait beaucoup après Katrina. Alors toi, ma poupette, qui prends tes aises dans mon lit, tu peux te considérer comme une sacrée veinarde ! Je t'ai pas vue travailler très, très fort, hier, sur la route… Tu es sortie de ta léthargie pour faire un petit pipi, mais tu m'as pas aidé… « Démerde-toi, Sydney, pour trouver la route à travers le Montana et le Wyoming. Moi, Betsy, je pique un petit roupillon et je vais péter de plaisir tout l'après-midi. » Oui, Betsy, tu puais et heureusement que j'avais baissé le toit… Parce que l'odeur aurait été insupportable… Tu te gênes plus, Betsy… On est comme un vieux couple ! Et tu vois, je pense pas qu'on va mettre bientôt une femme entre nous… J'ai pas envie ! Je suis un vieux garçon… Gwen, ça allait comme ça… Pas pour toujours, pas pour de vrai. Mes frères se sont reproduits… Ça me va… Mes parents ont tout plein de petits-enfants… Je vais passer mon tour… Je retourne à la Nouvelle-Orléans, mais pas pour me marier… Je vais chez moi pour essayer de reprendre ma vie en main… Vraiment ! Je vais risquer le tout pour le tout… J'habiterai avec mon père et ma mère… Ils me manquent… Je trouverai bien un boulot comme serveur pour ramasser de l'argent trois ou quatre ans et puis j'essaierai de faire un disque… J'ai toujours voulu ça…

J'ai plein de chansons, Betsy, et j'en ai marre d'imiter Jimi… Je chanterai mes propres trucs ! Avec des musiciens qui veulent aussi démarrer quelque chose à eux… J'en ai fini avec le Jimi Hendrix Club Band ! Faut que je commence à croire en moi ! Ça va être du boulot… Mais à la Nouvelle-Orléans, je connais des gens… Je vais me refaire… En ce moment, tout le monde recommence là-bas… Après Katrina, ça bouge… Et il faut que des négros comme moi retournent chez eux… On doit pas laisser la ville aux riches… C'est l'esprit de chez nous qui disparaît… Tu vas aimer, Betsy, cet endroit ! Même le Lower Ninth Ward… Et puis on va aller renifler tous les coins de Bourbon Street… La grosse chienne blanche à la panse démesurée et son maître tout noir… On fait un sacré duo ! Quoique, moi aussi, je risque de devenir tout blanc comme toi… Je me suis vu des cheveux gris dans la tignasse noire juste avant mon départ de Seattle… J'ai pris un coup de vieux dans les derniers jours… Un sacré choc pour le Sydney… Il y a eu la tombe de Jimi, au cimetière… J'ai bien compris qu'il fallait que je fasse ma vie, que Jimi voulait que je lui lâche les baskets ! C'est comme s'il m'avait dit : « Sydney Blanchard, tu as bientôt quarante ans, il faut que tu commences à vivre. Tu es déjà trop vieux pour mourir jeune et tu ne seras jamais Hendrix, mais tu peux être Blanchard. » Oui, ma grosse, je peux peut-être faire ce que je veux… Je vais voir… Pas besoin d'être connu, mais faire ma musique à moi, dans les bars de la Nouvelle-Orléans… Un disque, si ça se présente ! Ça se crée les occasions, Betsy… Ouais… À la Nouvelle-Orléans, tout peut arriver… Même le pire… Oui, tu as raison, ma grosse, tu m'ôtes les mots de la bouche… Même le pire… Un gars une fois m'a dit que je devrais faire de la poésie plutôt que de la musique… Je lui lisais un ou deux textes de mes chansons chaque matin dans le tramway… Il semblait aimer… Va savoir… Un jour il m'a regardé dans les yeux et après pas mal de précautions, il m'a lancé : « Toi, t'es un poète, Sydney Blanchard. Tu devrais écrire. Arrête ta musique. T'es un poète, mon vieux, pas un musicien, tu fais fausse route, mon vieux. Tu joues vraiment bien, tu es un virtuose, ouais, mais t'as rien d'un créateur… » J'ai pas écouté ! À cause de Jimi… Qu'est-ce qu'il a pesé lourd dans ma vie, celui-là ! Oui, peut-être que c'est ce que je vais faire… Écrire… Faut y penser sérieusement… J'aurai l'esprit moins embrouillé dès que je serai là-bas… Je dois croire en moi, hein, Betsy ? Que je me remue un peu, putain ! J'ai tout laissé à Seattle… Vendu certaines choses… Oui, ramassé ainsi un peu de sous… Mais en gros, j'ai donné aux copains… En cachette de Gwen… Lewis lui proposera de choisir des trucs parmi les objets que j'ai laissés pour ceux qui voudraient se servir… Ça lui fera un souvenir à Gwen… Mais elle m'oubliera ! Oui, Betsy ! Je connais les filles, moi… Elle se consolera avec Lewis ! Les filles adorent les hommes qui les consolent… Je recommence à zéro… Sans Jimi… Pas facile… T'as vu hier, sur la route… J'ai pas mis grand-chose de lui… Oui, d'accord… « Ezy Rider » de l'album posthume… Mais dans le Wyoming, Betsy, je pouvais pas m'en empêcher ! Jimi, c'est ma drogue… Pas facile de me désintoxiquer… Tu comprends ça, ma grosse… « Ezy Rider », faut quand même ça, pour pouvoir traverser le Montana, le Wyoming et le reste… Yellowstone, c'est pas loin, il paraît.… Si au moins, j'avais fumé sur le chemin… Mais j'avais rien sur moi. Pas envie de me retrouver en prison dans le Wyoming ! Excès de vitesse, je veux bien ! Mais pas possession illégale de drogues… Ça, c'est trop… Mais sans Jimi ou un joint, je sais pas faire, Betsy… Aujourd'hui pour le reste du voyage, je vais aussi me mettre un p'tit Jimi… J'ai pas encore décidé quoi. Je vais pas abuser. Juste de quoi me sevrer, Betsy… Oui, OK, je vais écouter la musique de maintenant… Oui, je te le promets… T'es comme Gwen… Tu aimes les trucs qui bougent, la musique techno, le rap, la house, je sais pas, moi… Je suis ignorant en la matière… Va falloir que je m'y mette… Faut savoir ce qui se fait si on veut réussir dans le milieu… Mais Jimi, je vais le prendre encore… À petites doses… Aujourd'hui ce sera « Freedom ». « Freedom freedom / Give it to me / That's what I want now / Freedom freedom / Give it to me / To live / Freedom freedom / Give it to me / So I can give. » Putain ! Betsy, j'en parle, je chante deux mesures et j'ai des frissons ! J'ai envie de me mettre du Jimi ! T'as raison, je suis complètement accro ! Ça me met les larmes aux yeux, les chansons de Jimi… Toi aussi, tu verras, Jimi finira par te manquer… Tu me supplieras pour que je te mette « Purple Haze » dans trois mois, mais je serai cruel avec toi, comme tu l'es avec moi, ma grosse vache blanche bien puante… Tu me pardonnes rien… Non ! Rien… Et puis tu m'emmerdes à me culpabiliser avec Gwen ! Je sais pas ce qui m'a pris quand j'ai vu ce type-là, le condamné à mort, Smokey Robinson, mais non, pas Robinson le chanteur qui hurle avec Kenny G : « We've saved the best for last »… C'est pas terrible… Je me trompe de nom, Betsy… Oui, je veux plutôt parler de ce Smokey Nelson en fait qui va être exécuté demain… Le pauvre type… J'ai paniqué quand je l'ai aperçu à la télé... Nos vies se sont croisées... Il m'aurait laissé pourrir en prison, le salaud, et j'aurais très certainement été mis à mort demain si la gérante du motel n'avait pas témoigné! Une chic bonne femme... Traumatisée par l'affaire. C'est sûr... Mes parents ont été ébranlés, eux aussi! Ils ont mis du temps à s'en remettre! Je sais pas ce qui leur serait arrivé si l'erreur sur la personne n'avait pas été reconnue... Ils ne disaient plus un mot... À son salon de coiffure, ma mère fermait sa gueule... Elle avait honte et pleurait devant les clientes qui étaient mal à l'aise pour elle... Mais ils ont pu reprendre du poil de la bête avec les années, mes parents... Oui, ils ont connu à nouveau des beaux jours... Puis il a fallu qu'il y ait cette traînée de Katrina! Ç'a été pour eux le coup de grâce! À ce moment-là, je me suis barré lâchement de la Louisiane... Je pouvais pas assister au désastre! Mais là, faut que j'y retourne... Quand j'ai vu le visage du type avec sa photo d'il y a presque vingt ans, j'ai compris que je gaspillais ma vie... Toutes ces années, j'ai pas foutu grand-chose... Il a dû en faire plus que moi, ce pauvre gars en prison, cet assassin, et demain dans la nuit, il sera envoyé *ad patres* et moi, je vais continuer mon existence qui va nulle part... La vie est absurde, tu vois, Betsy... J'ai dormi toutes ces années, comme toi, tu l'as fait hier sur la banquette de ma Foxy Lady... Mais faut que je me ressaisisse! Je dois retourner chez moi... Travailler pour la Nouvelle-Orléans... Pour moi... Penser à laisser quelque chose d'important... Moi, ça sera pas des enfants! Je respecte l'idée... Mais ça sera pas pour moi les mioches... J'ai comme une mission sur cette Terre... Enfin, j'imagine... Je dois y croire... Y a un sens sûrement à tout ce gâchis qu'est ma vie...

J'espère le trouver... Devenir un chanteur ou un poète du Sud, peut-être... Gwen voulait qu'on se marie, qu'on fonde une famille! Je ne suis pas comme mes parents... Le bon Dieu, OK... Je veux bien... Mais il est pas vraiment important pour moi, Betsy... Tu le sais mieux que quiconque. Fais pas la modeste, ma balèze... Je préfère te parler que prier... Et bon sang qu'on m'a fait prier, enfant!!! Je priais pour tout... Pour les repas, pour les voisins, pour la pluie, pour le soleil, pour que mon père continue de travailler comme jardinier chez les riches de la ville, pour des conneries... Une petite prière à toutes les sauces, toutes les heures! En cachet et en suppositoire! Mes parents, ils prient encore... Même après Katrina... Ça leur a donné un peu plus de ferveur! Je sais pas s'ils font bien... Mais moi, c'est pas mon truc... Pas du tout... Je cause, je cause, mais pas avec Dieu... Et tu fais bien l'affaire, Betsy! Ton corps est plus chaud que celui du vieillard autoritaire que j'imaginais, enfant... Tu es plus réconfortante, surtout la nuit à Seattle. Il fait humide et toi t'es là, bien grasse, à dégager de la chaleur... Une vraie fournaise... Je l'ai toujours pas vu, pas senti, le vieux barbu! Si tu le vois, Betsy, préviens-moi! Aboie un bon coup, que j'aie le temps de le voir!!! J'ai pas mal de choses à lui demander, à celui-là... J'aimerais bien le coincer et qu'on cause entre quatre yeux... Toujours est-il que je vais retourner chez moi... À la Nouvelle-Orléans. Tout le monde savait que les digues pouvaient se briser, mais tu vois, on s'en fout des pauvres, des Noirs... Surtout que je pense que les digues, elles ont été détruites exprès pour protéger les quartiers riches, le French Quarter et le reste, et le reste... Beaucoup de gens ont affirmé ça et je les crois... Il faut pas que je répète cette idée devant mon père… Ça le met en rage… Il me foutrait une claque et je pourrais pas répliquer, parce que tu vois, Betsy, je pourrais pas frapper Carl Blanchard… Je pourrais que me ramasser une baffe… Même à trente-huit ans, bientôt… Oui, oui, je me bats souvent à la sortie des bars le soir avec des connards et j'aime bien ça, discuter fermement en tapant sur la gueule… Les coups partent tout seuls, mais pour mon père, Betsy, j'ai du respect… C'est pas comme toi avec moi… Fallait protéger la Louisiane, oui, et puis surtout continuer la guerre en Irak, qu'il a dit, l'abruti, le président des États-Unis qui a survolé la région après Katrina, mais qui a pas voulu mettre les pieds chez nous, de peur de se noyer ou de devenir tout noir… Ça pourrait être contagieux, non ? Mais t'es la preuve que non, ma petite pute, qui dort avec un sale nègre quand Gwen est pas là et qui est restée toute blanche… C'est plutôt toi qui m'as blanchi, Betsy ! Je me suis même enlevé un poil sur le bas-ventre… Tu vois ce que je veux dire, Betsy… Fais pas ta prude… On a pas de secret l'un pour l'autre… C'est pas bon signe quand t'en trouves un là… Oui, on savait que les Noirs allaient crever, mais c'était bien ainsi… Le maire Nagy, il avait prévenu la population… Tout le monde devait partir… OK, mais quand il y a rien d'organisé, pas d'évacuation avec les transports publics, ben, tu vas pas loin… Les pauvres ont pas de voiture, monsieur le maire… Tu le sais pas ? Moi, j'ai appelé mes parents… Je leur ai dit que j'arrivais… C'est qu'ils voulaient pas partir… Il y a juste les stupides nègres qui restent parce qu'ils peuvent pas ou veulent pas bouger… Les Blancs savent partir. Pas idiots, ceux-là… Ils referont leur vie de riches ailleurs… Parmi les Noirs les plus pauvres, y en avait qui achetaient plein de nourriture pour tenir le siège… Oui, pour après l'ouragan, ç'a du sens… Mais quand les digues pètent, ta bouffe, elle est carrément en train de nager dans la rue… Ah! C'était un jour mémorable! Je suis allé chercher mes parents juste à temps… Il y aurait eu de quoi faire un film, que j'aurais pu vendre cher à des réalisateurs blancs… Ils auraient parlé d'une reprise de la fin de Sodome et Gomorrhe avec des Noirs… C'était un océan qui s'engouffrait dans mon quartier! On a retrouvé Joe des semaines après… Il avait été noyé dans sa propre cabane et puis quand l'eau s'est retirée, il a pourri longtemps… On avait plus pensé à lui… On l'aimait bien, on le croisait dans le quartier, mais y avait personne pour lui, pour l'attendre ou le pleurer… On a eu du mal à entrer dans sa maison… La putréfaction, ça vous prend à la gorge! Y a que les chiens pour aimer ça… Vous êtes des charognards, Betsy… Et je t'amène plus jamais dans un cimetière, ma grosse, parce que tu sais même pas te conduire… J'ai prié, cette journée-là… Je vais jamais à l'église… Mais là j'ai prié… Je me suis dit on sait jamais… Le vieux barbu va peut-être nous écouter! Au nom du père, du fils et du vieux, vieux barbu… Le président des États-Unis, il nous a dit: « On prie pour vous. Je prie pour vous, ma femme prie pour vous. Mes filles aussi. L'Amérique en entier prie pour vous. » Tout le monde priait quoi… Ben, il faut penser qu'il est dur d'oreille, ce Dieu-là… Parce que malgré les prières de toute la nation, on en a pris plein la gueule! Remarque qu'il a de quoi être fâché, le gars à la longue barbe… On peut pas dire que les humains sont des enfants de chœur… On est toujours en guerre les uns avec les autres… La guerre en Irak… Qu'est-ce qu'on est allés foutre là??? Il y avait tellement à faire chez nous… À la Nouvelle-Orléans, je veux dire, parce que dans le Montana ou le Wyoming, Dieu est parti depuis longtemps… Il s'ennuyait trop là-bas… Il a beau être vieux, le barbu, il préfère quand même la Louisiane !!! Tu dormais Betsy… Tu as pas vu qu'il y avait rien dans ces trous-là. Mais, arrête de me dire que j'exagère… Tu grommelles, mon putois… Oui, Betsy, Betsy… Tu arrêtes pas de maugréer… Comme Gwen… Elle cessait pas de se plaindre… Sacrée Betsy, avec tes complaintes… Je suis pas allé chercher loin pour trouver ton nom… Je voulais t'appeler Katrina, mais même les copains de Seattle trouvaient pas ça très drôle… Moi, tu vois, c'est le genre de chose qui me fait rire ! Ça, c'est exactement mon humour… J'aurais crié ton nom et je t'aurais dit de te la ramener vite et tout le monde se serait retourné, perplexe… On aurait rigolé, mon ouragan… Mais bon, je voulais pas choquer pour choquer. Les gens sont traumatisés par tout ça… OK ! Ils en perdent le sens de l'humour… C'est bête, mais c'est comme ça… Les gens sont pas très marrants, tout de même… Moi, même en mourant, j'espère rigoler. Oui, je veux rire en crevant… C'est un peu la seule liberté, non ? Tu crèves, t'as pas le choix, mais au moins tu peux te marrer un peu… J'ai abandonné l'idée de Katrina… Alors, j'ai pensé à Betsy… « Billion dollar Betsy », c'est comme ça qu'on l'avait surnommée, l'énorme tempête de 1965, qui avait fait tant de mal à la Louisiane… J'étais pas né, mais qu'est-ce que j'en ai entendu parler… Déjà à l'époque on disait que les digues avaient été brisées pour protéger le French Quarter… L'histoire se répète… On a rien appris, nous les négros… On s'est remis là et on a fait comme si de rien n'était… On est un peu cons, non ? Nés pour un petit pain et une petite vie… J'étais pas né, je viens de te le dire, ma grosse, non, pas là du tout… Tu le sais bien, je suis arrivé en 1970, après Betsy… Mais mes parents m'ont tellement cassé les oreilles avec elle… Betsy est devenue familière. Comme une vieille tante ou une grand-mère… Elle a frappé les Bahamas, la Floride et le Mississippi, la Betsy ! Elle a fait du mal à Nassau et puis elle a retouché terre à Grand Isle, Louisiane… Juste à l'ouest de l'embouchure du Mississippi et là, elle a détruit tous les immeubles, la mauvaise… Il restait rien ! C'est magnifique, Grand Isle ! Tu peux pas imaginer… Je vais t'amener, Betsy… Mais il faut aimer le poisson… Les crevettes sont délicieuses là-bas… Meilleures que chez Acme Oyster House, rue Iberville, en plein French Quarter… Un régal ! Ça te fera maigrir de manger moins gras… Les fruits de mer, c'est excellent pour la santé ! Et puis l'iode, c'est sain… Pourtant la tempête Betsy, c'est loin d'être Katrina… Les gens parlaient toujours de Betsy durant ma petite enfance… Pour un oui ou pour un non, ils évoquaient l'ouragan… « Betsy a fait ceci, Betsy a fait cela. Mais ça, c'était avant Betsy. » Betsy, moi, je savais plus trop qui c'était… J'ai toujours aimé ce nom-là… Après t'avoir achetée très cher à une vieille dame dans un chenil de la banlieue de Seattle, j'étais au volant de Foxy Lady et je retournais en ville… Tout à coup, tu as mis ton petit museau sur ma cuisse… J'ai craqué… Tu avais l'air tellement mignonne ! Tu étais pas grosse à l'époque, tu tenais presque dans mes mains… Je me suis dit tout de suite que tu me serais douce, comme la Betsy qui était là pour moi durant toute ma jeunesse… Petit, j'imaginais une femme magnifique, qui avait des seins énormes, qui se mettait en colère en bougeant sa chevelure rousse dans tous les sens et qui s'avançait vers moi, vers la Louisiane, pour nous engouffrer tous en elle… Betsy! Elle était blanche, cette femme, dans mes fantasmes de gamin… Blanche avec une toison rousse… Je sais pas pourquoi… Quand j'allais voir ma mère à son travail au salon de coiffure, ça sentait la teinture et les produits défrisants… Ça me prenait à la gorge et c'est dans cette odeur chimique que j'imaginais Betsy arriver pour qu'on lui fasse une mise en plis… L'odeur du salon de coiffure, c'est franchement enivrant! C'est le parfum de la femme, de celle qui, en 1965, avait fait tourner la Louisiane et le Mississippi en bourrique… Celle par qui le malheur et le scandale arrivent… La Betsy! Ça te va bien, non? Je me demande comment je vais faire pour retourner là-bas, à la Nouvelle-Orléans je veux dire… J'ai peur de ce que je vais voir… Il paraît que ça a beaucoup changé… C'est pas beau! On m'a dit qu'on ne reconnaît pas grand-chose, qu'au début ça fait un choc et puis qu'on s'habitue… En 2005, j'ai laissé mes parents en banlieue, chez des amis. Je pouvais pas me faire à l'idée que tout était foutu. Il y a des cars de touristes qui font le tour des décombres… Des gens paient pour une balade guidée à bicyclette dans mon quartier… On vivait là depuis toujours… On formait une communauté… Mais les voisins sont morts ou sont partis ailleurs… Mortimer m'a appelé l'autre jour… Il y est retourné… Ça lui fait tout drôle! Il a trouvé un travail dans un resto très chic… Brennan's… Félicitations, mon vieux, c'est pas donné à tout le monde d'avoir un boulot là! Les pourboires doivent être extravagants! Il faut dire qu'il est allé à l'école pour apprendre le métier… Pour avoir de l'avancement… C'est ça qu'il a fait à Detroit pendant presque trois ans… Il est futé, Mortimer… Il me dit qu'il va bien… Qu'il adore son travail… Mais que les choses sont pas comme avant… Il faut que les gens comme nous reviennent, qu'il m'a dit… Il a raison, Morty! Mais moi, j'ai fait le con pendant trois ans… À l'époque, il aurait fallu que je fasse des choix… Katrina est arrivée, la garce! Alors, j'ai eu un sursis… En fait, j'ai passé ma vie de sursis en sursis… À dix-neuf ans, je me fais arrêter en Georgie lors d'une petite virée… À ce moment-là, je devais décider de faire des études… Je voulais aller dans une école d'hôtellerie… Comme Mortimer. Pour gagner ma vie. Chez nous, le tourisme est important… On peut avoir un bon boulot dans un resto, un hôtel, un bar… Mais depuis Katrina, je sais plus si c'est la même chose… Toujours est-il qu'à l'époque, je trouvais que c'était une bonne idée… Faire de la musique, oui, aussi, mais d'abord me trouver un boulot solide… Pour faire honneur à ma famille… Après, je suis sorti de prison en me disant: « Ouf, je l'ai échappé belle! » Alors j'ai voulu profiter de la vie… Et j'ai pensé: « Je suis en sursis, je me casse pas la tête. De toute façon, on est tous en sursis. Y a qu'à se ménager. » J'ai travaillé ici et là, comme garçon de table… Rien de sérieux… Puis on faisait des shows en jouant du Hendrix… Je me suis amusé… Vers trente-cinq ans, il aurait fallu prendre une décision importante, mais badaboum! Y a eu Katrina! Presque un soulagement… L'histoire a décidé pour moi… Après Katrina, encore un nouveau petit sursis… L'occasion était trop belle! Je suis comme ça… Je frôle le pire et puis je déclare que rien n'en vaut la peine, qu'il faut vivre au jour le jour… C'est pas faux, remarque, Betse! Quand je te vois, je comprends que j'ai pas tort… Mais je suis pas une chienne qui bouffe aux frais de la princesse ou qui profite du Sydney grisonnant complètement obnubilé par son cabot… J'espère me réincarner en chienne et trouver un gentil petit nègre comme moi, pour s'occuper de la bête que je pourrai enfin être… T'as fait de moi ton pantin, Betsy ! T'es une esclavagiste ! Et je tiens même pas à m'affranchir, Scarlett O'Hara… J'ai toujours pensé que rien n'avait de sens… J'aime juste m'éclater sur la musique de Jimi… Mais je suis trop vieux pour penser comme ça… Quand on croit à des trucs de la sorte, vaut mieux se suicider… À mon âge, ça passe ou ça casse… Je continue à vouloir vivre, alors je dois arrêter de faire le con… Ça m'angoisse, Betsy, de dire tout ça… J'aime pas réfléchir à ces choses… Bon, avec ces palabres, j'arrive plus trop à dormir… Penser à l'avenir, ça sert à rien… Je pourrais peut-être me branler un peu, question de me détendre… Mais je le sens pas ce matin… J'arrive toujours pas à digérer… Ce rêve de noyade, ça vous coupe le désir pour la journée ! Même si te parler de la rousse Betsy m'a mis en train ! Mais à côté de toi, la grosse bête puante, c'est plus ou moins inspirant… Je vais mettre la télé… Qu'est-ce que tu en penses, Betse ? Ça va peut-être m'aider à me rendormir. Il faut que je sois un peu en forme… La route est longue de Denver à la Nouvelle-Orléans… Plus de mille milles… Va pas falloir être paresseux ou traîner en chemin… J'espère que Foxy va avoir bien dormi, elle… Un gros plein d'essence et elle sera comme neuve… J'aime bien me faire bercer par les voix des acteurs ou des animateurs… Les voix, ça a quelque chose de rassurant, non ? Merde… Y a pas grand-chose le matin aussi tôt… Où est la télécommande que je puisse me droguer au zapping ? Ouais, t'es intéressée, Betsy, non, quand j'allume le poste ? Tu lèves enfin la tête de l'oreiller... Te fatigue pas trop, ma baleine blanche... Aujourd'hui, t'as que quinze heures de sommeil devant toi sur la route... Faut que tu te ménages... Pas mal de pub, d'émissions où ils te vendent n'importe quoi, y compris ce dont tu viens juste de te débarrasser... Et les informations sans interruption... On a l'impression que c'est tous les jours la même rengaine... On piétine... Je vais pas encore me taper un bout du discours de McCain en reprise ! J'ai déjà vu ça avant de me coucher hier soir... Ça m'a pas fait digérer ! Tu savais, toi, que les démocrates vont faire leur congrès à Denver, tout près d'ici, dans dix jours ? On a failli se trouver pris dans l'ouragan présidentiel... Heureusement qu'on est là plus tôt ! Sinon, cette chambre tout à fait moche avec une télé d'un autre âge et très peu de chaînes nous aurait coûté la peau des fesses... Et déjà, c'est pas donné, le Colorado... C'est pour les riches, non ? Demain, le 16 août, il devrait y avoir une espèce de débat où les candidats à la présidence répondront à la queue leu leu aux questions du pasteur Rick Warren... Ça risque d'être pas mal ennuyeux, Betsy... Nous, on sera déjà à la Nouvelle-Orléans et pour ton premier soir, on ira prendre un verre, ou deux, ou trois avec les copains... J'ai du monde à te présenter, ma poupée ! Alors, le pasteur Warren, on va simplement le zapper... Tiens, il est plus là... On est vendredi, et demain samedi, ce sera la fête... Je te le promets... Sur la chaîne météo, ils prévoient, attends... 69 °F pour la Nouvelle-Orléans, et un peu de pluie... Mais réagis pas comme ça dès que je te parle de flotte... Bien sûr que je vais tenir ma promesse ! La Nouvelle-Orléans fait pas dans le gris de Seattle ! Tu vas voir, la pluie chez nous, ça a rien à voir avec ce qui se passe dans ton trou… Il pleut beaucoup, beaucoup… Tout d'un coup ! Ça balaie un peu la chaleur et après tu te sens tout frais pour quelques heures… À Denver, aujourd'hui, ça va être frisquet, ma jolie, 45 °F… Demain, un petit 42… Mais toi et moi, on sera plus là… On est pas totalement idiots… Après Seattle, on a compris… Pas de précipitation à l'horizon, qu'il est annoncé… Bon, tant mieux… On va bien rouler… Bonne visibilité… De toute façon, ma grossette, tu vas roupiller… Y a des bons côtés à vivre dans les montagnes… On voit de loin… Si ça continue, les démocrates, ils vont venir attraper un rhume à Denver, et ça, ils en ont pas besoin, je vais te dire, ma chérie… Ils doivent garder leur force… Parce que j'espère qu'il va gagner, Obama ! Ils ont l'air de l'aimer partout… Ça serait vraiment génial qu'un Noir comme nous soit président des États-Unis ! Oui, tu es quand même des nôtres, ma blanche… T'as un grand cerne noir autour de l'œil ! Dès qu'on est un peu noir, pour les Blancs, on est rangés parmi les tout noirs, alors je t'inclus dans la communauté… On prend même les obèses comme toi… Tu te rends compte, Betsy, ça mettrait en rage pas mal d'Américains… Un président nègre. Ils vont se croire en Afrique et prendre peur… Ah ! là vraiment ils seront déchaînés, les mecs… De quoi armer les racistes et l'extrême droite jusqu'à la fin des temps… Qu'est-ce que ça me ferait rire si Barack remportait la victoire… Je vais aller voter cette année, ma grosse, et si je peux te mettre sur la liste électorale, tu voteras comme moi… Ils ont dû faire voter les chats, les chiens et les flamants roses en plastique pour que le Bush passe à la dernière élection en Floride… Des types pas honnêtes. Une famille de types pas honnêtes… Oui, ça se transmet, la malhonnêteté… Dans les gênes… La science le dit… C'est prouvé… Je vais aller voter, tiens, pour leur faire les pieds aux racistes de ce pays… Je vais voter Obama ! T'es d'accord, Betse, non ?… Tu te rappelles le scandale qui a eu lieu ce printemps avec le pasteur d'Obama ! Jeremiah Wright ! Il est en colère, ce type ! Oui, pas mal en colère ! Mais y a des raisons de l'être ! L'Amérique, c'est beau, oui, mais pas pour tous ! Il leur a dit, le pasteur ! Y en a eu et y en aura encore des sacrées injustices dans ce pays ! Il a hurlé le prêtre : « Que maudite soit l'Amérique ! » Ça leur a fait un choc, aux gens… Tant mieux ! Je suis assez d'accord avec lui ! Hmm ! Y a rien à la télé… C'est pas comme ça que je vais me rendormir… J'aurais mieux fait de me branler, tiens… Je ronflerais maintenant… Ah ! Le voilà, le Smokey Nelson ! Je me disais bien que je le reverrais un peu avant sa mort… Malgré les élections, ils ont pas grand-chose à couvrir, les médias. Il leur faut des macchabées… En voilà un ! Ça fait des jours que je le cherche à la télé… Tu l'avais compris, Betsy, non ? J'ai fait ça en catimini… Je sais pas pourquoi, mais j'ai un peu honte… J'ai jamais regardé autant les informations… D'habitude, tout le monde peut crever, je m'en fous… L'apocalypse, elle a déjà eu lieu… On est en sursis, pas vrai ? Les avocats du prisonnier, qu'est-ce qu'ils ont à dire, ces deux-là ? ? ? Ils veulent simplement se faire de la pub… Ah oui, vous espérez que le gouverneur lui accorde sa grâce !… Pour un temps… Le temps de vous retourner… Mais en dix-neuf ans, vous auriez pu trouver quelque chose, s'il y avait un vice de forme, c'est ça qu'il vient de dire l'avocat, Betsy ? Un vice de forme ou de nouvelles preuves… Après tout ce temps ! Le type, il a tout avoué… Vous voulez un sursis, quoi ? Comme tout le monde… Mais un jour, on en peut plus… On demande la fin. On veut que ça finisse pour de bon… On est franchement écœuré que toujours le même film recommence… Qu'on nous le passe en boucle… Je sais pas ce que je lui souhaite, à ce type. La vie en sursis, dans la cellule d'un pénitencier pourri de la Georgie ou la mort… Je sais pas si j'ai envie d'imaginer ça pour Smokey… La prison, j'y ai goûté, ben, Betsy, je te jure que c'est pas génial ! Tiens, le voilà ! Le voilà quand il était jeune ! Et puis regarde… On nous montre quelques images plus récentes alors qu'il va à la cour. Tu saisis, Betse, que je n'ai rien à voir avec Smokey ! On est tous les deux noirs, un point c'est tout… Lui est petit, râblé, et moi, je corresponds plutôt au style grand spaghetti mou… Je suis comme Jimi Hendrix, moi… Il a le visage dur, ce type… J'aime pas complètement sa gueule… Même à l'époque, ce gars me mettait mal à l'aise ! On s'est jamais croisés, mais je l'ai vu dans les journaux, à la télé… Ils voulaient arrêter un négro, il faut croire ! J'avoue que j'étais au mauvais moment dans les parages du motel… Et que j'avais volé le portefeuille d'un type complètement soûl dans un bar… Le mec s'est plaint… Je lui ai rendu immédiatement son fric… Quelque chose comme quarante dollars… Pas grand-chose, même à l'époque… Un truc pour rigoler, pour voir ce dont j'étais capable… J'étais même pas sorti du bar… Mais tout s'est emballé ! On venait de retrouver les corps dans le motel à un mille de là… J'avais piqué un portefeuille… Le patron a appelé les policiers et me voilà en moins de deux en prison… Et puis, tout à coup, de but en blanc, je suis accusé de meurtre ! Deux adultes, deux enfants… Je savais même pas de quoi ils parlaient ! Je ne pouvais même pas penser que ça existait des trucs pareils… Ils étaient prêts à me faire cuire la cervelle sur le barbecue de l'État, les dégueulasses ! C'est ce qui va arriver à Smokey… Mais je crois qu'ils en ont fini avec les grillades… Ils préfèrent nous manger bouillis ou encore à la sauce empoisonnée… Tout était logique pour ces salauds… J'étais pas loin, je viens pas du coin… C'était donc moi ! J'avais même dormi dans l'hôtel en face… C'était donc moi… Logique implacable… Putain, il a vieilli Smokey ! Il doit avoir comme moi, pas loin des quarante ans… Mais lui, il se demande pas ce qu'il a fait dans les dernières années… Il le sait que trop !!! Chaque matin, il s'est demandé si aujourd'hui, on lui annoncerait pas le jour de sa mort… Moi, tu vois, Betsy… Mais… ma grosse, je t'ennuie, faut croire… Tu te rendors comme si t'en avais rien à faire des condamnés à mort… Que t'es égoïste, la grosse truie blanche ! Tu écoutes même plus, alors que je te raconte la vie de deux pauvres négros dont les destins se sont croisés il y a presque vingt ans… Moi, j'ai souvent pensé à lui, à Smokey… Je me suis souvent demandé s'il avait été ou non exécuté… Dans mon existence, y a comme deux gars importants, Jimi et Smokey… Je suis en train de les perdre tous les deux… Mes deux frères de cœur ! Moi, tu le sais, j'étais le petit de la famille… Toujours rêvé de faire des choses avec les plus vieux… Ça m'a apporté pas mal de problèmes d'ailleurs… Voilà l'expert en droit, qui explique pourquoi et comment Smokey n'obtiendra pas la clémence de l'État… Ben, mon pote, y a pas besoin d'avoir fait Harvard pour le saisir… Betsy !!! Arrête de ronfler, j'entends plus le connard d'avocat ou de conseiller légal… Dès que quelque chose m'intéresse, faut que tu fasses du bruit… C'est bientôt les élections, mieux vaut se montrer dur avec les sales Noirs… Les négros, c'est bon pour les prisons, pas pour la Maison-Blanche… Et puis, il a tout avoué Smokey… Y aura personne pour penser que c'est une erreur judiciaire… Difficile de pleurer un meurtrier qui ose dire qu'il a fait des choses aussi sordides… C'est pas un bon cas pour les abolitionnistes ! Eux, ce dont ils rêvent, c'est de l'erreur judiciaire… Monter au créneau pour un gars innocent qui va se faire exécuter pour rien… Un type dans mon genre à l'époque, ils en auraient fait leurs choux gras… Ils ont vraiment voulu que j'entre dans leur organisation, les mecs… Je t'ai pas raconté, Betsy ? Ils me harcelaient… Moi, je suis contre la peine de mort… Enfin, je crois… L'État doit pas tuer les gens. C'est tout… Mais mijoter toute sa vie en prison, je me demande si c'est mieux… Une fois qu'il a été identifié par la femme du motel, Smokey a dit oui à tout… Il savait que c'était foutu pour lui… Il peut bien avoir l'air vieux, le Smokey ! À dix-neuf ans, tu apprends que tu es un mort en sursis… Ça fait froid dans le dos… Bon, voilà un vrai militant contre la peine de mort qui s'engueule avec un chrétien qui se prend pour Dieu en personne… Je sais pas quelle connerie il va oser dire ici, l'abolitionniste… Un truc bien senti… Sur les droits humains… Quelle merde ! Moi, si j'étais Smokey, je voudrais pas que le gouverneur s'en mêle… Je serais heureux de penser que le gouverneur n'est pas du genre à se laisser apitoyer… Je serais soulagé de penser que c'est bientôt fini… De toute façon, le gouverneur, en général, il fait juste appuyer la décision de la cour… Ils se mouillent jamais, ces types ! C'est pour ça qu'ils sont là où ils sont… Et la cour, elle change pas souvent d'idée... Après mon emprisonnement, j'ai pas mal fait de recherches sur la peine capitale, Betsy... Je voulais savoir à quoi j'avais échappé... J'avais le numéro perdant... J'étais noir, pauvre, j'avais un avocat pourri et on me soupçonnait d'avoir tué des enfants blancs... Dans le pétrin, ça, tu peux le dire... J'y passais si la femme du motel avait eu mauvaise mémoire ou si elle avait été du genre à confondre tous les négros... Ah! Ils ont la mère au téléphone... Bien joué, les mecs! On va apprendre qu'il a perdu sa première dent à deux mois, Smokey... Quoi?! Elle veut aussi que son fils meure! Drôle de bonne femme! Et elle vient de la Nouvelle-Orléans... Pas particulièrement sympa... Même mes parents qui font dans la bondieuserie préféreraient voir leur fils vivant... «Dieu en a décidé ainsi!» Ah! Tu crois, madame! Mais c'est quoi, ces bêtises?! Si Dieu avait décidé de faire de ton fils le président des États-Unis, tu dirais la même chose... C'est une phrase qui va avec tout... Tu peux pas te tromper, ma Josephine... C'est son nom, regarde Betsy... J'invente pas, c'est au bas de l'écran... Josephine Harriett Nelson... Et dire que tu viens de la Nouvelle-Orléans... Katrina vous a rendus fous??? Il était mal barré, Smokey, avec sa mère bigote qui va simplement prier pour lui, afin que Dieu lui pardonne... Écoute, Betsy, c'est du grand cirque, la télé ce matin... Y a un type qui va être exécuté, et tout le monde y va de son opinion... Vaut mieux crever que d'entendre ça... Il a de la chance, Smokey... Il va échapper à tout ce cinéma... Je devrais rigoler... C'est bien évident. Mais là, franchement, j'y arrive pas... Si j'avais une carabine, je ferais comme Elvis, je viserais le téléviseur et je ferais tout éclater! Ça me soulagerait... Ils vont rien dire de plus sur Smokey… On passe à une disparition de gens dans les montagnes en Oregon… Faut que le spectacle continue, alors il continue… Mais qu'est-ce que tu fais à la porte, Betsy ? Il y a deux secondes, tu ronflais… Tu en faisais trembler les murs ! Et maintenant tu as envie de pisser ! Pour une fois que je regarde les infos tranquille, il faut bien sûr que tu me déranges ! Je peux pas t'ouvrir la porte ici et te faire sortir un moment dans le jardin… Il faut que je m'habille un peu et que je te sorte… Il fait pas chaud dans les montagnes, la grosse pisseuse… Tu auras gâché ma vie, tu sais, avec tes demandes, tes caprices… Je devrais t'abandonner sur une bretelle de l'autoroute… Je pourrais vraiment tout recommencer à la Nouvelle-Orléans, sans toi… OK ! OK ! Arrête de pousser des beuglements comme si je t'égorgeais… Je savais pas qu'ils avaient rétabli l'esclavage en Amérique… Tu me l'apprends… Je fais tes quatre volontés… Et toi, tu dors, tu pisses et tu manges… Mon existence est risible ! Je vais t'envoyer chez un maître-chien… Dans un camp de redressement… On va te faire le caractère… Il est jamais trop tard… Voilà, il me reste que mes chaussettes à mettre… Là, là… Et mes bottes… Oui, c'est un peu plus long à cause des lacets… De toute façon, Smokey est plus là… Ils sont passés à autre chose. D'autres chats à fouetter. Je pense qu'ils ont dit… Ah ! Putain ! Y a un nœud que j'arrive pas à défaire… Attends, ma grosse, je m'applique… Oui, ils ont dit qu'il serait exécuté la nuit prochaine… Demain y aura un reportage sur lui, s'il y a pas de tornade en Arkansas… Dans trois jours, on en parlera plus jamais… Smokey Nelson, ce sera vraiment du passé… Je sais pas si je vais l'oublier un jour, ce type… C'est drôle comme il m'a marqué… Lui, il doit même pas se rappeler mon nom… Ça a pas dû compter pour lui, tout ça… Il a simplement trouvé con que la femme du motel l'ait reconnu… Peut-être même pas… Il a toujours eu l'air de pas vouloir se défendre… Un drôle de gars ! Pas mon genre… Bon, me voilà Betse, ma dominatrix… On va aller se promener cinq minutes. Brrr ! C'est frisquet dès qu'on ouvre la porte… Il fait soleil déjà ? C'est que mine de rien, ma vieille, on a regardé pas mal de temps la télé ensemble… J'aurais mieux fait de me rendormir… Là c'est fini… J'ai raté tous les moments… Je vais prendre un café quelque part… Et puis, on va partir ma grosse… La Nouvelle-Orléans a qu'à bien se tenir. On va faire exploser la ville… Sydney Blanchard et Betsy la blanche arrivent !

PEARL WATANABE

Parmi les sacs de terre et les outils de jardinage, Pearl, penchée sur les semis de carottes et de radis, mettait la dernière main au potager de sa fille. Le Tennessee bénéficie d'un climat relativement doux grâce auquel il est possible de jardiner tard dans la saison et Pearl s'était permis dès son arrivée à Chattanooga de s'attaquer aux fleurs et aux légumes qui poussaient abondamment derrière la maison de Tamara, dans un vaste espace aménagé de telle sorte qu'on puisse y cultiver diverses aspirations agricoles. Pearl avait transmis à sa fille le goût de la terre et du maraîchage. À Oahu, elle œuvrait dans un jardin communautaire, comme bénévole, au Ho'omaluhia Botanical Garden de Kaneohe. Là, elle accompagnait des groupes de touristes lors des visites d'initiation à la flore du Pacifique et donnait des cours aux résidents de l'île amateurs des plantes médicinales de la région et curieux de la culture polynésienne. Le ohia-lehua qui, mélangé avec de l'eau, était donné aux parturientes, le puhala dont les racines servaient à rasséréner les nouvelles accouchées, le taro que l'on utilisait comme laxatif, le 'awapuhi-kuahiwi qui soulageait les maux d'estomac n'avaient aucun secret pour Pearl qui aimait penser que la nature guérit de tout et qui préférait ses recettes de bonne femme ou de sauvage à la médecine moderne. Son père lui avait appris à aimer le sol riche, basaltique d'Hawaii et c'est en reprenant les gestes que ses deux parents lui avaient enseignés dans le jardin familial le dimanche que Pearl sentait l'esprit du passé, d'un temps à la fois précis et pourtant immémorial, l'envahir par moments. Elle se revoyait petite alors qu'elle était tout à fait heureuse, dans une banlieue d'Honolulu à l'époque en pleine reconstruction. De cet amour des plantes et des fleurs, Tamara avait hérité et, comme sa mère, elle éprouvait un vrai plaisir à prodiguer des soins aux graines, aux boutures, aux tiges et aux nouvelles pousses. Mais Tamara n'avait pas la patience de sa mère! C'est du moins ce que Pearl pensait en se rappelant l'enfance de sa fille sujette aux crises et aux caprices. C'est cette impétuosité fébrile que Pearl avait remarquée et dont elle distinguait encore les signes alors qu'elle avait inspecté le jardin de Mara dans l'après-midi, dès son arrivée à Chattanooga, et qu'elle se rafraîchissait sous le parasol de la terrasse en sirotant un grand verre de tisane bien glacée. Pearl avait remarqué tout de suite que sa Tamara avait planté des fleurs et des légumes qui demandaient peu de temps avant d'atteindre leur maturité et qui donc s'adaptaient bien à son rythme haletant. C'est ce même agacement devant la lenteur du quotidien que Pearl voyait agir quand Tamara parlait aux enfants. Ceux-ci devaient se plier à la cadence précipitée du corps et des paroles de leur mère et il n'y avait pour ces petits aucun espoir de se faire répéter les choses deux fois. Tamara les dressait à comprendre rapidement ce qui leur était dit et Luke et Ava avaient appris à vivre selon les mouvements rapides de leur maman et en accord avec la précipitation assurée de ses pensées. Lors de ses venues à Honolulu, Tamara tentait en quelques jours de faire trente fois le tour d'Oahu, puis elle partait rapidement en bateau pour Maui ou Molokai et enfin inventait des sorties et des activités de toutes sortes pour sa famille. Tamara, qui avait passé une grande partie de son enfance à Hawaii, avait plein d'amis dispersés sur toutes les îles de l'archipel. Quand elle retournait chez sa mère, elle en profitait pour faire une tournée effrénée ! Pearl avait pensé qu'en revenant sur le continent après tant d'années d'absence, elle devrait se soumettre à l'emploi du temps serré que sa fille avait planifié bien à l'avance et dont elle lui avait fait part maintes fois par courriel. Et bien que, terrifiée par l'horaire qu'elle avait reçu, elle eût répondu fermement qu'elle préférait rester à la maison ou dans le jardin à s'occuper des enfants, elle n'avait pas cru une seconde qu'elle serait entendue et que Mara la laisserait profiter du temps qui passe et de la folie toute douce des vacances. Pearl en était donc agréablement surprise... Contre toute attente, elle n'avait pas été harcelée par sa fille pour aller passer une journée à Knoxville acheter des tomates au Square Farmers' Market. Tamara ne lui avait pas ordonné gentiment de venir avec elle et les enfants se balader un après-midi au Tennessee Aquarium, après une matinée passée à acheter des produits inutiles dans les magasins du Hamilton Place Mall. Voici quelques jours que Pearl était là et sa fille ne lui avait même pas demandé de se rendre avec elle au Safeway, le supermarché, faire quelques courses. Depuis qu'elle était arrivée à Chattanooga, Pearl ne sortait que pour aller faire son jogging matinal dans le quartier et elle avait tout son temps pour jouer à cache-cache avec ses petits-enfants, entamer des parties de Twister et de Snakes and Ladders ou encore barboter avec les petits dans la minuscule piscine gonflable rose, posée près du potager. Pearl se demandait en riant si sa fille avait vraiment changé ou si elle traversait une mauvaise passe qui lui apportait quelque sagesse… La situation financière de la famille, les soucis au travail de Howard étaient peut-être pour quelque chose dans cette transformation que Pearl n'arrivait pas à juger bonne ou néfaste pour Mara. Néanmoins, pour Pearl, cette douceur de vivre constituait un vrai bonheur. Toute la journée, la maison restait paisible et n'y retentissaient que les rires et les murmures des enfants qui se préparaient à faire une surprise à leur grand-mère avec laquelle ils n'arrêtaient pas de jouer tendrement.

Tamara n'avait pas habitué sa mère à un tel calme. Elle avait eu une adolescence agitée et à Honolulu, lors de ses voyages, elle écoutait la télé et surtout CNN, vingt-quatre heures sur vingt-quatre, au grand désespoir de sa mère qui aurait préféré, s'il fallait écouter quelque chose, un morceau de musique classique ou encore des mélodies de relaxation avec lesquelles Pearl méditait chaque jour. Dans la voiture, lors de leurs séjours dans le Pacifique, Tamara et Howard mettaient en permanence le poste de radio à la station KIPO, la radio publique de Hawaii, de telle sorte que plus aucune conversation n'était possible. Tamara n'avait pas toujours été une enfant bruyante. C'est vers quinze ans, dès le retour à Hawaii, qu'elle s'était mise à courir et papillonner dans tous les sens. Pearl avait essayé de tempérer le caractère de la jeune fille, mais elle avait fini par se faire une raison. Alors qu'elle constatait qu'il lui restait encore des petits pois à semer, Pearl, un peu inquiète tout de même, s'étonnait donc du tournant que la vie de sa fille avait pris. Son souci ne dura pas trop. Elle s'amusa vite à imaginer les prochains jours bien paisibles, puisqu'elle, Tamara et les enfants partaient le surlendemain dans une petite maison louée « pour une bouchée de pain », grâce à Internet. Sur les photos, la maison dominait une rivière magnifique coulant près d'un village un peu plus au nord de Chattanooga, près de Gatlinburg. On avait promis aux enfants de passer une journée au parc d'attractions de Dollywood, et cela faisait rire Pearl de s'imaginer dans des manèges filant à toute allure, à travers les cris d'une jeunesse frénétique, joyeuse. Et puis elle irait se retirer avec sa fille et les petits dans les bois. Howard viendrait rejoindre la famille durant une semaine. Il ne pouvait guère partir plus longtemps. Les affaires allaient mal.

En tournant la terre dans le jardin de sa fille, Pearl eut un frisson. Ce terreau du sud des États-Unis n'avait rien en lui de la terre, parfois rouge sang, oxydée, de l'archipel d'Hawaii qui lui ramenait sans cesse à l'esprit son enfance avec ses parents. La sédimentation près des Appalaches est importante et la terre semble dure quand on la compare à celle, bien moelleuse, humide, de l'île d'Oahu. En raclant le sol, Pearl ne sentait donc pas le tendre parfum de Hawaii. Elle retrouvait pourtant dans l'odeur de l'humus de Chattanooga un bouquet très familier, un effluve connu. Alors qu'elle était en train de plonger ses mains dans la terre du Tennessee pour mieux enfouir les graines qu'elle ne verrait pas pousser, Pearl se retrouvait en Georgie, dans le tout petit potager qu'elle avait réussi à aménager derrière la maison achetée un an avant son retour précipité à

Honolulu. C'était la même terre forte, compacte et si peu vaporeuse, qui était là entre ses mains et qui faisait surgir dans sa mémoire la dernière année vécue à Atlanta. Mara, encore enfant, jouait à côté d'elle sur une balançoire alors qu'elle-même s'occupait de ses plants d'ail. C'est vrai que Pearl avait connu des moments heureux en Georgie et les souvenirs restaient là pour en témoigner! Mais tout avait été en quelque sorte souillé par ce qui était arrivé dans le motel. Depuis la descente d'avion, Pearl n'avait guère pensé au passé et même en traversant les banlieues de la ville, elle n'avait pas eu le malaise auquel elle s'attendait. Le Sud avait formidablement changé et Pearl depuis quelques jours se félicitait d'être venue enfin rendre visite à sa fille sur ce continent maudit, même si les exhalaisons de la terre ne pouvaient que l'attirer vers ce temps terrible qu'elle avait tenté par tous les moyens d'oublier.

Pearl prit une petite pelle et tenta de penser à autre chose. En cette fin tardive d'après-midi, les enfants repus faisaient la sieste. La pataugeoire rose du jardin, le soleil, le bonheur les avaient exténués. Tamara s'occupait à faire des gâteaux pour le repas du soir et Pearl, au beau milieu du jardin, malgré la journée qui s'annonçait encore torride, préparait le potager en remerciant le ciel de lui donner des retrouvailles si agréables avec sa famille. Pourtant, le malaise en Pearl s'accentuait. La chaleur, se répétait-elle, devait y être pour quelque chose. De loin, malgré le soleil aveuglant, elle voyait derrière les baies vitrées de la maison, sa fille absorbée par ses tâches, très certainement en train de terminer des brownies et de préparer le repas du soir. Pour une fois, Howard rentrerait de bonne heure…

Pearl fut tout à coup éblouie par la lumière crue, violemment jaune. Il était pourtant tard dans l'après-midi, et les montagnes si proches empêchaient de faire de Chattanooga une ville fournaise comme c'est le cas pour Atlanta. Comment ne pas préférer au climat du continent la stabilité du temps de Oahu ? À cinq heures du soir à Honolulu, il fait toujours délicieusement doux. Le soleil près de l'Équateur ne se couche pas très tard, même l'été, et en fin d'après-midi, il commence à se faire plus timide, bienveillant. Pearl rangea précipitamment ses affaires, ôta son tablier et décida d'aller respirer un peu l'air climatisé de la maison, afin de reprendre ses esprits et chasser les mauvaises pensées qui commençaient à l'assaillir. L'Atlanta d'il y a vingt ans était tout entière dissimulée dans la lumière torride. Il commençait à faire vraiment trop chaud. Il fallait se reposer.

En se dirigeant vers la remise à outils au fond du jardin, Pearl longea la clôture qui délimitait le jardin de sa fille. Un homme d'un certain âge était sur la terrasse de son grand bungalow, en train de fumer. Il lui fit signe de la main. Pearl lui souhaita le bonjour d'un geste rapide. Cette présence était tout à coup rassurante. Depuis les quelques jours qu'elle séjournait à Chattanooga et qu'elle s'occupait du potager, cet homme trouvait toutes les occasions pour parler à Pearl à travers la clôture qui séparait les deux jardins. Il avait une tactique… Il sortait de chez lui plusieurs fois par jour pour s'allumer une cigarette que sa femme ne lui laissait pas fumer à l'intérieur de la maison et il engageait rapidement la conversation sur les sujets les plus banals. Dès le lendemain de son arrivée, alors que Pearl était sortie seule très très tôt le matin pour son jogging, il l'avait abordée. Oui, il avait depuis toujours remarqué que Tamara avait les yeux un peu bridés. Sa femme, prompte à le contredire, lui avait affirmé qu'il ne voyait pas bien et il n'avait pas osé en parler à Tamara. Mais là, il avait bien la preuve sous les yeux qu'il était un fin observateur ! Il avait vécu à Honolulu où il avait été en garnison. Il avait donc l'habitude des gens de là-bas. Tout cela lui rappelait vraiment de bons moments ! Pearl qui travaillait avec des clients exigeants et capricieux n'était pas mal à l'aise quand il s'agissait de mener une conversation avec des gens aussi insistants. Elle savait terminer allègrement une discussion. Elle avait tout de suite compris que cet homme désœuvré voulait bavarder de tout et de rien. Elle parvenait à interrompre gentiment l'entretien et souriait aimable, en coupant court à un monologue infini. Pearl savait faire les choses de façon délicate mais péremptoire et évitait les importuns. Mais pour le coup, à cause de la chaleur et d'une angoisse sourde qui jaillissait à la faveur de la lumière du soir, Pearl trouvait qu'il serait peut-être agréable de parler avec cet homme qui s'approchait tranquillement du potager, décidé à faire un brin de causette en fumant une autre cigarette. Pearl hésitait pourtant à s'arrêter pour bavarder avec ce voisin de Tamara. La maison fraîche serait peut-être un meilleur refuge contre la violence du jour. Et puis Mara allait avoir besoin d'elle. Pearl s'avança vers la remise à outils, la ferma rapidement et quand elle eut fini, elle se dirigea, décidée, vers la porte arrière de la maison, à travers la vitre de laquelle elle n'apercevait plus sa fille. Tamara devait être en train de s'occuper des enfants qui venaient sûrement de se réveiller en riant et en réclamant leur grand-mère.

★

Tamara mélangeait avec conviction et force les œufs, la farine et le chocolat, tout en examinant sa mère penchée vers les légumes du potager et occupée à faire des semis. Les enfants dormaient et il fallait, d'ici leur réveil, préparer ces brownies aux trois chocolats que sa mère apprécierait tout particulièrement, ranger les assiettes, les couteaux, les fourchettes, les verres propres qui occupaient le lave-vaisselle, préparer le repas du soir, dresser la table et trouver le temps de mettre dans la machine à laver, puis dans la sécheuse, une ou deux brassées de vêtements et de draps qui traînaient sur le sol depuis le matin. Si elle avait un moment, Tamara pourrait plier le linge et le ranger. Autrement, elle ferait tout cela plus tard, juste avant de se coucher. Depuis qu'il avait changé de travail, Howard ne pouvait plus l'aider comme il en avait l'habitude et Tamara, qui ne voulait pas que sa mère touche à quoi que ce soit, devait travailler particulièrement fort dans la maison pour que tout soit parfait. Alors qu'elle cherchait dans les armoires qu'elle ouvrait et fermait frénétiquement le chocolat blanc acheté le matin même au supermarché Safeway, Tamara s'inquiétait un peu de l'avenir. Serait-elle capable de s'occuper de toute la maisonnée quand elle retournerait travailler à l'école en septembre ? Howard retrouverait-il un boulot mieux rémunéré, avec des heures moins longues ? Quand pourrait-elle payer la maison de campagne qu'elle venait de louer pour distraire sa mère et passer du temps en famille ? Mara avait menti à Pearl sur le prix du loyer afin de ne pas avoir à se disputer au sujet de l'argent que sa mère voudrait lui donner pour payer les coûts de ce petit voyage. Comment pourrait-elle venir à bout de ses dettes ? se demandait-elle en ouvrant la porte du réfrigérateur et en mettant la main sur le chocolat blanc, arrogant, qu'elle avait déposé là distraitement. Néanmoins, en retrouvant la tablette emballée dans un papier jaune et argent, Tamara pensa fièrement que sa mère n'avait encore rien su pour le salaud de Nelson qui gâchait une fois de plus sa vie et que, malgré le sevrage de CNN qu'elle avait dû s'imposer, elle n'avait pas encore perdu la tête. De cela, elle se félicitait ! Sa mère ne se doutait de rien, profitait du jardin avec les petits, lisait un peu, travaillait dans le potager et partirait demain avec elle et les enfants dans un trou perdu, loin de la civilisation, des journaux et de la télévision. On ferait de grandes balades dans les bois, on se baignerait longtemps dans l'eau de la rivière fraîche. Smokey serait exécuté et on reviendrait à Chattanooga alors qu'il aurait commencé à pourrir et que son histoire serait, tout comme lui, bel en bien enterrée.

Tamara espérait presque un attentat ou rêvait d'une simple tentative d'action terroriste sur le sol américain pour que les médias avides de sensations fortes arrêtent de parler de Smokey. Même la campagne présidentielle semblait en ce mois d'août avoir perdu un peu de son intérêt et Smokey prenait toute la place dans les journaux. C'est ce que Tamara avait pu constater ce matin au Safeway, alors qu'elle faisait la queue pour payer les marchandises dans son panier et qu'elle voyait la tête de l'assassin, jeune, trôner en première page des journaux à potins du pays. Tamara n'avait pu s'empêcher de prendre et de feuilleter un journal. Elle avait ainsi vu des photos et des récits du meurtre de l'époque que les médias régurgitaient encore violemment.

Elle ne se rappelait pas bien les visages des victimes qui étaient reproduits pleine page. Ces gens formaient à l'époque une famille heureuse. Cela se voyait. Quelle tragédie ! Et la photo de famille prise dans un studio spécialisé, que l'on exhibait, montrait des êtres sur lesquels le malheur ne semblait pas devoir s'abattre… Samantha Ryan O'Connors était une très jolie fille, intelligente, posée. Son mari, Mike, un gars solide au regard vif, et les enfants avaient l'air tout simplement adorables. Mais des petits, Tamara ne se souvenait presque plus. Ils auraient plus de vingt ans s'ils avaient vécu… Tout cela semblait à Mara très étranger. Par contre, la gueule de Smokey Nelson sur une photo et reproduite à la une des revues la ramenait tout droit en 1989. Ce regard de gars mûr, qui ne semblait pas coïncider avec l'âge réel de l'assassin, Tamara avait fini par le détester. À l'époque, il incarnait son malheur, son retour précipité à Hawaii, la catastrophe, la douleur de sa mère. Ce n'était quand même pas maintenant qu'elle pouvait tenter de se réconcilier avec la face de cet abruti qui finalement, Dieu soit loué, débarrassait le plancher ! Mais pourquoi fallait-il que tout ceci ait lieu à un si mauvais moment ? Bien sûr, Tamara était contre la peine de mort et savait combien les Noirs étaient facilement exécutés en Georgie, mais cela ne l'empêchait pas cette fois-ci d'être heureuse que ce type disparaisse de la surface de la Terre, et de penser qu'il ne gâcherait plus la vie de sa mère ou de sa famille. Et puis, il avait tout de même tué sauvagement ces quatre-là, la fille Ryan, son mari et les enfants tout petits, plus jeunes même que Luke et Ava ! La mère de Tamara avait identifié le criminel. Lui-même n'avait rien nié. Il méritait donc ce qui lui arrivait… Il n'y avait pas à pleurer sur une erreur judiciaire ou sur un pauvre homme pris dans une sale affaire. Ce n'était que justice et dans quatre jours, cette ordure n'embêterait plus personne ! Et puis, cela le soulageait peut-être d'expier… Ce gars devait vivre quand même dans le remords. Dans une petite semaine, on ne parlerait plus jamais de lui… C'était bien ainsi !

Tamara finissait les derniers brownies et les installait sur la plaque en aluminium à côté de ceux au chocolat au lait qu'aimaient Luke et Ava. Les brownies au chocolat noir dont Howard raffolait cuisaient déjà. Tout était en ordre. La vaisselle était presque rangée. Mara venait de démarrer une machine à laver pleine de linge. Elle commençait à entendre du bruit dans la chambre des enfants. Hop ! Elle finissait de frotter avec son éponge un plat maculé de chocolat. Ça y était ! Elle monterait voir Luke et Ava et on entamerait une soirée très agréable ! Howard allait arriver d'ici une petite heure. Mara était tout à coup très satisfaite d'elle-même. Les choses iraient bien. Il ne fallait pas en douter.

Pearl avait vraiment de plus en plus chaud et voulait vite entrer dans la maison se rafraîchir et se passer une serviette trempée dans l'eau froide sur le visage et la nuque, lorsque le voisin d'à côté se mit à crier quelque chose de sa terrasse qu'elle n'arriva pas à bien comprendre. Elle se retourna précipitamment et comme elle vit la porte de la remise ouverte, elle comprit que l'homme lui disait, en alliant des gestes à une parole tonitruante, qu'elle avait oublié de mettre le cadenas sur la porte de la remise et qu'il était préférable de le faire, avec tous les voyous qui traînaient dans le coin. Pearl fit un vague signe de remerciement au voisin diligent et alla donc s'occuper, très fébrile, de bien enfermer les outils de jardinage, la terre et la tondeuse à gazon. Pearl était une fille docile qui préférait obéir à ce que ce type lui disait plutôt que de créer des problèmes à sa fille avec son voisin. Tamara et Howard l'avaient déjà prévenue contre ces voisins, Eddy, un type assez conservateur, et sa femme, rongée par un cancer en phase terminale, qui passaient leur temps à se barricader, à installer des systèmes d'alarme dans la crainte d'être cambriolés ou séquestrés dans leur propre maison. Tout cela n'inquiétait guère Pearl. Elle connaissait un peu la *Bible Belt* du Tennessee, puisqu'à l'époque de son installation à Atlanta elle avait dû travailler avec des patrons d'hôtel, membres de la Southern Baptist Convention, regroupement religieux très important en Georgie et dans le sud des États-Unis. Les discours que ces gens tenaient l'ennuyaient. Tamara et Howard, eux, détestaient ce voisin que Pearl considérait avec placidité et lassitude. Le dieu de Pearl n'était pas le même que celui de ces gens et il ne demandait pas grand-chose aux humains. Il suffisait de cultiver son propre jardin pour l'apaiser. Alors qu'elle retournait doucement vers l'air conditionné si salvateur, Pearl s'aperçut que le voisin n'était plus debout sur sa terrasse, qu'il s'était déplacé vivement pour se poster près de la clôture, à un endroit très stratégique d'où il pouvait entamer la conversation. Il s'était en fait campé juste à côté de la porte d'entrée de la maison de Mara ! Pearl ne pouvait donc l'éviter et se proposa de l'écouter rapidement avant de lui conseiller gentiment d'aller se protéger à l'intérieur de sa propre maison, puisque la chaleur accablait les vieux comme elle et lui, et risquait de leur donner à tous deux une crise d'apoplexie ! Mais Eddy avait pris l'habitude, à force de fréquenter sa femme, de parler à des gens qui ne voulaient pas l'entendre. Il raconta sa journée et s'attarda sur la promenade qu'il avait faite le matin même sur le bord de la rivière près du quartier historique de la ville. On était loin de l'époque où Chattanooga était la ville la plus sale des États-Unis ! Bon sang, il ne faisait pas bon y vivre alors ! Il valait mieux à l'époque éviter le centre-ville où les Noirs pullulaient comme des rats et rendaient les rues insalubres. Chattanooga avait été, après la guerre, un centre ferroviaire important et une ville industrielle remarquable. Dans les années trente, alors qu'il était enfant, Eddy savait que Chattanooga était connue sous le nom de « Dynamo of Dixie ». Cela avait même inspiré une chanson swing au Miller Band : « Chattanooga Choo Choo ». Et alors qu'Eddie chantonnait cet air vieillot, perdu dans ses souvenirs, Pearl se rappelait avoir entendu ce morceau plutôt enjoué sur un vieux disque de son père qui était fan des Andrew Sisters, trois belles filles de Minneapolis, auxquelles Pearl, petite, avait rêvé de ressembler un jour. Depuis longtemps, Pearl avait oublié l'existence de cette chanson du « Chattanooga Choo Choo » et n'avait jamais donc fait le lien entre la musique préférée de son père et la ville où habitait maintenant sa fille. Cela l'étonnait de voir comment la vie s'installait dans une sorte d'oubli qui pourtant n'effaçait rien, puisque tout à coup, à la faveur de quelques mesures somme toute mal reproduites par le voisin de sa fille, s'agitait dans la mémoire de Pearl l'atmosphère des samedis passés en famille à Honolulu, alors que son père et sa mère dansaient, nostalgiques, sur de vieilles chansons déjà un peu désuètes. Pearl en avait subitement les larmes aux yeux. Cette lumière du Sud ne lui convenait décidément pas, elle voulait retourner rapidement dans la maison pour faire une sieste et se changer les idées. Mais Eddy racontait son enfance et Pearl, visiblement perdue, ne savait plus arrêter ce flot de paroles. « Oui, Chattanooga avait été une bien belle ville, sur un site fabuleux, avec les champs de bataille, l'histoire, juste à côté. » Enfant, Eddy allait avec ses petits copains à la recherche des balles perdues durant la guerre civile sur le Chickamauga Battlefield. Il habitait juste à côté et collectionnait ses trouvailles. À l'époque, il ne savait pas la chance qu'il avait de vivre dans un endroit aussi extraordinaire ! Dans les années soixante, c'est là que tout s'était gâté... Sa femme n'osait même plus aller au centre-ville... Les Noirs là-bas terrorisaient la population ! On pouvait se faire attaquer en descendant de sa voiture... Les gens bien étaient partis ailleurs. Dix pour cent de la population avait quitté la ville. C'était pas croyable le mal que cela avait causé à la région ! Mais depuis les grands projets de revitalisation du quartier historique, il faisait à nouveau bon vivre ici. On ne s'était pas encore débarrassé de ces fainéants de Noirs, mais ils ne faisaient plus la loi comme avant... On n'arriverait pas à s'en défaire ! C'était certain... Mais on pourrait quand même les forcer à se comporter comme des êtres humains. Les lois n'étaient pas assez sévères ! Pearl était vraiment étourdie par le discours d'Eddy. Elle se moquait complètement des opinions de cet homme borné, qui la prenait à témoin sans se méfier, tout simplement parce qu'elle était là et qu'il la considérait comme une étrangère à qui l'on peut tout dire, mais il y avait dans ce discours bien sudiste quelque chose de désagréable qui rappelait à Pearl son passé à Atlanta. Pearl se passa la main sur le front. Ce n'étaient décidément que de vieilles histoires qui remontaient à la surface aujourd'hui alors que, malgré ses craintes, elle avait pensé depuis les quelques jours qu'elle était là à Chattanooga que le présent serait plus fort que tout. Eddy continuait à parler sans se soucier du malaise pourtant presque palpable de Pearl. Elle transpirait soudain à grosses gouttes et se demandait si elle n'était pas tout simplement au bord de l'évanouissement. Il lui fallait boire ! Elle était sûrement déshydratée… Un grand verre d'eau la remettrait d'aplomb ! Mais Eddy continuait impitoyable : « Vous avez vu ce malpropre qui va être exécuté dans quelques jours, le 15 août ? Il ne mérite même pas sa mort. On aurait dû le tuer bien avant. Vingt ans presque que l'État de la Georgie le loge et le nourrit. Il se la coule douce… Et on n'a pas de quoi réparer les autoroutes ! C'est honteux… Il a commis quatre crimes. Il a une sale gueule. Des petits enfants y sont passés. En 1989, cela avait fait du bruit. Le crime du motel Fairbanks, dans la banlieue d'Atlanta. On en a beaucoup parlé… J'aime pas cette ville. Ça a toujours été la cité des péchés. Quand mes enfants se sont installés là, près d'Atlanta, cela m'a profondément dérangé. Heureusement, ils sont maintenant revenus pas loin d'ici. » Pearl frissonnait tout à coup. Elle avait le soleil dans les yeux et elle pensa, éblouie, qu'elle allait tomber sur le gazon ou encore dans les gerberas jaunes et rouges, magnifiques, qui bordaient la maison de Mara. Mais elle se ressaisit un peu. Elle n'écoutait plus du tout Eddy qui parlait maintenant de la beauté des montagnes du coin. Sans dire un mot, sans couper court au monologue du vieux voisin, elle laissa ce dernier tout entier à la magnificence du Tennessee. Elle entra précipitamment dans la maison, traversa la cuisine et se laissa tomber sur le canapé du salon. Soudain, il faisait moins chaud. L'air était presque agréable. Le soleil ne l'aveuglait plus et sur son front les gouttes d'eau s'évaporaient.

C'est à ce moment précis qu'il fit soudain tout noir et que Pearl sentit qu'elle s'évanouissait.

★

Lorsque Tamara descendit dans le salon, à la suite de Luke et Ava qui étaient réveillés depuis quelques minutes et qui avaient dévalé les escaliers quatre à quatre pour aller rejoindre leur grand-mère et jouer au Twister avec elle, elle sentit tout de suite, sans que rien ne puisse le lui prouver, que le passé était revenu hanter sa mère. Alors qu'elle n'était qu'au milieu des marches qui relient les deux étages de sa maison, Tamara fut saisie d'une angoisse terrible qu'elle n'arrivait pas à s'expliquer. Elle accéléra le pas et courut sans savoir pourquoi vers ses enfants. Elle vit tout de suite que Pearl était inconsciente, effondrée sur le canapé, tandis que les petits étaient debout devant elle, figés dans l'élan amoureux, bienheureux, qui les avait animés depuis quelques jours. Ils venaient de tenter en vain de réveiller leur grand-mère et n'osaient plus du tout la toucher ou lui parler, paralysés par la peur. Interdits. Voyant ce tableau étrange, Tamara se précipita sur le corps de Pearl, lui prit brutalement le pouls et constata, les larmes aux yeux, qu'il battait encore. Elle courut tremper dans l'eau très froide une serviette qu'elle déposa rudement sur le front de Pearl, puis elle attrapa le téléphone et composa le 911 pour qu'une ambulance vienne chercher immédiatement sa mère. Après avoir raccroché, sans attendre, elle appela son amie Deborah, qui habitait tout près de chez elle, et d'un ton ferme lui demanda de venir immédiatement. Elle lui expliquerait tout plus tard. Pour le moment, Deborah devait venir prendre les enfants bouleversés, qui demeuraient interloqués à côté du canapé où gisait leur grand-mère. D'une voix douce et posée, Mara les rassura en leur parlant de la fatigue de Grandma qui avait fait un long voyage dans les derniers jours et qui avait besoin de repos. En s'asseyant brusquement à côté de sa mère, elle leur conseilla de remonter dans leur chambre regarder la télé. Mais les enfants restaient là prostrés sans rien dire, sans bouger, les larmes arrêtées au coin de leurs grands yeux. Mara, elle aussi, ne bougeait plus. Elle fixait le tapis devant elle, en tenant fermement le poignet de sa mère où elle souhaitait sentir la vie encore bien présente. Elle ne pouvait regarder le visage de Pearl de peur d'éclater en sanglots devant les enfants qu'elle n'osait réprimander et qu'elle aurait voulu pourtant ailleurs que dans ce salon, aux côtés de leur grand-mère inconsciente. Tamara ne comprenait absolument pas ce qui s'était passé et comment sa mère s'était ainsi évanouie sur le canapé alors qu'elle avait passé l'après-midi dans le jardin, à s'occuper de quelques graines à planter qu'elle avait demandé à sa fille d'acheter le matin même. Pour se rassurer, elle pensa immédiatement à la chaleur accablante qui sévissait depuis quelques jours et se dit que sa mère commençait vraiment à prendre de l'âge, que les longues heures d'avion et le décalage horaire, comme elle l'expliqua aux enfants, l'avaient très certainement fatiguée. Et puis le jogging était vraiment une mauvaise idée durant les jours de canicule… Combien de fois Tamara avait dit à sa mère de ne pas courir dix milles, par cette chaleur ! Mais malgré ses raisonnements solides et cohérents sur les causes du malaise de sa mère, Mara ne pouvait s'empêcher de constater qu'en elle s'installaient un désarroi enfantin et une colère monstrueuse. Smokey Nelson était encore une fois en train de la priver de sa mère ! La rage et la détresse l'envahissaient violemment. Après les événements de 1989, Mara avait beaucoup souffert du silence que sa mère avait gardé pendant des mois. Alors que durant toute sa petite enfance, elle avait toujours semblé au centre des préoccupations de sa mère et avait vécu en symbiose avec celle-ci, elle avait senti, après la découverte par Pearl des corps dans le motel et durant tout le procès, que sa maman n'était plus là comme avant. Pearl s'était prostrée dans un mutisme violent et n'avait retrouvé la parole qu'à Honolulu lors de ce retour obligé qui avait tant désolé Mara. En 1989, Mara avait en quelque sorte perdu sa mère chérie et les retrouvailles à Hawaii n'avaient jamais pu avoir lieu. Quelque chose s'était pour toujours cassé entre la mère et la fille. Depuis, Mara faisait plus ou moins semblant d'être proche de sa mère, et cette proximité était facile à simuler puisque les deux femmes se voyaient maintenant si peu… L'image troublante de Pearl évanouie sur le canapé du salon et des enfants terrorisés par la possible disparition de leur grand-mère ravivait en Tamara une douleur incisive que les mensonges et les accommodements de la vie lui avaient permis d'oublier. La mère de Tamara était morte en 1989 ! Et voilà dix-neuf ans que Tamara se comportait comme si rien n'avait eu lieu, comme si sa mère lui appartenait encore et ne faisait pas partie des assassinés du 20 octobre 1989 ! Pearl n'était jamais revenue de ce matin magnifique de l'automne 1989. Elle n'était jamais sortie de la chambre 55 du motel Fairbanks dans laquelle elle avait découvert les corps morts, mutilés. Toute cette histoire avait ravi la mère à son enfant et Smokey Nelson avait été injustement condamné pour le meurtre de quatre personnes alors qu'il en avait tué au moins cinq ou six. Tamara n'avait jamais pu apprendre de Pearl quoi que ce soit. La mère ne lui avait jamais parlé des événements de cette fin octobre. Ce que Mara avait su, elle l'avait lu dans les journaux en cachette ou encore elle avait été mise au parfum par ses camarades de classe, qui se moquaient d'elle. Ceux-ci lui racontaient en effet avec force détails ce qu'ils avaient imaginé. Ils avaient saisi quelques paroles chez eux à table ou encore ils avaient glané quelques propos mystérieux à la télé. Cette distance effroyable qui s'était établie en 1989 entre elle et sa mère, Mara la revivait en voyant ses enfants immobiles et silencieux devant le canapé. Mara suffoquait de rage ! Il ne fallait pourtant pas céder à la fureur et à l'émotion, mais au contraire il était très important de garder son calme devant les petits qui continuaient à être cramponnés l'un à l'autre et immobilisés devant le canapé. Au loin, l'ambulance s'annonçait dans un vacarme qui ne manquerait pas d'alarmer tout le quartier et Deborah était déjà à la porte. Elle entrait avec les clés que Mara lui avait confiées depuis des années pour les urgences et tirait tendrement les enfants de leur torpeur en les prenant par la main pour les conduire vers ses propres petits qui attendaient chez eux, dans une rue voisine, que leur maman leur ramène leurs compagnons de jeux. Mara sourit de façon un peu forcée à son amie d'enfance et fit signe énergiquement à Luke et Ava de suivre Deborah. Ils hésitèrent quelques secondes, mais déjà la promesse d'une glace au Ben & Jerry's après le repas, avec Lou et Matt, les attirait irrésistiblement hors de la maison tout à coup frappée par un malheur inintelligible pour eux. La sirène d'ambulance qui retentissait à travers l'air chaud de cette fin de journée torride inquiéta à nouveau les enfants qui eurent un mouvement de recul en passant la porte d'entrée du bungalow. Ils voulurent retourner auprès de leur mère à l'intérieur de la maison bien fraîche. Mais Deborah poussa vite tout le monde dans la voiture et démarra en trombe pour rentrer chez elle à deux rues de chez Mara et Howard, tout en prenant soin d'éviter un face-à-face périlleux avec l'ambulance. Tamara se décida enfin à laisser le poignet de sa mère et alla ouvrir aux infirmiers et brancardiers qui étaient déjà sur le perron, dans la touffeur du jour, avec leur matériel de réanimation et une civière.

★

Lovée dans la fraîcheur de la maison qui lui avait soudain apporté un grand apaisement, Pearl se sentait tout à fait bien. Pourtant son esprit se noyait dans des lames violentes de pensées dont il n'arrivait pas à émerger. Pearl entendait au loin, très confusément, les voix d'abord joyeuses, puis inquiètes, timorées de Luke et Ava. Elle percevait le ton faussement maîtrisé de sa fille dont elle sentait bien l'inquiétude. Elle aurait voulu dire à sa petite famille qu'elle allait beaucoup mieux, que la fournaise qu'elle avait subitement sentie brûler dans sa poitrine et sa tête était maintenant tout à fait éteinte. L'air de la maison la rendait à nouveau calme et la remplissait de confiance. Mais elle n'arrivait pas à articuler un mot ni à fixer ses réflexions sur ce qui l'entourait. Les idées de Pearl semblaient ne plus parvenir à adhérer au présent. Des visions venaient d'un lointain tout à coup imminent et des images menaçantes défilaient dans son cerveau sans qu'elle puisse les attraper. Un temps qu'elle avait voulu oublier surgissait en elle. Elle était soudain dans le parking du motel Fairbanks au moment où le jeune homme noir lui avait demandé une cigarette. Il l'abordait alors qu'elle venait de sortir de sa voiture, garée toujours au fond de l'espace prévu pour le stationnement, juste derrière le motel, et qu'elle allait prendre son quart de travail. Le jour n'était pas encore tout à fait levé et elle avait eu d'abord du mal à bien distinguer les traits de cet homme qui s'avançait vers elle dans le parking et qu'elle avait tout de suite pris pour un client pressé. Il lui avait dit bonjour assez joyeusement et elle lui avait répondu sur le même ton enjoué. Il entrait dans sa voiture, très foncée, qu'il avait lui aussi garée au fond du parking. Oui, elle avait d'abord décrit aux policiers l'automobile comme très haute sur ses pneus et de couleur sombre, avant de comprendre que c'était une Ford Bronco comme celle que son patron utilisait pour trimballer des marchandises de la ville au motel. Plus tard en cour, elle avait juré que oui, elle se souvenait très bien de la voiture et avait obtempéré quand on lui avait demandé de ne répondre que par oui ou par non. Tout à coup, alors qu'elle n'arrivait pas à faire signe à sa fille pour lui dire qu'elle allait bien, que l'air de la maison était vraiment rafraîchissant et réconfortant, le visage maigre, sévère, presque hargneux du juge Carsons semblait s'approcher très près du sien, comme si le temps avait aboli toutes les distances et lui redonnait intact le sentiment d'envahissement qu'elle avait connu à l'époque du procès. La face osseuse du juge venait de disparaître sans crier gare, et Pearl se retrouvait à nouveau dans le parking alors que le jeune homme se ravisait et sortait de sa voiture. Elle n'était déjà plus très loin de l'allée principale du motel quand elle avait entendu le gars plutôt sympathique lui demander très fort, mais avec une voix douce, calme, si elle n'avait pas une cigarette. Pearl s'était retournée, avait rebroussé chemin et avait pris dans son sac le paquet de Camel qu'elle venait d'acheter à la station d'essence pour un dollar soixante-sept. Encore une fois ce matin-là, Pearl avait cédé à la tentation. Voilà des années qu'elle se promettait d'arrêter de fumer et qu'elle n'achetait plus de cartouche pour ne pas avoir trop de cigarettes à portée de la main, mais chaque jour, avant d'arriver au travail, elle ne pouvait s'empêcher de faire un détour par la station-service pour s'acheter un autre paquet qu'elle fumait au motel, en cachette de sa fille. Lorsque le jeune homme l'avait interpellée, elle avait pensé en marchant joyeusement vers lui qu'elle pouvait bien savourer une petite cigarette, juste avant le boulot, et bavarder un peu avec ce type assez jeune qu'elle avait trouvé très beau. Depuis qu'elle s'était séparée de son mari, Pearl n'avait pas beaucoup fréquenté d'hommes et il lui arrivait rarement de rencontrer quelqu'un qui lui plaisait. Or ce gars noir dont elle avait remarqué immédiatement la silhouette alors même qu'elle garait sa voiture, lui avait rappelé très furtivement que sa vie de femme n'était peut-être pas finie. Pearl avait quarante ans et des poussières et ce garçon, bien qu'un peu plus jeune qu'elle, lui semblait fort séduisant. Pearl dut reconnaître lors du procès cette erreur sur l'âge du jeune homme noir. En effet, elle avait dû avouer qu'elle avait cru que ce gars avait la trentaine. Le visage gris du juge s'approchait encore trop près d'elle et se faisait inquisiteur, agressif, en lui demandant fermement si l'homme qui était dans le box des accusés était bien le type qu'elle avait vu dans le parking du motel Fairbanks le matin du 20 octobre 1989. Pearl répondit très fort que oui, en espérant ainsi sortir de son cauchemar et se réveiller dans le salon frais au milieu de sa famille. Mais son cri n'eut pour effet que de faire disparaître la tête du juge outré. Pearl restait, malgré elle, sur le lieu de son propre crime, dans le parking du motel. Elle n'arrivait pas à quitter l'atmosphère à la fois tendre et inquiétante de ce matin du 20 octobre 1989. Smokey Nelson, le criminel, n'avait en fait que dix-neuf ans au moment de sa rencontre avec Pearl et le visage souriant de ce beau garçon qui fumait avec elle une première cigarette en discutant de la douceur de l'air et de la journée qui s'annonçait ensoleillée remplissait Pearl d'une joie très trouble. Ce visage si séduisant était soudain remplacé à une vitesse foudroyante par celui d'un avocat qui, pendant l'interrogatoire tenu durant le procès, avait demandé à Smokey Nelson son âge. Celui-ci avait déclaré sans ambages ses dix-neuf ans et avait sans le vouloir ainsi renvoyé, de façon étrangement cruelle, Pearl aux illusions qu'elle avait eues ce jour-là. Qu'avait pensé Smokey à l'heure où le soleil commençait à peine à se lever ce matin du 20 octobre 1989, lorsqu'il s'était arrêté pour fumer avec elle ? Avait-il seulement ressenti quelque chose, comme tout en lui le laissait croire à l'époque ou avait-il eu simplement une envie animale de griller une cigarette après ses crimes, comme d'autres se donnent ce plaisir après l'amour? Fumer une cigarette avec Smokey avait été pour Pearl vraiment très agréable. Par la suite, les choses s'étaient gâtées, avaient fini par la perturber et lui laisser dans la bouche un goût tout à fait pourri. Elle avait toujours tenté de ne pas revivre ce beau matin du mois d'octobre 1989 et sa vie s'était organisée autour de cet oubli volontaire, de cette mise à mort de l'espoir fou qu'elle avait connu dans le parking ce matin-là. Après la première cigarette fumée avec le jeune homme, celui-ci avait prolongé un peu la conversation en demandant à Pearl d'où elle venait. Pearl avait brièvement mentionné Hawaii et le jeune Noir avait immédiatement enchaîné sur l'humidité de l'Alabama où il avait passé une bonne partie de sa vie. Il essayait d'imaginer un climat chaud mais moins humide que celui du Sud, un climat plus océanique, et Pearl lui avait dit en riant qu'il aurait un jour l'occasion d'aller à Hawaii constater la beauté des lieux et la tendresse de l'air là-bas. Durant la seconde cigarette qu'il avait réclamée, Pearl s'était imprégnée des traits de ce jeune homme, très beau selon elle, et la conversation à bâtons rompus l'avait conduite à vanter les mérites d'un resto où la patronne, une fille de Hawaii, avait dans son menu, entre les spaghettis et les hamburgers, un porc kalua tout à fait authentique. Pearl avait proposé, un peu gênée, à cet inconnu de se recommander d'elle quand il irait dans ce restaurant vraiment pas cher et, en disant timidement son propre prénom, elle lui avait tendu la main pour se présenter officiellement. Le jeune homme était tout à coup devenu très sombre. Il n'avait pas répondu à l'offre de

Pearl d'avoir ce contact physique pourtant bien conventionnel et il avait évité d'énoncer son propre nom, alors que les usages de la politesse lui prescrivaient de le faire. Il avait plutôt rapidement et sans dire un mot lancé sa cigarette à peine terminée par terre sous son pied droit et avait brutalement comprimé le mégot sur le sol. Sans transition, il avait annoncé qu'il devait partir, était entré dans sa voiture et avait démarré en trombe. Pearl était restée interdite. Elle avait à nouveau noté, sans vraiment d'ailleurs s'en apercevoir sur-le-champ, que la voiture foncée de cet homme était haute sur ses pneus. Elle avait été triste de voir que lorsqu'elle avait agité la main afin de faire un signe d'adieu à ce jeune homme étrange, celui-ci avait détourné la tête, bien que la voiture passât très près de Pearl, de façon presque agressive. Quand en cour, plus tard, son propre avocat avait demandé à Smokey pourquoi il n'avait pas tué cette femme sur le terrain de stationnement et pourquoi il s'était ainsi montré à cette femme qui pourrait un jour ou l'autre l'identifier et le faire condamner à mort, Smokey avait répondu qu'il ne se l'expliquait pas lui-même, que ses gestes après les meurtres lui étaient étrangers. « On ne sait pas tout », avait-il hurlé dans la salle d'audience. Il avait certes planifié ses crimes ce soir-là dès qu'il avait repéré la famille aisée qui entrait dans la chambre de motel, et l'exécution de quatre personnes lui avait demandé beaucoup d'efforts. Mais il n'avait jamais pensé à ce qui arriverait juste après être sorti de la chambre. Son imagination n'avait pas été jusque-là et quand il avait vu Pearl, il était redevenu pour quelques instants le gars qui n'avait pas encore tué. Il avait vécu ce matin-là sur ses habitudes. Celles d'un gars de l'Alabama qui aimait causer aux dames et fumer des cigarettes en bavardant… Il n'avait jamais regardé Pearl durant le procès et quand elle avait témoigné, il s'était astreint à fixer le plafond. Quand on lui avait demandé s'il avait quelque chose à ajouter aux paroles de Pearl, il avait répondu que non, il n'avait rien à dire. La dame avait tout bien raconté et elle n'avait aucune raison de mentir. Lui non plus d'ailleurs, avait-il affirmé violemment. Smokey Nelson n'avait rien à déclarer sur ce qui s'était passé dans l'aire de stationnement du motel Fairbanks le 20 octobre 1989. Le matin du crime. Il ne s'expliquait pas pourquoi il n'avait pas tué ce témoin après tout extrêmement gênant et ne cherchait pas à comprendre ce qui l'avait retenu de projeter sa Ford Bronco sur le corps fragile de Pearl ou encore de l'attirer dans la chambre 55 pour lui faire son affaire alors que l'idée lui avait traversé rapidement l'esprit. C'était pour lui et pour tout le monde d'ailleurs sans importance, puisqu'il avait été pris et reconnu coupable. Essayer de saisir ce qui lui était arrivé ne l'aiderait aucunement et il préférait ne rien savoir de tout cela.

Pearl, quand elle était entrée vers trois heures de l'après-midi dans la chambre du motel numéro 55 et avait découvert les corps massacrés de Sam Ryan O'Connors, de son mari Mike O'Connors et des deux petits, n'avait fait aucun lien entre les meurtres et sa rencontre à l'aube, entre ce jeune homme noir si beau avec lequel elle avait discuté et le boucher à l'origine de ce massacre. Si, durant les années qui avaient suivi, les psychologues et les spécialistes de l'âme humaine lui avaient demandé sans cesse de raconter ce qu'elle avait vu en poussant la porte de la chambre 55, il n'avait jamais été question pour qui que ce soit de l'interroger sur sa rencontre avec le jeune homme du parking, le matin même, à l'aurore. Seuls les policiers et les avocats lui avaient posé des questions précises sur le jeune homme, mais tous les interrogatoires qu'elle avait subis ne visaient qu'une seule et même chose : l'identification sans l'ombre d'un doute de Smokey Nelson. Elle n'avait jamais pu dire combien il avait été impossible, malgré la ressemblance indéniable entre les traits du jeune homme et ceux de Smokey Nelson, de mettre ensemble l'image de ce meurtrier sanguinaire et celle du gars sympa avec lequel elle avait passé un très bon moment avant de commencer une journée de travail qui changerait totalement sa vie. Il n'y avait pour elle aucun rapport entre ces deux êtres et lors du procès, elle avait un peu reconnu en Smokey le gars qui n'avait pas voulu lui serrer la main et qui était parti préoccupé sans lui dire au revoir. Mais cela n'annulait en rien qu'elle avait vu en ce jeune homme ce matin-là un être de lumière, plein d'avenir, qui semblait droit et tout à fait charmant. Elle aurait voulu témoigner de cela. De ce que Smokey était dans le parking ce matin du 20 octobre 1989 et de ce qu'il avait dû être pendant presque toute sa vie. Durant le temps qu'offrirent ces deux cigarettes fumées, rien de criminel n'avait transpiré. L'avenir et le présent semblaient pour ce jeune homme bien simples. L'Alabama de son enfance qu'il avait évoquée lui avait donné un je-ne-sais-quoi de nostalgique et il avait parlé avec joie d'une machine à Coke d'un rouge flamboyant dont la boisson le rafraîchissait les jours de chaleur intense. De l'innocence de Smokey, Pearl n'avait rien pu dire. Et pour cause. Elle avait été la première à voir l'étendue de sa folie meurtrière. Elle aurait voulu dire que les humains sont faits de moments, que le bien et le mal ne sont pas inséparables et qu'il y avait en ce garçon une véritable bonté que son père Watanabe et sa mère avaient appris à Pearl à reconnaître chez les autres. Mais un procès n'est pas fait pour philosopher sur la vie ni pour se pencher sur la profondeur insondable de la psyché. De plus, Pearl n'avait pu avouer à personne qu'elle avait eu le béguin pour ce jeune Noir et que malgré le traumatisme qu'avait constitué la découverte des corps morts, les jours qui avaient suivi la conversation dans le parking avaient redonné à Pearl un élan vital. Face à la mort, elle avait eu soudain faim et la rencontre ce matin-là devant le motel entre des dizaines de voitures lui avait permis d'embrasser l'avenir avec violence et concupiscence. C'est le visage désirable de ce garçon, ce visage rempli de l'avenir qu'elle n'avait pas pu connaître, que Pearl voyait alors qu'elle tentait dans le salon de la banlieue de Chattanooga d'entendre la voix de sa fille et de revenir à elle. Ce garçon ne cessait de l'attirer à lui. Et par-delà les années, il lui parlait encore. Voilà qu'il lui faisait signe de venir, de retourner avec lui en 1989, dans le parking du motel et de fumer une autre cigarette en sa compagnie, afin que le temps s'arrête à jamais. Mara pouvait encore attendre un peu. Sa mère lui serait rendue bientôt. Pour l'instant, Pearl grillait une cigarette dans un parking avec un jeune homme. Pour l'éternité.

RAY RYAN

Alors que tu es en train de fermer ton magasin, Ray, mon fils bien-aimé, tu sens confusément que tu n'accompliras plus jamais ces gestes dans la douleur. Tout à l'heure, juste après le repas que toute ta famille réunie sous ton toit prendra dans la joie et la prière, tu partiras avec ton propre enfant, Tom, pour assister demain matin, avant l'aube, au châtiment de l'ignoble pécheur. Depuis des années ton cœur s'emplit de peine chaque fois qu'à la fin d'une journée de labeur tu clos la porte de ta quincaillerie et mets l'alarme sous tension. La voix de ta mère, Gertrude Weaver, te revient alors à l'esprit et tu entends les mots qu'elle te murmurait enfant lorsque tu avais un chagrin ou une maladie : « Laissons Dieu faire son métier de Dieu, afin que nous soyons capables de faire notre métier d'homme. Que sa volonté à lui soit faite, afin que nous puissions devenir ce que nous sommes. » Il y avait dans le ton si bienveillant de ta mère l'immense sagesse que la foi octroie aux bienheureux. Ces paroles ont toujours eu un effet apaisant sur ton âme tourmentée. Ce sont ces mêmes mots que Granny G. t'a dits lorsque tu es allé chez elle, mortifié, lui annoncer la mort de votre Sam chérie. Elle était déjà très vieille, ta mère, Ray, et tu sais combien elle avait aimé sa petite-fille, mais elle n'avait pas oublié la parole de Dieu. Et malgré sa souffrance indicible, malgré son supplice dont seul le Seigneur connaît la profondeur, ta mère t'a enjoint à ne pas désespérer. Le soir de l'annonce du meurtre de Sam et des enfants, ta mère t'a forcé à ne pas tourner dans sa cuisine comme un lion en cage. Elle t'a ordonné de t'agenouiller à ses côtés et ensemble vous avez prié à voix haute, jusqu'à ce que tu sois calmé. Quand G.G. est morte, il y a à peine quelques années, ta sœur Blanche qui s'occupait d'elle alors t'a répété qu'au moment d'être accueillie par moi dans mon royaume, G.G. a prononcé ces mots consolateurs pour tout être qui sait que je suis tout-puissant et que mes desseins les plus étranges combleront ceux qui croiront en moi : « Laissons Dieu faire son métier de Dieu, afin que nous soyons capables de faire notre métier d'homme. Que sa volonté à lui soit faite, afin que nous puissions devenir ce que nous sommes. » Je lui suis alors apparu dans toute ma splendeur. C'est ce que ta sœur Blanche t'a confié. À la fin de son existence, dans les dernières années, Gertrude Weaver s'asseyait dans son rocking-chair sur la véranda de la maison et discutait de ce bas monde directement avec Dieu. Et je l'écoutais avec intérêt tant le savoir de cette femme était grand ! C'est ainsi que ta sœur Blanche t'a expliqué les choses et c'est ainsi que ta mère a vécu.

Alors que tu fermes la porte de ton entreprise prospère (Que Dieu en soit loué !), le passé de ta famille remonte en toi. Tu as le sentiment que ton cœur si fragile en ce moment pourrait s'y abîmer tout entier. Tant de choses te submergent. Gertrude

Weaver était née le 14 février 1899 pas loin d'ici, Ray. Son père, Raymond Weaver, était un homme respectable, un instituteur qui épousa Amanda Jones, une forte femme, une vraie croyante. La Georgie est connue pour ses créatures dévouées à Dieu et à leur famille, et Raymond reconnut tout de suite en Amanda une fille du Créateur. Ta mère Gertrude, Ray, fut élevée par sa propre mère dans le respect de la religion, la soumission aux tâches ménagères et connut l'éducation saine d'une vie domestique. Quand il rentrait chez lui, ton grand-père, Raymond Weaver, pouvait humer la bonne odeur du pain que les filles de la maison avaient pétri de leurs mains. Ta grand-mère apprit dès son plus jeune âge à tisser, à tricoter, et tes petites-filles portent encore des chaussettes, fruits du labeur et de l'art de leur arrière-grand-mère. Et le soir tes petits-fils s'endorment sous les courtepointes que Gertrude a patiemment cousues à partir de bouts de tissus de toutes les couleurs qu'elle conservait précieusement, tant elle était habituée à ne rien jeter, à ne rien négliger des dons de Dieu. La dépression de 1929 lui avait permis de comprendre tellement de choses et surtout lui avait donné un regard méprisant sur les frivolités de la modernité ! Gertrude vivait dévouée à Dieu, à ses enfants et à son mari. Ce dernier, Paul, l'a pourtant trahie, comme il m'a trahi. Oui, Ray, ton père était un scélérat ! Tu le sais bien, mon fils... Mais Gertrude, entourée de toute sa famille, a poursuivi sa route. Elle s'est occupée non seulement de toi et de tes frères et sœurs, mais aussi de ses propres parents, les bienheureux Raymond et Amanda, auxquels elle ne manquait jamais d'apporter du lait et du beurre provenant des vaches de sa petite propriété. Chaque semaine, elle allait laver les pieds douloureux de ton grand-père et consacrait même de nombreuses heures aux pauvres de son église. Ainsi, dans la douceur, s'écoula la vie de ta mère, la pieuse Gertrude Weaver. Blanche, ta sœur, resta avec elle jusqu'à la fin. Granny G. est morte heureuse et la voilà qui est maintenant au ciel, à mes côtés, comme elle l'avait souhaité. Elle te guide encore par ses mots vers la lumière dans les temps de détresse. Il faut dire, Ray, que ta mère a toujours été la plus fidèle des femmes envers le Seigneur. Elle a mis au monde quinze enfants, dont quatre sont morts en très bas âge, sans jamais se plaindre de son sort, sans maudire Dieu comme tant de femmes sont promptes, de par leur nature, à le faire dès que les épreuves se font difficiles. Folle faiblesse des créatures femelles de Dieu ! Granny G. qui était née dans les montagnes du nord de la Georgie, pas très loin d'où tu vis encore, est rarement sortie de son comté durant son existence. Elle avait appris très jeune que la vie n'est pas meilleure ailleurs, que le monde n'est pas un lieu plus accueillant que la Georgie, qu'il n'est qu'un grand vacarme dans le lointain. Elle a passé la plupart de son temps à faire ce qu'elle savait le mieux faire : élever des enfants forts et bons, dans la crainte de Dieu. Elle vous a donc donné à toi et à tes frères et sœurs l'enseignement de la modestie envers ma présence. Après le suicide ignoble de ton père, Paul Ryan, que vous avez retrouvé mort dans la grange un soir, sa carabine à côté de lui, et la cervelle dans le foin, G.G. a décidé de s'occuper seule de vous tous. Certains d'entre vous étaient déjà bien grands, mais toi, le dernier fils, tu étais encore tout petit quand ton père, âgé d'à peine quarante ans, a commis l'irréparable. Et la présence de ta mère, les prières qu'elle te donnait à réciter t'ont protégé des malheurs. Que

Dieu la bénisse toujours! Son travail assidu a empêché que tu connaisses la misère et son remariage avec Vince, pour lequel tu travaillais petit à la quincaillerie, a assuré ton avenir.

Ta mère ne faisait pas de grands discours, mais elle avait des opinions fortes et droites sur presque tout. Sa conception du monde reposait sur sa profonde et véritable foi en Dieu et sur sa confiance inébranlable en l'Amérique. Ses origines modestes et la vie rude qu'elle a vécue lui ont servi de fondement pour mener une longue existence, riche en bonheurs et en engendrements. Jamais elle n'a dit de mal de son défunt mari, alors qu'elle aurait pu se répandre en méchancetés sur son compte, lui qui avait décidé de s'enlever la vie que Dieu seul a le droit d'ôter! Celui qui désobéit à un commandement de la loi divine désobéit à toute la loi divine! Cela, Ray, nul ne peut l'ignorer. Le péché de suicide est le plus grave puisqu'il est rupture de la communion entre moi et les hommes. En lui se loge le déni de ma grâce. Il nie la possibilité que l'amour de Dieu puisse réparer une vie. Ta mère, Ray, ne vous a jamais plus parlé de celui qui fut ton père et qui est maintenant parmi les autres pécheurs, de par sa propre faute! Après la mort de Paul, G.G. a enlevé du mur de votre cuisine la photo de son mariage. Ta mère n'a pas voulu être enterrée aux côtés de cet impie. Le temps ne l'a jamais réconciliée avec le geste sacrilège de ton père. Elle repose à quelque deux cents pieds de lui dans le cimetière que borde la rivière bleue, pas très loin d'ici. Sam et les enfants sont maintenant avec elle. Que ta fille et les petits reposent en paix! Et toi parfois, tu vas sur sa tombe à lui sans trop savoir comment te comporter, si tu dois ou non t'adresser à cet homme qui a osé commettre un acte aussi terrible. Durant ton enfance, Ray, ton père t'a beaucoup manqué. Tu t'es donc rapproché de tes grands frères. Harry, Frank et Don se sont beaucoup occupés de toi. Tu as passé souvent du temps dans la famille de chacun. Ils te traitaient comme l'un de leurs fils. Personne n'a jamais beaucoup parlé de ton père. Il faut croire que tous s'étaient donné le mot pour ne rien révéler sur celui qui s'était suicidé. Une gêne peut-être empêchait tes frères de répondre longuement aux questions que tu avais sur Paul Ryan, le pécheur. Mais enfin, ils t'ont néanmoins accordé de rassembler ici et là les morceaux épars de la vie de ton père, ce que le silence absolu et décidé de G.G. ne t'aurait jamais permis de faire.

De Paul Ryan, il te reste un souvenir très vague. Tu n'avais que quatre ans quand vous avez entendu un coup de fusil dans la grange. Vous vous êtes tous rués vers le bruit. Et toi, tu es arrivé le premier et tu as vu ton père mort, étalé dans le foin, et tu as remarqué tout de suite l'énorme carabine à côté de lui. C'est la seule image que tu gardes de ce père… Et elle n'est pas jolie! Le temps n'a pas pu l'effacer… Les prières de ta mère t'ont aidé souvent durant les vingt dernières années à ne pas te voir toi aussi, étendu dans le foin, la cervelle et le sang se répandant un peu partout. Il t'est arrivé très souvent après une journée de travail, alors que tu avais réussi durant douze heures à oublier un peu le poids de ta peine et que tu fermais ton commerce, comme tu le fais en ce moment, à penser confusément à aller te mettre une balle dans la tête dans le fond de ta propre grange ou encore à te pendre dans ton garage. Paul Ryan était fils de Satan et il continue à te tenter. Le soir, après le boulot, une immense détresse s'installe parfois en toi et il te semble que je ne suis plus avec toi. Ray, tu as tort! Je suis toujours là, à tes côtés, et les mots de ta mère, qui te reviennent dans ces instants où tu es séduit par le péché le plus terrible, te prouvent que je veille sur toi.

Alors qu'aujourd'hui, sous la pluie battante de cette fin d'après-midi si chaude, tu te diriges précipitamment vers ta voiture pour rentrer chez toi après ta rude journée au magasin, tu me sens tout à coup présent dans le moindre de tes gestes. Tu communies avec moi à travers tes actes. Tu rentreras tout à l'heure à la maison et il n'y aura plus rien à craindre. La mort du criminel t'apportera paix et réconciliation. Ce soir, il faudra en quelque sorte fêter l'avenir et ma venue. Tu auras préparé une surprise à toute la famille. Tu leur liras une lettre, juste avant de manger. Après le bénédicité que tu permettras à Tom de prononcer, tu prendras quelques minutes pour sortir de ta poche un papier dont tu as fait la découverte il y a quelque temps en fouillant dans les affaires que ta mère avait laissées pour vous tous. Cette lettre, depuis que tu l'as trouvée, tu la gardes dans ton portefeuille précieusement. Jamais tu ne t'en sépares. Ce soir, tu liras solennellement la lettre de Gertrude Weaver, ta mère, ta sainte mère, et tu la commenteras pour le bienfait de ta famille. Tu ne pourras pas t'empêcher d'être ému en lisant les mots de G.G. Elle écrivait quelques années avant sa mort, survenue finalement à cent ans, ceci: « Mes chers enfants, je vous aime comme seule une mère peut aimer. Je vous demande d'offrir votre âme et votre cœur à Dieu et de vivre uniquement pour Lui. Voici que ma mort approche, il me semble utile de vous dire de ne pas me pleurer quand je serai morte. Dites seulement: "G.G. est retournée chez elle, dans la maison de Dieu qui est la sienne." Préparez-vous à me revoir dans la gloire et la pureté du Seigneur ! J'ai mis tout en ordre dans ma vie. Je n'attends plus que la mort. G.G. » Tu expliqueras, Ray, à tes enfants et petits-enfants réunis pour le repas du soir autour de toi, que nous devons tous travailler pour aller rejoindre G.G. Tôt ou tard, Dieu nous rappellera à lui et à sa vérité. Depuis de très nombreuses années, tu as eu l'impression que le désordre régnait sous ton toit et dans ton esprit. Ce chaos ne pourra s'effacer qu'avec la punition par Dieu du criminel qui vous a ravi Sam et les enfants. Et voilà que demain, tout comme ta mère l'aura dit avant toi, il te sera possible d'affirmer : « Tout est maintenant en ordre dans ma vie et je pourrai attendre que la fin arrive dans la paix. » « Dieu ne nous a pas oubliés, annonceras-tu ce soir à tes petits-enfants et à tes fils, puisque le méchant sera châtié. Voyez combien Dieu est grand ! Alléluia ! Gloire à notre Seigneur ! » Tu n'en diras pas plus. Tu mangeras le jambon que Susan aura cuit toute la journée et que Dieu vous donnera ce soir à savourer. Puis, tu feras un signe complice à Tom et vous prendrez vos effets personnels avant de vous diriger vers le garage. Tes petits-enfants, amassés derrière les fenêtres de ta demeure, te regarderont partir solennellement et tu conduiras dans la nuit, vers la prison pas loin d'Atlanta, où tu assisteras à la toute-puissance de Dieu.

Dans la voiture, Tom et toi, sur la route de Charlestown, vous garderez le silence, longtemps. Toute la peine, Ray, que tu as ressentie depuis presque vingt ans, depuis le meurtre scélérat de Sam et des enfants, sera avec toi. Tu ne pourras prononcer un mot de peur de voir ta souffrance s'épancher. Tom contiendra sa colère envers l'assassin qu'il rêve de tuer de ses mains, et il gardera pour lui ses reproches à l'égard de son père toujours préoccupé par sa fille tant d'années après sa disparition. Néanmoins, tranquillement, une conversation s'installera entre ton fils Tom, mon préféré, et toi, son père bienheureux. Sur l'autoroute, quelques publicités sataniques choqueront ton fils. Il te racontera alors l'œuvre des « Combattants de Dieu », les vaillants soldats qui éradiquent le mal à sa source, et te présentera calmement sa lutte. Souvent, tu refuses d'écouter bien longtemps ce que Tom a à te rapporter sur ces guerriers fiers qui te semblent des fils rebelles, insoumis à leurs pères ou encore à Dieu. Mais ce soir, sur le chemin de la prison, tu tâcheras d'être tout ouïe pour ton fils. Tom a été bouleversé par la mort de Sam et il te dira combien le châtiment que recevra enfin l'impie le comblera de joie. Mais Tom ne voit pas en l'assassinat de Sam une action isolée. Cela, il te le fera comprendre dans la jeep rouge alors que vous vous dirigerez vers la prison de Charlestown. Non, comme le montrent les attaques terroristes de 2001 et les récentes menaces contre les États-Unis, il est de plus en plus évident que le pays de Dieu, l'Amérique, est l'objet d'une attaque concertée, perpétuelle. Les ennemis de la nation s'organisent depuis très longtemps. La mort de Sam et de tes petits-enfants, Ray, n'est que la conséquence de ce complot généralisé contre la grandeur de ton pays et le pouvoir des hommes justes. C'est dans nos villes que les impies grandissent, profitant de la générosité de notre terre et de nos concitoyens. Ray, tu n'auras jamais vu Tom, ton fils, aussi volubile et heureux de te parler, tandis que vous prendrez l'autoroute vers Atlanta afin d'assister à l'exécution du meurtrier de ta fille et de ta descendance. Tom sera si content de t'avoir enfin pour lui, de te faire part de ce qui mijote dans sa tête depuis tant d'années, de te dire tout ce que tu n'as pas pris au sérieux, occupé que tu étais à soigner tes plaies les plus vives. Avec l'accès de plus en plus facile à l'Internet satanique, source de pornographie, de mensonges, de haine et des nombreux fléaux qui sévissent à l'heure actuelle, il est de plus en plus évident que les terroristes d'ici et d'ailleurs peuvent fomenter une attaque nationale ayant pour cible la civilisation de Dieu. Il est nécessaire pour les vrais Américains de reprendre le contrôle de leur territoire et d'assurer la sécurité des citoyens. Pour la première fois de ta vie, tu verras combien Tom ressemble à G.G., combien il aime profondément l'Amérique et comment sa foi est indissociable de son adoration pour sa patrie. Le gouvernement actuel, malgré le « Patriot Act », ne peut plus rien faire contre les mécréants. L'État fédéral est dépourvu quand il s'agit de protéger les Américains. On ne peut lui faire confiance. Beaucoup d'hommes sages l'ont compris. Et Tom prononcera le nom de Timothy McVeigh qui périt pour avoir voulu sauver son peuple. McVeigh, tu te rappelleras, Ray, sur la route de Charlestown, ne craignait personne tant il était sûr du complot de l'État contre ses croyances. McVeigh voulait assurer le salut de son pays. « Et nous voilà à l'aube d'élire un président noir ! » ajoutera Tom d'une voix émue et ô combien irritée, pour aussitôt enchaîner sur cette parole si juste, claironnée à l'intérieur de la jeep : « Que Dieu protège l'Amérique ! » J'entendrai ses prières, Ray, j'accueillerai les requêtes et les supplications qui me seront adressées par cet être au cœur pur. Les hommes de cette nation devront assurer eux-mêmes la sauvegarde de leur famille, de leurs amis et de leurs valeurs. Il est grand temps de redonner aux vrais patriotes les armes nécessaires pour parvenir à bouter hors de l'État les impies. C'est là que les Combattants de Dieu entrent en scène ! C'est là que la lutte devient importante ! Avec quelle fierté, Ray, et quelle émotion, ton fils Thomas te confiera le nom de l'armée dont il fait déjà partie ! Tom se mettra à gesticuler, à tes côtés, dans l'habitacle de la jeep. Il sera transporté par ma parole et tu comprendras, tout en continuant à fixer la route et à apercevoir, comme un mirage, loin devant toi, le visage mort du scélérat qu'aura été Smokey Nelson, combien ton fils est habité par sa foi. Tom œuvrera pour ma gloire et utilisera des mesures préventives pour protéger nos paroisses de la peur et du chaos. En Georgie et partout à travers les États-Unis, de jeunes et de vieux fidèles de ma parole ont rejoint les Combattants de Dieu. Dans le comté où Tom et toi vivez, des policiers et des pompiers à la retraite, des propriétaires de commerces, des comptables, des pères de famille, se regroupent quelques soirs de la semaine et le samedi pour penser aux moyens de repousser l'ennemi. Les hommes s'entraînent au combat dans le gymnase de la paroisse. Ils se préparent à lutter dans un corps à corps victorieux avec l'armée de Satan. À travers le pays, des citoyens s'organisent par centaines, et certains États répondent enthousiastes aux appels de la coalition nationale. La Louisiane, par exemple, compte beaucoup de frères guerriers et les femmes, vos sœurs, ne sont pas exclues de ces regroupements. Elles soutiennent le moral de leurs maris, de leurs pères, de leurs fils, de leurs cousins, préparent des fêtes durant lesquelles est célébrée la gloire de Dieu. Ainsi les soldats et soldates du Seigneur s'encouragent à lutter contre ceux qui voudraient que Dieu courbe l'échine. Les Américains ne formeront pas un peuple d'esclaves de Satan ! Ils ne seront pas livrés pieds et poings liés aux ennemis ! L'Amérique est, tu le sais mon fils, la Terre promise ! Bientôt le royaume de Dieu sera restauré. Je te le promets, Ray, mon adoré.

Alors que tu as décidé de te mettre un instant à l'abri de l'orage sous l'auvent jaune de ton commerce florissant et que l'eau qui ruisselle du ciel balaie violemment la chaleur du jour, tu es repris d'un terrible doute. Tu penses, saisi d'un frisson qui te parcourt tout entier, sans savoir d'où cette idée brusque te vient, que rien ne peut réparer les jours qui se sont écoulés sans Sam et tes petits-enfants, Rosa Mae l'angélique et Josh le rieur. Dans ton aveuglement, tu prévois que la mort de l'ignoble n'apaisera même pas ta colère, que ta douleur restera intacte. Palpable. Se mêlant à la pluie en furie qui t'éclabousse, des larmes furtives coulent sur tes joues, Ray, toi qui ne pleures jamais. Et ces larmes, tu ne sais plus si elles sont faites de tes souffrances ou de tes rages refoulées. Tu ne comprends plus comment il y a quelques secondes encore, alors que tu fermais ton commerce, tu pouvais croire à la justice de Dieu et à son œuvre méthodique, patiente, ordonnée. Tu faisais en verrouillant la porte des gestes solennels afin que le dernier repas qui aura lieu ce soir soit mémorable. Tout à coup, te voilà plongé dans les affres du soupçon. La mort de ton père, Paul, cette mort qui t'est si souvent apparue depuis presque vingt ans dans les heures les plus noires, te semble bien douce. Tu voudrais aller t'enfermer dans l'étable avec un fusil afin d'en finir avec la vie et l'absence de Sam. Tu voudrais en terminer avec Dieu, avec cette voix incessante qui t'empêche de désespérer, avec cette voix qui t'accompagne à travers les souffrances et les tribulations. Entends la parole de Dieu, Ray ! N'écoute pas celle de ton père, Paul, qui a choisi de lutter dans l'armée de Satan et qui te veut à ses côtés ! Rappelle-toi la force du Seigneur quand, dans le désert, il résiste pendant quarante jours au murmure doucereux du diable ! Jésus a faim, mais malgré la tentation, il ne transforme pas la pierre en pain. Jésus se désole, mais en dépit de la violence de son désespoir, il ne se jette pas du haut de la montagne. Jésus ne cherche pas à prendre la mesure de l'amour que Dieu a pour lui. Il sait combien les desseins célestes sont impénétrables. Il te rappelle par son exemple qu'il est impossible d'interpréter les signes du divin. Paul Ryan, mon fils, était un homme de peu de foi qui pourrit en enfer. Ta mère Gertrude qui pourtant était la plus pure des femmes n'a pas pu le sauver de son impiété. Et je sais combien elle a essayé ! Ne crois pas ce que te souffle le murmure misérable de celui qui fut ton géniteur ! Courage, Ray, demain tu seras dans la ferveur ! Les épreuves se multiplieront d'ici l'exécution du meurtrier. Cette nuit, il te faudra rester fidèle à ton Dieu. Au susurrement mielleux de Paul le pécheur, tu devras, tel Jésus dans le désert, répondre imperturbable : « Il est dit que tu ne tenteras point le Seigneur, ton Dieu. » Ray, oui, il est dit cela. Courage, Ray, la fin de tes malheurs est proche. Mais seul Dieu peut décider du moment de ton salut. Et tu dois répéter cette phrase, tandis que, devant ton commerce, tu es prêt à tout abandonner et que le doute t'assaille.

Ce soir dans la voiture, lorsque Tom te racontera avec passion ses exploits de guerrier dans mon armée, tu seras traversé par les mêmes incertitudes qui te bouleversent à l'instant alors que la pluie bénéfique s'abat devant la quincaillerie et nourrit la terre assoiffée. Tu demanderas avec autorité à ton fils de garder un peu le silence afin de pouvoir te concentrer sur la route et surtout retrouver ta foi. Sache que Satan, Ray, travaille sans relâche à ta perte. Il est infatigable quand il s'agit pour lui de t'entraîner dans le mal et il aimerait beaucoup au moment où ma puissance est incontestable et où ma grandeur se révèle absolue te voir plonger dans les ténèbres de l'impiété. « *Vade retro Satanas* », voici ce que tu dois te répéter comme te l'a appris ta mère, dès ta plus tendre enfance. Et c'est une prière chantant ma gloire qui te vient à l'esprit alors que Satan t'abandonne un moment devant ta quincaillerie et s'apprête à te frapper à nouveau plus tard. Oui, Satan te tentera sur la route de la prison, lorsque Tom t'accompagnera à Charlestown pour assister à l'exécution du monstre. Continue de réciter les louanges du Divin, Ray ! Ne cesse pas de répéter combien tu crois en moi, car bientôt Satan s'effacera à jamais et laissera place à ma puissance.

Tout à l'heure, dans la soirée, alors que vous serez tous deux, toi et ton fils sur la route qui mène de Blue Ridge à Charlestown où se dresse le pénitencier célèbre, tu sentiras de grands tremblements te secouer. Tu voudras prendre un café et demanderas très abruptement à Thomas de se taire. Tu avanceras, en guise d'excuse à ta brusque décision, que tu ne t'es pas encore remis tout à fait de la chaleur torride des derniers jours et que tu as besoin d'un petit remontant. Tu évoqueras aussi le repas copieux préparé avec amour par Susan et la lenteur de la digestion à un âge avancé. Tom sourira sans mot dire, mais tu percevras dans ses yeux quelque satisfaction. Ton fils verra dans tes explications le signe de ta faiblesse et il ne pourra que se réjouir de penser qu'un jour, pas trop lointain, tu auras besoin de lui.

Alors que tu gareras la jeep dans le parking du restaurant Waffle House attenant à une station-service semblable à celles que l'on retrouve sur toutes les autoroutes de l'Amérique, tu penseras à Sam qui, le soir avant le meurtre, s'était arrêtée pour manger avec son mari et les deux petits dans un restaurant sur la *highway* qui mène de la Floride à Atlanta. Vous avez trouvé dans les papiers qui vous ont été donnés par la police l'addition d'un restaurant indiquant ce que ta fille et sa famille ont avalé ce soir-là avant d'être assassinés dans ce motel de la banlieue d'Atlanta où l'horreur était au rendez-vous. Comme tu traverseras le parking pour te diriger vers le Waffle House et que tu dépasseras les pompes à essence autour desquelles les voitures et les êtres s'agglomèrent, tu penseras que le soir du 20 octobre 1989, le mari de Sam a fait le plein, dans un lieu similaire. Les petits devaient dormir à l'arrière de la voiture. Ils étaient sûrement bien fatigués après un si long voyage de plus de quatre cents milles. Il était déjà tard, quelque chose comme dix heures. Ce jour-là, le mari de Sam, Mike, aurait cru pouvoir atteindre Blue Ridge assez tôt. Mais un accident sur la route avait considérablement ralenti le voyage et bouleversé les plans. Vers six heures du soir, du restaurant Cracker Barrel, Sam vous avait appelés pour vous dire qu'ils coucheraient en chemin. Qu'ils étaient trop loin. Susan avait recommandé à Sam de venir malgré tout. Tant pis si la petite famille arrivait dans la nuit ! Il n'y aurait aucun mal à être réveillés et voir les enfants serait un si grand plaisir ! Tu avais pris le combiné du téléphone, Ray, en l'arrachant des mains de ta femme, pour persuader Sam de venir tout droit à la maison. Dépenser de l'argent pour un motel était ridicule ! Et puis le trajet n'était plus très, très long. Mais Sam préférait ne pas vous déranger. Elle t'avait gentiment fait comprendre qu'ils arriveraient sûrement le lendemain matin en répétant doucement qu'ils verraient en cours de route. Sam et son Mike se sont donc arrêtés au motel Fairbanks vers minuit. Ils ont dû, c'est ce que tu as reconstruit plus tard, trouver qu'il était temps de se reposer. Un petit s'était peut-être réveillé en pleurant, avait fait un mauvais rêve ou avait réclamé un lit pour se coller contre le corps chaud de sa maman. Tu n'as jamais su ce qui avait décidé Sam et son mari à prendre une chambre alors qu'il ne restait que trois heures de route avant d'arriver chez vous et de vous voir tous réunis dans la joie. Ray, tu n'as jamais compris pourquoi ils ne sont pas venus directement à la maison et pourquoi tout a tourné au tragique. Tu as imaginé cette soirée bien banale mille fois et dans ton esprit tu as échafaudé tous les scénarios, espérant toujours y déceler la possibilité pour Sam et sa famille d'arriver sains et saufs chez toi ! Comme tu l'aurais prise dans tes bras, cette nuit-là, ta fille ! Comme tu aurais pressenti à quel danger elle avait miraculeusement échappé ! Comme la vie aurait été douce pour toi et Susan !

Le 21 octobre, tu as attendu toute la journée en vain l'arrivée de tes petits-enfants adorés et de ta fille. Le matin fut plein d'espoir, il te semblait que leur voiture s'arrêtait devant ta porte d'entrée, et puis plus la journée avançait, plus l'idée d'un incident t'apparaissait plausible. Tu t'attendais à un appel de Sam t'annonçant qu'un pneu avait éclaté et qu'elle et Mike arriveraient pour le repas. Mais le soir, il n'y avait toujours pas de nouvelles et Susan et toi étiez, malgré vos prières, dévorés par l'inquiétude. Quelque chose était arrivé... Il était impossible que Sam n'ait pas appelé et qu'elle ne soit pas encore là ! Dans la nuit, les policiers sont arrivés. Tu t'étais enfin assoupi un instant dans ton fauteuil. De ce moment, il ne te reste plus d'image en fait. Demeure seulement le cri de Susan, le cri d'une mère à qui l'on arrache ses petits. Susan a hurlé longtemps. Il a fallu qu'elle perde sa joie de vivre. Cette femme si rieuse s'est assombrie. Pour toujours. Pour rien. Juste parce que Dieu le voulait et franchement la violence céleste a de quoi mettre en colère ! Il y a de quoi abominer ce Dieu qui fait tant de mal ! Il y a de quoi pointer son arme en direction du ciel ! Si Gertrude ne t'avait pas calmé un matin de rage, après l'annonce de la mort de Sam, tu aurais commis le pire des péchés en te supprimant et en détruisant les tiens à coups de carabine. C'est cette colère contenue, pourtant très vive, que tu ressentiras à nouveau, ce soir, près du Waffle House, sur la route d'Atlanta. Colère qui t'aveuglera subitement à ma présence et te rendra l'existence de Tom insupportable. Tout à l'heure, dans le parking plein de voitures que tu traverseras pour aller vers le restaurant, tu te demanderas pourquoi Dieu n'a pas emporté Tom avec lui et pourquoi il ne t'a pas laissé ta fille, ta bien-aimée... Cela, tu sais que tu l'as pensé bien souvent, Ray... Oui, mais jamais tu n'oseras formuler cette idée abominable aussi clairement que quelques heures avant la mort de l'impie. Tu en voudras à Dieu d'avoir tué ta fille et tu montreras le poing au ciel pour dire ta haine de ce monde si vain. À l'heure où Dieu exercera ton souhait le plus cher, il te semblera que l'exécution du criminel est grotesque et que la vérité réside dans l'absence inhumaine, totalement incompréhensible et même scandaleuse de Sam. Alors que tu te surprendras à écouter les balivernes de Tom à travers lesquelles ce dernier, qui a toujours manqué à tes yeux de virilité et de courage, se peindra comme un guerrier valeureux, tu auras l'impression que si ce fils avait disparu, cela aurait été pour toi une chose de peu d'importance. Même Susan aurait moins souffert. Tu croiras voir avec horreur, au moment où la serveuse du Waffle House te tendra en souriant les deux cafés que tu auras commandés, que Tom se moque bien de Sam. La disparition de sa sœur aura été pour lui un soulagement ! Oui, il pouvait enfin prendre la place de ta fille dans ton cœur ! Ces certitudes qui te seront dictées par Satan te rendront fou un instant. Tu seras sur le point de dire à Tom que jamais tu ne l'aimeras. Que tout en lui te répugne et que seule Sam est ton enfant chérie. *Vade retro Satanas.* Il faudra que tu te contiennes, Ray, et que ma voix puisse trouver un écho en toi. Tu chercheras à reprendre ton souffle en pensant que Tom ne mérite même pas qu'on lui explique quoi que ce soit, que c'est un idiot qui exécute des gestes que d'autres imaginent pour lui. Tu te détourneras de ton fils et tu te mettras à prier fébrilement. Puis, peu à peu, Ray, en récitant les mots que Dieu a mis dans ta bouche, tu te calmeras. Tu prendras une première goutte de la tasse de café que tu tiendras à deux mains. L'odeur corsée te rappellera celle qui te chatouillait les narines quand tu entrais dans la maison de G.G. La voix de ta mère saura à ce moment-là résonner en toi. Tu reprendras une deuxième gorgée de café et tu t'abandonneras au plaisir capiteux que te donnera la chaleur du liquide. S'estomperont alors tes doutes et disparaîtra ta rage. Les mots de G.G. te berceront. Tu retrouveras petit à petit la foi. Tu finiras ta tasse et quand tu remonteras dans la voiture avec Tom, après avoir acheté une part de tarte que tu avaleras tout rond sur le chemin, tu auras retrouvé la paix dans ton âme. Tu seras prêt à aller assister à l'exécution du criminel Nelson. Disposé à contempler le spectacle grandiose de ma puissance, la puissance de ton Dieu. Tu laisseras Tom prendre le volant de la jeep, ce qu'il n'a pu faire souvent en ta présence et ce dont il sera si fier. Vous vous engouffrerez ensuite dans la nuit. Tu regarderas droit devant toi, en tentant d'accepter les choses qui se déploieront le long de la route, selon la volonté de Dieu. Tu te répéteras, inquiet, tandis que la saveur du café bienfaisant s'atténuera délicatement : « Que sa volonté soit faite ! Que sa volonté soit faite ! » Et Tom, volubile, te semblera à nouveau un allié dans le combat contre les ténèbres. Il sera redevenu ton fils.

La route qui sépare Blue Ridge de Charlestown est longue, et malgré la toute petite heure passée au Waffle House à maîtriser ton injuste colère et à siroter ton café, il sera déjà onze heures trente lorsque vous apercevrez de loin, sur la colline, la silhouette bien hermétique du plus grand pénitencier de la Georgie. Vous dépasserez vite un groupe d'hommes et de femmes qui gesticuleront et vociféreront en brandissant des pancartes violemment déclarées contre la peine de mort. Ces gens implorent la clémence du gouverneur de l'État au nom des droits humains. Ils ne comprennent pas que seul Dieu décide de la vie et de la mort et que le gouverneur, fût-il de

Georgie, ne peut rien contre le pouvoir céleste. Tom voudra sortir de la voiture en voyant cet attroupement d'excités réciter quelques slogans dignes des plus grands scélérats. Ton fils voudra en découdre avec ces ennemis de l'État et du Dieu véritable. À ce moment-là, son visage sera déformé par la haine. Tu comprendras alors que depuis quelque temps, Tom passe ses soirées à provoquer certains groupes et à organiser des expéditions punitives contre les nouveaux immigrants, les Noirs ou les homosexuels. Tu saisiras, en frissonnant légèrement, combien ton fils est engagé dans la cause de Dieu et durant un instant, tu ressentiras un mépris infini pour Tom. Très vite, ce sentiment satanique se résorbera. Il ne sera qu'un résidu passager de la colère qui t'aura tenté si fortement au Waffle House. Tu referas confiance à Tom. Et tout en lui disant combien il a raison de vouloir s'en prendre à ces activistes, tu ordonneras fermement à ton fils de poursuivre calmement votre route vers la prison.

Juste avant de passer les grilles du pénitencier, un malaise à nouveau t'envahira. Cette soirée sera une si grande épreuve pour toi, Ray ! Le spectre de ton père qui se balade pour l'éternité en enfer ne se sera jamais tant approché de toi et durant la journée tu auras perdu à de nombreuses reprises ta foi en moi. Pour calmer ton angoisse, tu auras l'idée de fumer une cigarette. Tu demanderas donc à Tom d'arrêter cinq minutes la voiture sur le bas-côté de la route. Tu sortiras dans la nuit chaude et l'air te semblera presque irrespirable. Tu te diras que Blue Ridge garde en son sein une douceur toute particulière que le reste de la Georgie ne peut décidément pas partager. Le ciel au sud d'Atlanta n'a rien à voir avec celui que tu contemples chaque soir de la véranda qui borde ta maison, tandis que Susan fait la vaisselle du dernier repas. Tu auras envie que les choses aillent vite cette nuit, que le meurtrier soit exécuté rapidement et que tu puisses retrouver promptement ta terre, ton lit et ta femme. Et bien que tu aies promis à Susan de cesser de fumer, tu sortiras un paquet de la veste que tu auras avant de partir de chez toi lancée sur le siège arrière de la jeep, te demandant alors s'il ne ferait pas un peu froid durant l'exécution. Tu proposeras une cigarette à Tom qui, même s'il ne fume jamais, n'osera refuser cette complicité inopinée avec son père. De même, Tom n'aura pas le courage de te rappeler ta promesse envers Susan qui, avec le docteur Stewart, a élaboré un plan contre tes infarctus répétés. Dans la nuit, seuls les bruits du campement des activistes vous parviendront, assourdis. Alors que vous finirez de fumer, toi et Tom, dans le silence et la touffeur de la nuit, un garde s'approchera de vous sans avoir fait de bruit et vous dira de ne pas rester là, que les abords du pénitencier sont interdits au public. Accablé par la chaleur et par l'épaisseur de tes pensées, tu n'auras pas la force de lui répondre. Voyant ton silence, Tom s'empressera de se présenter et d'expliquer le motif de votre visite. Il sera fier d'être le frère de la victime. Le gardien vous regardera avec respect un instant peut-être, mais très vite, l'indifférence que sa fonction lui confère l'emportera sur toute admiration. Il vous invitera froidement à vous présenter aux grilles et à entrer dans le pénitencier, puisque le règlement est strict.

Vers une heure du matin, à l'intérieur de la prison, un autre garde vous expliquera les formalités et le protocole concernant l'exécution de la loi de la Georgie sur le corps du prisonnier.

Vous serez amenés alors dans une salle d'attente, pas très loin de la pièce où aura lieu la mise à mort. Une fatigue incommensurable te paralysera. La douceur de ton lit à Blue Ridge te manquera atrocement. Tu comprendras que tu n'es décidément plus en âge de passer une nuit blanche... L'absence de sommeil n'est pas favorable aux vieux hommes. Des officiels viendront vous serrer la main de temps à autre en s'affairant dans cette petite salle sans fenêtre où vous attendrez l'heure de la punition divine. Tu ne sauras pas très bien qui sont tous ces hommes affables et bien habillés. Une femme aussi se présentera à toi. Elle voudra bavarder. Elle t'expliquera que son frère a été tué il y a quelques années par un sale négro et ce dernier n'a eu que quelques années de prison, profitant d'un plaidoyer de marchandage abject qui permet à des monstres de continuer à vivre. Cette femme inconnue de toi assiste au plus grand nombre possible d'exécutions. Mais elles se font rares, les mises à mort, te confiera-t-elle. L'État préfère dilapider l'argent pour engraisser des êtres dénaturés à ne rien faire dans nos prisons. Serena, c'est le nom que cette femme prononcera en tentant de se présenter à toi à et Tom, affirmera que tu auras cette nuit l'immense privilège de contempler le cadavre du meurtrier infâme... Étrangement, tu n'aimeras pas cette Serena... Tu ne lui répondras que par des signes de tête. Tu te sentiras si épuisé... Des hommes dans un coin de la pièce te feront un sourire timide. Tu demanderas à un moment à l'un d'eux, avec inquiétude, si le gouverneur pourrait accorder sa clémence. Tu auras oublié, Ray, que seul Dieu décide du sort de ce monde! Un type plus informé que les autres t'expliquera calmement qu'il n'y a rien à craindre. Que l'État de Georgie ne souhaite pas que Smokey Nelson continue à vivre, puisque l'accusé a lui-même reconnu sa culpabilité. Tout se déroulera sans anicroche. Ces paroles douces prononcées par ces inconnus courtois t'apaiseront momentanément... Dans la terreur, tu penseras que si Smokey Nelson n'était pas exécuté cette nuit, tu ne reviendrais pas à Charlestown pour le voir mourir... Il te serait impossible de revivre cette attente une autre fois... Ne crains rien cette nuit, Ray! Remets-t'en simplement à Dieu! Supplie-le d'exercer sa volonté jusqu'au bout. Tu espéreras que quelque chose de la colère qui t'aura saisie à tant de moments sur la route de Blue Ridge à Charlestown trouve dans la violence de l'exécution sa puissance et sa raison. Ray, tu prieras pour qu'à travers le coup mortel porté à l'assassin ta rage se manifeste. Et qu'elle puisse enfin disparaître à jamais. Pendant que tu attendras, fébrile, l'heure de la punition, Tom sortira précipitamment pour aller parler à un journaliste du réseau de télévision Fox. Tu ne seras que peu irrité par cette décision de ton fils. Tom aura pourtant promis de ne pas vous exposer aux médias. Quant à toi, l'expérience d'il y a vingt ans, au moment du meurtre, t'aura suffi et ces vautours de journalistes ne pourront cette fois-ci tirer quelque chose de toi. Mais Tom était bien jeune, il y a vingt ans. Cette nuit, il pourra prendre la parole au nom de toi et des tiens. Tu connais trop le tempérament vaniteux de ton fils pour t'émouvoir de cette faiblesse. De toute façon, il te semblera que plus rien n'a de sens et seul ton retour à Blue Ridge t'importera. Tu souhaiteras que l'exécution ait lieu et qu'on en finisse au plus vite.

Courage mon fils, cette nuit sera longue! Et comme tu cours de ton commerce à ta voiture pour rentrer chez toi, en essayant d'échapper au déluge qui s'abat promptement sur Blue Ridge, tu sens très confusément à quelles dures épreuves je vais te soumettre dans les prochaines heures. Entre Satan, le spectre de ton père et moi s'engage une lutte sans merci. Mais je vaincrai, Ray, parce que je suis le plus fort et parce que, malgré tes doutes et tes moments de folie où tu sembles tomber dans le blasphème, en moi tu crois. Tu as toujours eu foi en Dieu, mon fils… Et maintenant, au moment de la punition divine, ma grandeur et ma force te seront révélées. Le criminel sera châtié. Et tu pourras retrouver ta vie douce. Ton cœur redeviendra léger !

SYDNEY BLANCHARD

Tu dors ma grande… Oui, tu es en train de te faire bercer par le mouvement continu de la brave Foxy qui galope depuis ce matin sur les routes des États-Unis… On en a fait du chemin… Plus de sept cent cinquante milles… Tout ça pendant que tu roupillais… On a traversé un bon bout de l'Arkansas… Il nous reste cinq ou six heures de route… On est pas loin de Texarkana, si ça te dit quelque chose… Sûrement pas… T'es pas forte en géographie… C'est une ville coupée en deux… Comme son nom l'indique… Un morceau au Texas, l'autre en Arkansas… Ça peut pas faire bon ménage tout ça… Les gens dans ces patelins sont tellement chauvins qu'ils doivent se tirer dessus de temps en temps… Mais je m'en fous ! Je vais plus vite ! J'accélère, tiens… Pas envie d'être pris dans un tir croisé ! On approche de la Louisiane et ça m'excite ! Je tiens plus en place… J'ai une envie folle de te raconter une histoire… Ce sera pas la première du voyage, je sais… Et tu me diras encore que tu aurais préféré être née sourde ! Ça t'aurait évité d'entendre toutes mes conneries durant ton existence de chienne… T'as pas tort ! Mais c'est ton destin de me supporter… La

Louisiane est pas loin, ma tendre Betsy... Je commence à renifler l'air de chez nous, l'odeur putride, capiteuse, de la décomposition des marais qui se mêle à l'air du large, à l'air salin... Comme un arôme de la mort mêlé au musc arrogant de la vie... Tu vas devenir hystérique quand tu sentiras ça, ma chérie... Tu sauras plus où tu es! Au paradis ou en enfer... Hé! Hé! Hé! C'est ça, la Louisiane... C'est sulfureux et doux... Épicé et sucré... La première fois que mes parents m'ont amené à la mer, et pourtant on habitait pas bien loin, j'avais deux ans... C'était juste après les fêtes de Noël et du jour de l'an... Début 1973... Je l'ai retenu parce que ç'a été un moment mémorable pour ma famille et pour la Louisiane... Tu vas voir... On était allés rendre visite à des cousins qui venaient de se marier... Ils s'étaient installés vers l'embouchure du Mississippi... On avait décidé d'aller faire un tour à la plage... On avait pris la voiture, la Plymouth 1961 de mes parents... Ils étaient pas bien riches, mes parents! Alors ils ont gardé leur voiture plus de vingt ans... J'ai grandi avec cette voiture! On avait garé la bagnole blanche pas loin de la mer, dans un parking... Et là, mes parents qui m'avaient laissé galoper tout seul sur le rivage m'ont vu m'emballer... J'étais pas grand, mais dès que j'ai vu la mer, en sortant de la voiture, je me suis mis à courir, courir comme un fou! Et je rigolais et je me lançais dans le sable pour aller dans l'eau, à toute allure! Mes parents au début n'y prêtaient pas trop attention... Ça les amusait de voir leur gamin heureux... Je découvrais la mer, le ciel! C'était merveilleux et tout le monde rigolait! C'était de la pure joie... Mes parents pensaient que j'arrêterais ma cavalcade juste au bord de l'eau... Ben, ils ont eu tort, mes parents!

Je me suis lancé dans l'océan, comme ça, en courant, la tête la première... Enivré par ce monde qui se révélait à moi... Je suivais un goéland... Je hurlais de bonheur en jubilant devant la mer... C'est ce qu'on m'a dit... J'étais magnifique à voir! Tu vas être comme ça, Betsy, quand je vais t'amener à la mer... Tu deviendras folle dingue! Même s'il y a une zone morte maintenant à l'embouchure du fleuve, même s'il y a plus vraiment de vie marine, ça reste beau... Plus d'oxygène dans l'eau... La pollution, paraît-il... Faut voir ce qu'ils foutent dans l'océan... Oui, mais tu verras, c'est encore à couper le souffle! On peut pas extraire la beauté de la Louisiane... Katrina, cette enculée, elle a essayé, mais elle a pas pu tuer la Nouvelle-Orléans... D'un seul coup, mon père a remarqué que l'océan m'avait pas freiné... J'étais quelque part dans la mer... J'avais deux ans... Je m'amusais! J'avais plongé naturellement dans l'eau... Rien me résistait! Pas même le golfe du Mexique... Voyant ça, mon père, il a fait ni une ni deux! Il s'est précipité dans les vagues! Ma mère et ses amis criaient, terrifiés... Ils étaient sûrs que j'étais mort... Cette histoire, on me l'a beaucoup racontée... Je me souviens pas du tout de ce moment-là... Je me serais noyé que je m'en serais même pas aperçu... J'en aurais rien su... Mon père m'a rattrapé *in extremis*, au moment où je redisparaissais dans les vagues, après être remonté une fois à la surface... Il m'a ramené sur la plage et m'a réanimé... Il paraît qu'à mon réveil, je riais encore et que je voulais retourner dans l'eau... Il a fallu me retenir! Je repartais vers le golfe! En cavalant... Comme un damné... Un miracle, qu'il disait plus tard, mon père, quand il parlait de l'incident... Il me le reprochait encore! Il voyait ça comme un signe de mon impétuosité ! Tout en moi me conduirait à ma perte… C'est ce qu'il pensait, mon père… Après, mes parents, ils avaient toujours peur de mes conneries d'enfant… Ils me faisaient pas trop confiance… Pour eux, j'étais une tête brûlée ! J'étais né le jour de la mort de Hendrix… J'avais un don, oui… Mais surtout, je pouvais mal finir… De tout ça, il m'est rien resté si ce n'est ce cauchemar qui revient où je me noie… Tu te rappelles, Betsy, dans quel état j'étais ce matin ? J'ai même pas pu me rendormir… C'est peut-être à cause de cette histoire quand j'étais petit que je fais très souvent ce rêve de noyade… Ou alors, c'est que j'ai simplement une mauvaise digestion ! La bouffe du Nord me va pas… Du bœuf et du ketchup, jusqu'à la nausée… Je salive déjà à l'idée d'un gumbo aux okras… Miam, miam ! Ma mère m'en aurait préparé un si je l'avais prévenue de mon arrivée… Mais je préfère lui réserver la surprise… Il y a trois jours j'ai appelé pour savoir si tout le monde allait bien et si mes parents partaient voir un de mes frères… Non, ils seront là… Et je vais arriver comme une fleur… Ma mère sera heureuse… Mon père me fera un peu la gueule… Il parlera de mon imprévisibilité ! Avec moi, on sait jamais sur quel pied danser… Mais il sera content tout de même, mon père ! Très content ! Il m'a toujours dit que ma place était auprès de lui… À cette période, début janvier 1973, il y a eu un truc désagréable à la Nouvelle-Orléans… Mon père fait toujours le lien entre ma noyade et les événements du Howard Johnson… T'as pas entendu parler de ça, Betsy, non ? J'ai jamais vraiment pigé ce que ces deux histoires avaient en commun, mais mon père les raconte encore comme si c'était une seule et même chose… Un type a tué neuf ou dix personnes dans un Howard Johnson de la Nouvelle-Orléans, le 7 janvier 1973... C'était un grand hôtel du centre-ville... Presque vingt étages! Un bâtiment pas mal neuf... Bon, Betsy, voilà que tu te réveilles et que tu commences à être un peu titillée par ce que je te débite... D'habitude, je t'ennuie... T'as l'impression que je te raconte une émission de télé du genre *Crime Stories* ou *Unsolved Mysteries* et tu aimes ça, pas vrai? Je me prends pas pour Dennis Farina, mais j'arrive quand même à te faire passer un bon moment avec mes récits du passé... Oui, le gars, le tueur fou, il s'appelait Mark Essex, il était des Black Panthers... Tu vois le genre... Un dur à cuire, complètement cinglé! Et il en avait marre de tout ce que vivaient les Noirs dans le Sud, même en 1973, bien après la ségrégation! Mes parents, ils ont vécu ça quand ils étaient gamins, mais jamais ils en parlent ou alors parfois à des amis de leur âge, mais ils baissent la voix pour qu'on les entende pas... Il avait fait la Navy, le Mark Essex, et en était pas sorti indemne... Il voyait du racisme dans l'armée américaine... Il serait encore écœuré maintenant, le Mark, s'il était parmi nous, mais c'est pas le cas! Il est bien mort! La police l'a criblé de balles! L'autopsie a dit plus de deux cents... Une vraie passoire... Les gars étaient pas mal énervés... Mark Essex les avait beaucoup provoqués! Il s'était foutu de la gueule de la police de la Nouvelle-Orléans... Alors, quand ils ont pu faire les Rambo et attaquer le toit de l'hôtel par hélicoptère, ils s'en sont donné à cœur joie, les *pigs*! Toujours est-il qu'après avoir tué quelques jours plus tôt un policier, Essex a pris en otage tout un hôtel, et il a buté au moins neuf personnes... Ça a profondément dégoûté mon père, cette révolte-là... D'autant plus que le type, il a même tué un policier noir sur Perdido Street, lui qui disait ne vouloir s'en prendre qu'aux *honkies*! Il a abattu un couple, un homme et une femme de Virginie qui faisaient leur voyage de noces en Louisiane, et entre leurs corps morts étendus dans une chambre du Howard Johnson, il a disposé le drapeau panafricain... Ça devait expliquer le geste... Il rigolait pas, Mark Essex! Il prenait son histoire très au sérieux... Moi, enfant, je retenais que toute cette affaire mettait en scène pas mal de chiens... Le premier policier tué était avec son berger allemand dans sa voiture de patrouille... Il y avait eu, paraît-il, une photo du chien dans le journal... Et puis après, on a envoyé des chiens dans l'immeuble à la recherche de Mark Essex... J'imaginais les bêtes courir et se cacher dans les couloirs du Howard Johnson! Je voyais les animaux comme des héros! Mon père, il avait peur que moi ou un de mes frères on devienne plus tard comme ce type-là ou comme Sundiata Acoli qu'il avait fréquenté un temps... Je sais plus comment... Je lui ai souvent demandé à mon père... Mais il est pas du genre à répondre aux questions... Mon père, il se faisait un scénario compliqué comme s'il y avait un rapport avec mon enthousiasme de gamin en voyant la mer et le Mark Essex qui tue tous les Blancs dans un Howard Johnson! Il remarquait là la sottise des hommes qui ne connaissent pas leurs limites et qui ne croient pas assez en Dieu... En fait, moi, j'ai jamais été un révolté... Malgré l'image que je cultive... Je vois les injustices, mais bon, j'ai simplement essayé de tirer mon épingle du jeu de la vie... Et j'y suis en quelque sorte arrivé... Je me suis pas lancé dans le militantisme... Je me suis engagé dans aucune cause, même si je tenais, quand j'étais plus jeune, des propos rebelles et ambigus devant mon père pour le foutre en rage ! J'ai pas un grand amour des Blancs... Oui, il y en a des bien... J'imagine... En fait, mon père, il supporte aucun racisme... Il dit qu'il en a trop souffert, petit ! Je sais pas les détails, mais je l'ai vite compris... Alors si on dit du mal des *honkies*, il aime pas... Il nous fout une claque quand on proclame des choses qui le dérangent... J'ai pas mal embêté mon père, durant mon adolescence... Je lui disais qu'il se faisait exploiter à arranger les jardins des riches de la First Street... J'avais un gant noir, je mettais des t-shirts à l'effigie de Malcolm X... Des trucs comme ça, Betse... C'était pas bien méchant ! Tu me connais, ma grosse, je suis pas un dur... Je fais semblant... Dès que la bataille est un peu difficile, je vais me planquer... Comme toi... Tu aboies, mais tu mords pas souvent... Je suis un gars qui aime pas les problèmes... Je peux pas prendre la vie trop au sérieux ! Je vois les choses simplement... Depuis des siècles, les Noirs ont pas été très bien traités aux États-Unis ! C'est le moins qu'on puisse dire ! Pourvu qu'Obama gagne ! Ça réparerait peut-être quelque chose... Peut-être... Oui, tout de même... Ça nous ferait du bien... Va savoir... Alors, Betsy, quand mon père a su que j'étais arrêté près d'Atlanta pour un quadruple meurtre prémédité, commis dans un motel, il s'est dit que je me prenais pour Mark Essex... Il a pensé que son fils était bel et bien fou, qu'il le savait depuis 1973, depuis l'épisode de la noyade... J'étais qu'un excité, qu'un raciste qui croit que la justice consiste à s'en prendre à une famille blanche et à zigouiller tout le monde... Mon père, il a cru quelques heures que j'étais coupable... Ça a tourné dans sa tête, ça s'est mis à fonctionner à bloc, la machine à cogiter : « Sydney, c'est un révolté, un guérilléro. Le gamin, il en a fait qu'à sa tête toute sa vie... Il est capable de tout... » Mais non, Pop, j'ai rien fait ! Ni le bien, ni le mal... Je crois en rien, Pop ! Et si j'ai tué personne dans ma vie, c'est que c'est trop compliqué... Je suis ni Mark Essex, le libérateur des négros, ni Smokey, le type qui a mal tourné et qui finira ce soir sur la chaise électrique, grillé comme un steak qu'on oublie sur le barbecue, comme c'est le cas de tant de gars noirs de ma génération... Je suis juste un homme de trente-huit ans, bien banal. J'essaie de me donner du bon temps, en attendant la mort qui vient toujours trop tôt... J'ai pas d'idéal, pas de destin... Même Jimi, mon ange gardien, m'a abandonné... Mais c'est pas cette histoire de 1973 que je voulais te raconter, ma Betse, ma grosse ronfleuse... Oui, tu aimes ça quand je te caresse le museau... Oui, oui... Mais je peux pas faire ça des heures au volant... J'ai parfois besoin de mes deux mains... Là... Là... Tu as aimé quand même cet épisode de ma vie ? Je te montrerai le Howard Johnson où tout ça a eu lieu ! Maintenant, c'est un Holiday Inn luxueux... Mais c'est aussi un morceau de l'histoire des Noirs américains... Tu verras, on passera devant... Les gens qui dorment là n'en savent probablement rien... Je vais te la montrer de fond en comble, ma ville, la Big Easy, la Nola chérie... Elle aura plus aucun secret pour toi... Non, je voulais te décrire un autre événement marquant de ma vie... Je sais pas pourquoi j'en suis arrivé à te parler de Mark Essex... Retourner chez moi, ça me ramène pas mal de souvenirs, en fait... Dans le désordre... Je me retrouve comme dans un tourbillon du passé... Je deviens presque sentimental... Tu peux dormir, Betsy, si je t'ennuie...

Mais je vais quand même arrêter le fil de mes pensées et te raconter une anecdote qui m'habite depuis une heure... J'avais peut-être huit ans, ma tante Violette était venue nous rendre visite... C'est la sœur de mon père. Violette Blanchard. C'est d'un chic... Petit, je me moquais de son nom... Le mien est pas mieux, tu me diras... Elle habitait à l'époque à Eufaula, en Alabama, avec sa mère... Elle était pas encore mariée... Elle sortait alors avec un type qui travaillait dans un hôtel et qui venait de se trouver un boulot pas loin de chez nous, à la Nouvelle-Orléans... Ma tante venait rendre visite de temps en temps à son fiancé et en profitait pour passer ainsi quelques semaines chez nous et rendre des services à ma famille... J'aimais bien cet homme, mais dès que ma mère et sa sœur en parlaient, elles se mettaient à chuchoter... Mon père voulait pas que Beaumont, c'était son nom, rentre dans la maison! Beaumont pouvait même pas venir à la porte de la baraque et il attendait ma tante au coin de la rue... Violette, c'était la petite sœur de mon père, alors mon père la protégeait... Un jour, je devais, oui, avoir huit ans, elle était venue passer au moins un mois chez nous et elle m'a amené avec elle dans une de ses sorties... Elle allait voir quelqu'un, disait-elle, avec des airs mystérieux et elle voulait que je l'accompagne pour l'occasion à travers la ville... On a pris pas mal de tramways pour arriver dans un quartier un petit peu huppé à l'autre bout de la Nouvelle-Orléans... Là, on s'est arrêtés devant une maison délabrée, visiblement la plus pauvre du voisinage et on a sonné à la porte... Un homme noir, très grand, vêtu d'une chemise blanche à manches courtes bien repassée nous a ouvert la porte... Ce gars était très étrange... Il avait un œil normal, mais l'autre avait pas d'iris ni de pupille… Ce qui remplissait sa cavité oculaire ressemblait à un gros œuf blanc un peu mou… Un œil de merlan frit… Comme on dit… Il nous a fait signe d'attendre. C'était pas encore l'heure… Nous, on a donc patienté un quart d'heure dans ce couloir qui servait de salle d'attente… Il y avait là rien de particulièrement joyeux… C'était même assez sordide pour un enfant… Des gris-gris un peu partout au mur et une grande table sur laquelle on avait disposé des objets dont un bébé crocodile empaillé… Des offrandes… C'est ce que j'en ai déduit, en fait, assez vite… Il y avait aussi un vivarium posé sur une petite commode… Là-dedans dormait un immense serpent vert… Le serpent était borgne aussi… C'est ce que je me rappelle… Mais j'étais vraiment enfant et pas mal impressionné… Tout ça rendait pas l'atmosphère très agréable… Dans mon souvenir, en tout cas… Je sais pas… Je me sentais pas tout à fait à l'aise dans ce décor baroque… Tout à coup, on a vu une dame riche sortir de la pièce dans laquelle s'était engouffré le cyclope après nous avoir dit d'attendre… Elle allait pas bien, cette dame, en sortant de sa visite chez le charlatan borgne… Elle avait l'air agité, mais elle était visiblement très riche… Tu vois ça, Betsy, aux vêtements, aux manières et puis aussi à la démarche… La dame semblait ne pas poser ses pieds au sol, même si elle était plutôt un peu ronde… Bien roulée quoi… Elle était très distinguée, très blanche… Elle a déposé un panier rempli sur la table à offrandes et s'est retrouvée vite dans la rue, sans nous avoir lancé le moindre regard… Je me suis pas trop inquiété pour la dame que je trouvais très belle, très bien habillée… J'avais jamais vu de femme aussi riche et longtemps je l'ai imaginée rousse, cette dame! Un chapeau recouvrait ses cheveux et j'avais rien pu apercevoir de son visage ou de sa chevelure, mais tu connais ma passion pour les femmes rousses, Betsy... Depuis l'enfance, j'ai un fantasme rouge flamme... J'ai suivi ma tante Violette dans le cabinet du borgne et j'ai vite oublié la peine de la dame riche... Tout de suite, alors qu'on venait à peine de s'asseoir, le type s'est tourné vers moi avec son visage cyclope et il m'a dit de pas avoir peur, que tout allait bien se passer... Il me sentait nerveux et il a fait des reproches à ma tante... Elle aurait pas dû amener un enfant avec elle, ça le déconcentrait! Ma tante, sans vraiment comprendre ce que le borgne lui reprochait et sans attendre, avait déjà commencé à expliquer son problème et la raison de sa visite... Beaumont, je le savais pas, était marié, et Violette voulait faire en sorte que la femme de Beaumont soit plus là... Elle voulait lui jeter un sort, une espèce d'envoûtement... Oui, un sort... Violette pensait peut-être que je pouvais pas comprendre ce qu'elle racontait, que j'étais trop petit, le plus sûr c'est qu'elle se moquait de ce que je saisissais de ses propos... Toujours est-il qu'elle parlait sans aucune gêne... Elle réglait une affaire importante et attendait de l'aide du borgne... Mais le type avec l'œuf dans le trou oculaire l'écoutait pas... Il me fixait de son seul œil, le droit, tandis que je pouvais pas détacher mon regard de la matière blanche, presque gélatineuse de l'autre œil, le gauche... Il me regardait encore alors qu'il expliquait à ma tante qu'il fallait fabriquer une poupée à l'effigie de la femme de Beaumont et faire subir à la figurine quelques sévices qui auraient raison de cette Melody, puisque c'était bien le nom de la femme de Beaumont que le borgne venait de faire avouer à ma tante... Violette avait l'air de savoir de quoi il était question, même si elle prit un air inquiet quand le cyclope lui annonça qu'elle aurait besoin d'un objet très personnel, appartenant à la femme de Beaumont, pour mener à bien son plan... Si on arrive à subtiliser quelque chose de très intime qui appartient à la victime, les chances de réussite de l'envoûtement deviennent très grandes... C'est ce qu'il a déclaré, le borgne! Pendant tout ce temps, ce type à l'œuf mou me dévisageait sans sembler vraiment intéressé par l'histoire de ma tante... Les maléfices entre femmes semblaient être son lot quotidien... Quand c'était pas une maîtresse qui voulait se débarrasser d'une épouse, c'était la mariée qui rappliquait pour faire passer le goût du pain à une dulcinée! Le sorcier était visiblement blasé... L'histoire de Violette le passionnait pas et il donnait son avis de façon assez laconique, tout en me regardant avec une certaine curiosité... Tout à coup, le type est sorti de sa léthargie et de son indifférence et m'a lancé, l'air inspiré, presque enthousiaste: « Mais oui, toi, tu es possédé! C'est ça! Je le sens bien maintenant... Par le fantôme d'un mort... Au début, je ne voyais que ta tache de naissance au coin de l'œil... Quand ta mère était enceinte de toi, petit, elle a dû vouloir manger du foie de bœuf et elle s'est grattée près de l'œil... Oui, c'est ça... Mais le problème est plus grand... En toi, il y a... Ça doit être lourd, non? Tu portes un mort! Je voyais bien qu'il y avait quelque chose... Je sens très clairement maintenant que tu es habité... » À ces mots, ma tante, dépitée par le manque d'intérêt que suscitait chez ce cyclope son histoire de bonne femme, s'est mise en colère et a crié comme pour en finir avec le sujet: « Oui, on pense qu'il est la réincarnation de

Jimi Hendrix, le gamin ! Il joue de la guitare comme un dieu et il est né le jour où Hendrix est mort... Mais comment me procurer une dent de la femme ? Une touffe de cheveux ferait-elle l'affaire ? » Le borgne avec son œuf au milieu du visage a laissé tomber d'une voix d'outre-tombe : « Il faudrait songer à le faire désenvoûter, le gamin... Ces choses-là, c'est pas nécessairement bon... Tout dépend... Ce petit me laisse perplexe. Je n'aime pas cela. » Ces mots, le borgne, il les disait solennellement, comme s'il récitait une prophétie... Ma tante se tut quelques longues secondes. Elle était blessée et se demandait comment parvenir à voler quelque chose de très personnel à Melody. Ce n'est pas Beaumont qui l'aiderait ! Il avait même jamais prononcé le nom de Melody devant elle et refusait de parler de son mariage... Heureusement que Violette avait des copines qui espionnaient Melody pour elle... Devant ses plaintes, le borgne a simplement haussé les épaules, tout en continuant à me fixer... Puis, après réflexion, il nous a conseillé d'aller au cimetière Saint-Louis, mais je savais pas si c'était pour l'affaire Beaumont ou pour mon mort à moi. Violette a compris qu'il fallait sortir de son portefeuille une liasse de billets et la tendre au borgne... Elle m'a pris par la main, perplexe, et a quitté rapidement le cabinet du cyclope qui, sur le pas de la porte, nous annonçait le prix qu'il prendrait pour extirper le mort de mon corps... Ma tante et moi, on est retournés à la maison en reprenant deux ou trois tramways... L'atmosphère était un peu lourde... Ma tante m'en voulait de lui avoir volé la vedette... Mais Violette a jamais dit à mes parents où on était allés et ce que le faux prêtre avait avancé à mon sujet... Je sais pas si la femme de Beaumont est morte des suites des sévices que ma tante a fait subir à une poupée, ni même si elle a réellement confectionné la figurine à l'image de Melody... En fait, je devrais lui en reparler... Mais je vais pas oser... On a beau être maintenant tous des adultes, je reste toujours un peu gêné devant les gens de la génération de mes parents... Et puis, on rappelle pas à une femme un ex qui voulait pas d'elle! J'ai plutôt l'impression que Violette s'est décidée à lancer un sort à Beaumont qui l'avait menée en bateau pendant des années, puisqu'il mourut, le pauvre homme, écrasé par un tramway... Ma tante finit par se marier avec Anthony... Un gars vraiment gentil avec lequel elle a eu deux enfants. Moi, je suis resté avec ma prophétie avortée... Le borgne niait pas que je sois la réincarnation de Jimi, mais il savait pas quoi en penser... Un drôle de spirite... Ben, tu vois, Betse, je suis comme le borgne... Je sais pas si c'est une bonne chose d'être né le 18 septembre 1970 et de ressembler à Hendrix... Ça m'a pas porté chance... Enfin, « tout dépend », comme dirait le cyclope... On peut voir les choses de différents points de vue, même quand on a qu'un seul œil... Sur mon cas, le type, il arrivait pas à se prononcer... On lui avait pourtant rien demandé... Mais il tenait à me dire qu'il était sûr de rien... J'en suis au même point que lui à l'époque... Je sais toujours pas qui je suis, dans quel sens vont les choses... Bon... C'était ça, le récit du jour, Betse. Pour t'expliquer un peu ma passion de la chanson « Voodoo Child », que je vais mettre dès que je verrai de loin la Nouvelle-Orléans... À cause de ces crétins de Chinois, on a raté notre entrée au cimetière de Renwood... Ces salauds, on les a laissés derrière nous pour toujours à Seattle... Y en aura pas à la Nouvelle-Orléans... À moins que Katrina ait vraiment mis le chaos dans la ville… J'ai hâte d'arriver… Je suis un « Voodoo Child », mais je sais même pas ce que ça signifie… Putain ! Revoir ma ville ! Après trois ans d'absence, je sens que je vais pleurer ! Je vais t'amener au cimetière Saint-Louis voir le tombeau de Marie Laveau… Le borgne, il nous a assuré au moment où ma tante payait qu'il fallait aller se recueillir sur le tombeau de la prêtresse… Il nous a dit qu'il était un descendant de la fameuse Marie… Qui sait ? Peut-être… Peut-être pas… Ma tante, elle a pas voulu m'amener avec elle au cimetière le lendemain ou le surlendemain de sa visite chez le borgne… Mais plus tard, j'y suis allé avec des copains… C'était pas mal impressionnant… On a bu dans le cimetière comme dans le film *Easy Rider* ! En fait, j'ai décidé d'aller rendre visite à la Marie, à cause du film… Tu sais, finalement les types dans *Easy Rider,* ils se font descendre à la fin sur la route… Eux aussi se font emmerder par des *honkies*, des horribles *red necks* ! Ils sont même pas noirs, les gars dans le film, mais y a pas de place pour les marginaux dans ce pays de merde ! Y en a jamais eu… Y en a que pour les *hillbillies* qui vous suppriment à coups de pistolet ! Pan ! Pan ! Prends ça entre les dents, sale négro… « Born to be wild… » Tu parles ! J'aurais dû m'engager politiquement, me battre ! Toute cette révolte en moi, elle a servi à rien ! Je joue bien de la guitare… Oui… Comme un dieu, qu'ils disent… Mais je suis pas un vrai chanteur, ni un musicien ! J'aime seulement m'amuser avec les copains de mon groupe de musique… Je suis un gars qui s'est pris longtemps pour un autre… Je philosophe avec ma chienne… Tu es mon seul vrai public, ma grosse ! C'est vrai que c'est la qualité qui compte… Approche-toi que je te caresse encore le museau, ma belle…

Viens, viens… Oui, t'es vraiment une bonne fille, ma Betse… J'ai aucune raison de me plaindre… Je suis en ménage avec la meilleure des femelles… Je te préfère à Gwen! N'en doute pas… T'inquiète pas pour ça… C'est pas avec Gwen que je retourne chez moi… Bon, j'arrête de me lamenter, il faut que j'envisage l'existence autrement… Tiens, je vais même aller faire un vœu sur le tombeau de Marie Laveau… Au cas où il y aurait quelque chose de vrai dans toutes ces conneries… Rien que de penser aux cimetières de la Nouvelle-Orléans, je suis tout chose… Je m'ennuie de la cathédrale Saint-Louis alors que je me rappelle même plus si j'ai déjà mis les pieds à l'intérieur… Mais à la télé, c'est toujours le symbole de la ville… Y a pas à dire, il était temps que je rentre chez moi… De Renwood à Saint-Louis, de Jimi à Marie, voilà pour le parcours de Sydney Blanchard… J'ai peut-être quand même un truc avec les morts… Le borgne avait somme toute raison… Tu sais quoi, ma Betse, on vient de passer la frontière… Putain, je suis en Louisiane! Chez moi… Katrina nous aura pas tout enlevé! Lève-toi ma puce, mets-toi sur ton arrière-train, il faut que tu regardes le paysage! OK, ça ressemble pas mal encore à l'Arkansas, mais tu vas voir, bientôt tout va changer… On est chez nous, Betse! Chez nous! Les soldats qui reviennent d'Irak, ils doivent avoir la même sensation… Une espèce de fièvre et puis en même temps, une peur intense! Ils sont pas partis pour rien, que diable! Même si cette guerre est pas la leur, ceux qui veulent s'enrôler dans l'armée, ils ont sûrement leurs raisons de quitter leur famille ou leur village natal! Bien sûr, la pauvreté… Ouais… Mais il arrive un moment où on en peut plus de son coin de pays… Le problème, c'est le retour… Pour ceux qui sont pas morts là-bas… Au retour, ils savent jamais où ils remettent les pieds… Le monde a tourné sans eux… Mais là, tu sais, alors que je viens tout juste de voir le panneau sur la route qui nous souhaite la bienvenue en Louisiane, je pense qu'à mon retour glorieux au pays… « "Hey baby… where are you coming from ?" / Well she looked at me and smiled and looked into Space / And said "I'm coming from the land of the new rising sun" / Then I said "Hey baby where are you trying to go to ?" / Then she said "I'm gonna spin and spread around Peace of Mind / and a whole lotta love to you and you" / "Hey girl ! I'd like to come along ! / Yes, I'd love to come along !" » OK, j'arrête de chanter Betsy, mais je suis ému… Je te sens aussi attendrie, ma Betsy au cœur de pierre… Bon, on va s'arrêter sur la route… Foxy a besoin de boire un coup et moi aussi… Dès que je vois un McDonald's ou un Wendy's, je m'arrête… Le gumbo, ce sera pas pour ce soir… Je me suis habitué, remarque. Ah ! tu vois, il y a un resto dans un mille… En fait, j'ai triché, Betse, j'avais vu les panneaux publicitaires depuis vingt-cinq minutes… Il est huit heures du soir… On va arriver dans la nuit à la Nouvelle-Orléans… Ce sera superbe… Les lumières de ma ville… Je sais pas encore si je vais réveiller mes parents… Ouais, sûrement, parce j'ai pas trop de quoi m'offrir encore une chambre d'hôtel cette nuit… Et c'est pas toi qui vas payer ! Tu peux même pas me régaler au McDo ! Autrement, je prendrais le Holiday Inn où Mark Essex a buté les Blancs… Je sais pas s'ils prennent les chiens dans les Holiday Inn… Faudrait vérifier… Je vais appeler mes parents du McDonald's… Je voulais leur faire une vraie surprise, mais arriver en plein milieu de la nuit, c'est pas génial… Ils vont appeler la police, quand ils entendront sonner à la porte… Les chiens, les nouveaux, me connaissent pas… Ils vont aboyer comme des fous ! Tu vas t'y mettre aussi ! Tu rates jamais un concert… Surtout avec les nouveaux copains… Ce sera un vacarme… Le quartier est pas toujours très sûr… Ç'a pas dû changer… Bon, je vais appeler… Tu sais à quoi je pense, Betsy ? À ce type, ma belle… Smokey Nelson… T'as déjà oublié qui c'était ou quoi ? Tu prends un air ahuri… Il passe la dernière soirée de sa vie… Il lui reste encore quelques heures… J'ai pas mis la radio… Pas sûr qu'ils en parlent… Et puis ça me fout le cafard… Le décompte… Je sais pas quand il va se faire exécuter exactement… Mais bon… Il est tout proche de la fin, le type… Ça me rend triste… Les avocats vont faire appel, demander une grâce, faire un truc désespéré… Ça marchera pas… Il sera exécuté… À la télé, ils ont dit qu'il avait aucune chance… Mais c'est vrai qu'ils déblatèrent pas mal de conneries ! J'aurais pu être Smokey Nelson ou Mark Essex, mais je suis que Sydney Blanchard et ce soir, je rentre chez moi alors qu'un gars de mon âge se fait exécuter à Atlanta… C'est tout… Fin de l'histoire… Moi, la Nouvelle-Orléans, ses lumières et son bordel m'attendent… Va falloir que je comprenne ma chance… Bon, une station-service, un resto rapide pour avaler du poulet frit et deux ou trois cafés, parce que je commence à m'endormir, Betsy… Oui, je suis fatigué… Je me suis levé tôt ce matin à cause de ce foutu rêve… Je me demande à quoi ça rêve un condamné à mort… Tu vois, Betse, je peux pas m'enlever ce Smokey de la tête… Lui, il pense jamais à moi… Il en aura encore moins l'occasion bientôt… Il va être grillé… Non, c'est vrai, ils vont lui foutre du poison dans les veines ! Pauvre gars… Bon, voilà, on est garés… Je te laisse tout ouvert… Ah ! non ! Tu vas pas recommencer comme au Wisconsin ! Tu veux me suivre dans le resto ? Pas question… Arrête de couiner ! Les animaux sont interdits à l'intérieur, Betsy… On faisait ça avec les négros avant… C'était aussi pour des raisons d'hygiène… Faut bien exclure quelqu'un… Comme ça, on se croit important ! Je te donnerai de la bouffe et de l'eau tout à l'heure… T'as pas entrepris de gros travaux aujourd'hui… Tu dois pas être affamée… Et du liquide, je t'en verse tout le long du chemin… Quoi ? T'as peur d'être abandonnée ? Mais t'es pas Gwen, je vais pas te laisser ! Ici, tu connais pas… Oui, c'est vrai ! Mais regarde, Betsepute, c'est la Louisiane ! Les gens sont vraiment accueillants ! Pas tous… Pas les Blancs, parce que nous, on est Noirs, mais bon, c'est mieux qu'ailleurs, non ? OK ! OK ! Suis-moi ! Tu me fais tourner en bourrique… Je te passe tous tes caprices… Tu m'as à l'usure… Je te sors et tu m'attends bien tranquillement couchée devant le resto… D'accord ? Je commande quelque chose et je ressors tout de suite pour manger avec toi dans la voiture… À condition, bien sûr, que tu me quémandes pas mes morceaux de poulet et mes frites… De toute façon, je te crois pas ! Tu pourrais jurer que ça changerait rien… Tu es toujours en train de mendier avec tes yeux de gueuse et je me laisse avoir ! Bon, on va aller pisser un peu plus loin avant le resto, dans l'herbe là-bas… Toi et moi, on va faire pipi en duo… Ça pourrait être le début d'une chanson… J'aime pas les toilettes des restos sur la route… Viens, Betsy ! Traîne pas entre les voitures ! Tu pourrais te faire écraser… Les gens de la Louisiane, ils conduisent bien, mais il faut pas non plus s'imaginer qu'ils sont parfaits... Là, tu vois, on est à l'abri, cachés derrière le grand camion... On peut se soulager tranquilles... Je suis épuisé, Betsy! Je sais plus trop où j'en suis... J'aimerais être déjà arrivé... Je vais appeler ma mère... Ça me donnera l'impression d'y être... Je ferai ça à la station-service, après avoir mangé... J'ai drôlement faim... Ce sera pas aussi bon que le dernier gueuleton du condamné à mort! Mais moi au moins, j'aurai un gumbo demain... Alors que le Smokey, il aura plus rien... Bon... Suis-moi, Betse! Voilà, tu t'installes là! Tu te couches et tu attends! Tu te mets pas à hurler au bout de trois secondes! Il y a la queue à l'intérieur... Je vais en avoir pour au moins dix minutes... Alors tu bouges pas et tu ameutes pas tout le monde! C'est compris, ma belle? Voilà... Je te caresse un coup et puis je pars... Couchée, Betsy! Couchée... Je reviens immédiatement... Je vais quand même jeter un coup d'œil de loin parce que j'aime pas quand, Betse, tu restes seule... Y a du monde dans ce foutu resto! Ouais, ça va peut-être être un peu long d'attendre... Voilà qu'elle aboie! Merde, elle me fichera pas la paix cinq minutes! Qu'est-ce que je fais? Je vais l'engueuler, ce qui servira à rien parce que Betse, de toute façon, elle en fait qu'à sa tête, ou alors, je reste ici comme si de rien n'était et je prie pour qu'elle se taise... Je l'ai mal élevée, celle-là! C'est pas croyable! Mon père va pas être content quand il verra comme elle est gâtée... Il va sûrement vouloir reprendre l'affaire en main et moi je vais pas vouloir me laisser faire... Des disputes en perspective... Betse, je l'aime comme elle est... Capricieuse et grosse! Voilà... Je l'avoue, je la veux ainsi! Mon père, quand j'étais enfant, il me montrait comment il fallait faire pour élever les chiens… J'ai jamais voulu apprendre… J'avais l'impression que lorsqu'il parlait de ça, il me disait quelque chose sur l'éducation qu'il nous donnait à mes frères et à moi… J'étais mal à l'aise… Pourtant malgré sa fermeté, mon père, il les aimait, ses bêtes… Je l'ai souvent surpris le soir en train de leur parler… Il bavardait aussi avec son père qui était mort depuis belle lurette… Le soir, il s'asseyait sur les marches de la maison et il racontait sa journée, ses inquiétudes à son vieux bien mort… La chose était bizarre, mais dans le quartier, on semblait même pas y prêter attention… Tout le monde avait d'autres chats à fouetter… Et les gens étaient tous un peu étranges, quand j'y pense… Ça avance pas vite ici ! Les obèses au comptoir commandent toute la cuisine ! Ils ont peur de manquer de quelque chose… Faut nourrir ces gros corps… Bon, elle a arrêté sa complainte, ma Betsy… Tout le monde la regardait en la plaignant… Pauvre chienne qui reste toute seule dans la chaleur alors que son maître se paie du bon temps à l'intérieur ! Elle a dû en apitoyer des âmes ! Il y a une petite fille à l'entrée qui attend, elle aussi dehors, ses parents… Je vois pas toute la scène, mais Betsy doit lui faire des yeux doux. Elle aime les enfants, ma Betsy, et surtout le sundae que la petite mange consciencieusement… Le sundae est au chocolat ! Ça, je le vois… Encore un effort, Betsy, et tu vas arriver à en avoir un peu ! La gamine va être attendrie… Je me demande ce que Smokey a choisi comme repas… Il aimait ou non la glace au chocolat, ce type ? Ça aura bientôt plus d'importance… Mais le dernier soir, après des années et des années d'emprisonnement où tu as pu faire aucun choix ou tu as jamais pu exprimer tes goûts ou tes préférences pour le poulet ou pour le porc, on te demande de te rappeler que tu es quelqu'un, que tu aimes la tarte aux pommes ou encore le Coca-Cola… Tu dois même plus te rappeler tes faiblesses de jadis… On te dit que tu peux être une personne normale avec tes opinions et tes péchés mignons, ça dure une petite demi-heure, mais c'est pour mieux tout t'enlever quelques heures après… C'est de la torture, ce truc… Les gens aiment savoir ce que mange le condamné à mort… Comme ça, ils ont vraiment l'impression qu'on tue un être humain qui avait une histoire, des envies, un appétit de salaud… Ça me coupe la faim tout ça ! Je sais plus si je vais manger ! La petite fille à la glace et Betse se regardent droit dans les yeux… Betse, fais ton numéro, tu es proche d'avoir le reste de son sundae… Ah ! voilà les parents qui rappliquent ! Ils ont l'air de dire à la gamine de ne pas s'approcher de ma bête… Que c'est un chien dangereux… Ils doivent prendre Betse pour un pitbull ! C'est mon père qui aime les pitbulls… Pas moi… Mais enfin, ce serait pas la première fois qu'il y aurait erreur sur la race dans ce pays… La petite fille les croit pas… Elle voit bien que Betse est une brave fille… Elle prend un air d'enfant qui écoute même plus les paroles insipides des adultes… Mais elle part avec son sundae… De la main, elle fait un signe d'adieu à la chienne… C'est gentil, mais ça nourrit pas son homme… Pauvre Betsy, tout ton manège pour rien… Tu dois être déçue… Et voilà que tu recommences ta sérénade… C'est pas possible… Et ce type derrière moi qui vient juste d'entrer dans le resto et qui gueule parce qu'il trouve que ma chienne fait trop de bruit et que l'attente est trop longue ! Les gens se retournent ! Ils le trouvent bizarre de crier ainsi… « C'est à qui ce chien de merde ? » qu'il demande…

Ben, je vais te le dire, mon gars, ce « chien de merde », c'est à moi, et si t'as quelque chose à me dire l'ami, t'as qu'à m'en faire part tout de suite ! Je suis là… Tu as pris du crack ou quoi ? Tu as l'air très, très énervé. OK ! OK ! Tu te calmes et tu attends patiemment comme tout le monde ! Parce que moi aussi j'ai pas mal de raisons d'être excité ce soir, mais tu vois, je suis civilisé… J'entre dans un resto et je suis poli… Et mon chien, on l'entend presque pas avec les portes fermées… Alors relaxe ! Qu'est-ce que tu dis là ? Que tu vas faire taire pour de bon ce putain de chien si je m'en occupe pas… Écoute, mon grand, je suis de la Louisiane comme toi… Et ma chienne aussi… À sa façon… Si t'as le droit d'être là, elle aussi… Je l'ai mise à l'entrée pour que des gars dans ton genre puissent prendre leurs aises à l'intérieur… J'ai trop cédé… Oui, j'aurais dû l'amener avec moi ! J'ai pas envie de taper sur un frère noir, mais si tu continues à m'emmerder, mon ami, tu vas te ramasser mon poing sur la gueule… Non, tu as beau me le demander une dernière fois, que tu dis, mais tu me feras pas taire ! Mon chien va pas se la fermer pour te plaire ! Y a rien à faire ! OK ? Ah ! tu sors pour aller lui apprendre à vivre… T'avise pas d'y toucher à ma chienne, parce que tu vas t'en prendre toute une, mon ami ! Il a dû changer d'avis ce mec… Où est-ce qu'il va ? Vers sa voiture, je crois… Tant mieux, il prend ses cliques et ses claques… Qu'il aille manger dans un endroit plus tranquille… Il a l'air complètement speedé… Comme sous amphétamines… Faut être plus cool, mon gars ! On a tous eu une dure journée… Les gens se détendent autour de moi… Faut dire qu'ils ont commencé à avoir peur ! On s'est engueulés fort, ce jeune type et moi… Enfin, je vais bientôt être servi et je vais pouvoir retourner auprès de ma Betsy chérie… Elle continue d'aboyer… C'est seulement quand les portes s'ouvrent… Y a rien de grave… Y a le Smokey qui se fait exécuter, mais c'est loin, à Atlanta… Il est presque neuf heures. Smokey, c'est une histoire du passé… Qui aura trouvé sa fin… Faut surtout pas que j'oublie d'appeler mes parents… Quoi ? Il revient le type… Il est cinglé… Il a l'air furieux… Mais il est armé ! Le salaud… Pour qui il se prend ??? J'avais oublié que c'était le pays des cow-boys ici… Attends, j'arrive, Betsy ! Il va tirer sur ma chienne, l'ordure ! Faut que j'arrête ça ! Poussez-vous, bande d'idiots… Mais t'es fou, mon gars ! Betsy, ta gueule ! Ta gueule… Putain !… Je m'entends plus parler… Mais elle va même pas se taire devant un type qui a un fusil et qui la tient en joue ! Arrête, mon gars, arrête… Mais… Mais… Merde… Le salaud, il vient de tirer sur ma Betsy… Les gens hurlent autour de moi… Il a tué ma chienne ! Elle pisse le sang… L'ordure… Elle couine un peu. Pas encore morte… Ça m'arrache le cœur, ma fille, si tu meurs… Je vais pas m'en remettre… Je peux pas te faire un câlin… Mais essaie de t'accrocher ! Je vais lui faire sa fête à ce type… Tu ris, l'ami ? Ça te fait rigoler de tuer un chien… Hein ? Tu trouves ça drôle… Tu prends trop de drogue, ça te brûle ce que t'avais de cerveau… La vie, pour toi… C'est pas plus important que ça, hein ? On aime pas le bruit, alors on tire sur ma Betsy… Brave bête ! Elle dit plus un mot… Je vais te tuer, moi, sale frère ! Tu me dégoûtes ! Tu voulais mourir ce soir ? C'est comme si c'était fait… Les gens se poussent ! Oui ! Appelez la police ! Mais ils feront rien… C'était juste un chien… Je vais te tuer, l'ordure ! Ou alors, oui, c'est ça, vas-y, tue-moi, empêche-moi de te tuer ! Voilà que tu me menaces, mais vas-y, tire ! Qu'est-ce que tu veux que je fasse sans ma chienne, de toute façon… Je te crache au visage. T'as beau me tenir en joue, je te crache dessus ! Mais tire ! Je te fous un coup de poing et t'oses pas tirer… Quel lâche ! T'as des couilles ou non ? ? ? Ah ! C'est amusant de tirer sur les chiennes sans défense, mais là t'as peur mon gars de devoir tuer un homme ! Ça aura des conséquences… Pour sûr. Smokey en sait quelque chose ce soir… Tuer un chien, tuer un homme… Mais c'est pareil ! Vas-y ! Vas-y ! Ah ! Voilà… Le premier coup ! Je crois que tu m'as bien eu… Ça fait vraiment mal… Comme si quelqu'un déchirait ma poitrine… Les gens crient… Juste du bruit ! T'es où Betsy, que je rampe jusqu'à toi ? J'ai envie de mourir dans ton odeur… Chaude… Mais je vois déjà plus rien… Putain !!! C'était juste ça, la vie… J'avais raison de pas trop m'en faire… Ça valait pas la peine… Je le saurai pour une prochaine fois… Je te suis, ma Betsy, on se retrouve plus tard au paradis des chiens ! On ira courir sur une plage de la Louisiane ? À tout à l'heure, ma chérie… Saleté de Noirs quand même, hein, Betsy ?

PEARL WATANABE

Alors qu'elle contemplait la vue sur l'aéroport Hartsfield-Jackson d'Atlanta que lui offrait la fenêtre de sa chambre de l'hôtel Hilton, Pearl voyait défiler les événements qui s'étaient déroulés depuis son retour sur le continent. Son passé venait aiguillonner délicatement ses sens engourdis et les images de l'avenir, spectres d'un futur impalpable, se baladaient nonchalamment dans son esprit. Pearl appréciait particulièrement ce moment de vagabondage de ses idées. Elle savourait l'occasion heureuse qui lui donnait un instant de paix. Un mois plus tôt, elle débarquait de l'avion et elle retrouvait sa fille Tamara, son mari et les enfants avec joie et appréhension. Voici que son séjour était fini... Demain matin, elle prendrait le vol 2523 à destination d'Honolulu et elle ouvrirait la porte de son petit condominium onze heures plus tard. Le spectacle figé de Diamond Head, le volcan éteint, se détachant sur le ciel bleu du Pacifique, lui semblerait bien doux ! Ce serait encore l'après-midi à Hawaii et elle pourrait profiter de la fin de la journée pour aller faire des courses. Pearl savait qu'elle devait reprendre le travail le lendemain de son retour et il fallait mettre les choses en marche pour que la vie se réinstalle paisiblement. Un avion d'Air France était en train d'atterrir sur une piste pas très loin de l'hôtel Hilton en faisant un bruit sourd. Pearl se rappela alors le seul voyage en Europe qu'elle avait effectué avec son mari, au début des années quatre-vingt. L'Europe lui avait semblé un tel éblouissement! Elle s'était sentie chez elle en Angleterre, en France et en Italie. Londres, Paris, Pise, Venise... C'était un étourdissement! Avant son départ, elle avait suivi des cours d'italien et de français et elle avait pu ainsi apprécier les jours passés sur l'ancien continent avec un bonheur tout particulier. Cet amour des langues lui avait servi dans son travail de gérante d'hôtel au Moana de Waikiki. Encore maintenant, presque trente ans plus tard, elle aimait toujours pouvoir bavarder avec des Français ou des Italiens de passage, des gens toujours très distingués... La mère de Pearl, enfant, était allée par bateau en Europe. Dans les nombreux récits racontés durant toute la jeunesse de Pearl par ses parents, il avait été fait une place privilégiée, presque magique, à l'odyssée vers l'Angleterre et au bateau merveilleux sur lequel sa mère voyageait. Elle avait vu la tour de Londres, la tour Eiffel et la tour de Pise. Toutes ces histoires dont son enfance avait été bercée continuaient d'habiter Pearl. Les parfums de l'Europe des années vingt s'étaient mêlés naturellement à ceux des années cinquante à Hawaii. Les arômes du Vieux Continent hantaient la petite Pearl sur son île isolée du Pacifique et ils avaient entouré son voyage en Europe d'une aura tout à fait particulière... La France et l'Italie s'étaient révélées dans un ravissement. Et Pearl aurait peut-être dû y retourner. Mais la vie s'emballe et on oublie de prendre le temps de réaliser ses rêves… Pearl préférait plutôt s'attacher à cette phrase de Deepak Chopra qui l'avait tant frappée dans l'avion : « Si vous étiez témoin aujourd'hui d'un miracle, seriez-vous capable de le reconnaître ? » Quelque chose de miraculeux était arrivé. Oui, une coïncidence invraisemblable… Smokey Nelson était mort au moment où elle retournait dans le Sud après toutes ces années. Elle aurait dû en profiter pour lui rendre visite au pénitencier. Il faut être, comme le dit Chopra, capable de reconnaître les signes du ciel. Pearl n'avait pas été à la hauteur de la situation, mais elle ne devait pas regretter ce qui n'avait pas eu lieu. Oui, après-demain, Pearl retrouverait ses habitudes, ses touristes, ses heures de jogging et sa ligne, que la nourriture de Tamara lui avait fait un peu négliger… Après son séjour à l'hôpital Erlanger de Chattanooga, Pearl avait dû concéder à Mara qu'elle était bien fatiguée ces derniers temps et qu'il lui fallait du repos. Pour pouvoir prendre de si longues vacances, par égard pour les autres employés, elle avait dû se coltiner au travail pas mal d'heures supplémentaires avant son départ et cela n'avait pas été tous les jours facile… Pourtant, les médecins du Erlanger Hospital, non sans lui avoir fait passer une batterie de tests, lui avaient donné son congé le surlendemain de son évanouissement. On la laissait partir à condition qu'elle prenne des somnifères tous les soirs afin de bien dormir. Ces insomnies qui duraient depuis tant d'années devaient être vaincues ! Cela n'avait aucun sens et était très certainement épuisant… On lui avait prescrit aussi un cocktail d'anxiolytiques et d'antidépresseurs qui devait s'avérer efficace. Les médecins voyaient en ce malaise de l'angoisse et même peut-être un début de dépression que les nuits sans long sommeil exacerbaient. Personne ne parvenait vraiment à expliquer ce qui était arrivé à Pearl. La chaleur, le décalage horaire ne pouvaient permettre de comprendre une telle syncope ! Pearl ne vivait tout de même pas au Colorado et connaissait bien la violence du climat du Sud ! De plus, elle était une grande sportive et avait appris à connaître les limites et les possibilités de son corps. Dans un temps de canicule, pas mal de gens ne se rendaient pas compte du manque d'eau dans leur organisme, mais cette perte très relative des liquides dans ce cas précis ne parvenait pas à tout expliquer… On avait réhydraté Pearl toute une journée. On lui avait aussi déconseillé de courir dans la chaleur intense et on l'avait surtout enjointe à soigner la dépression qui semblait s'installer en elle et qui était très commune chez les femmes de son âge après la ménopause. Pour le reste, les résultats des nombreux examens montraient que Pearl était en excellente santé. La femme médecin avait ri avec Tamara en affirmant qu'elle ne voyait aucune raison pour que Pearl ne soit pas centenaire. Pearl avait bien aimé cette fille dont les parents étaient nés à Calcutta dans une certaine misère et qui était allée à l'université faire des études de médecine. Pearl avait bavardé longuement avec cette jeune femme courageuse et avec d'autres membres du personnel hospitalier avec lesquels elle s'était trouvé très rapidement des affinités. Bien qu'elle ait eu honte d'avoir attiré tant d'attention sur elle et d'avoir inquiété sa fille et ses petits-enfants, Pearl s'était sentie bien à l'hôpital et avait quitté celui-ci presque à reculons, sachant qu'à la maison, Tamara ne la laisserait pas en paix. La fille tenterait de distraire la mère de façon un peu trop énergique et parlerait des problèmes que cause la vie en solitaire, espérant ainsi convaincre de s'installer à Chattanooga une Pearl récalcitrante. Celle-ci devrait boire, manger toutes les trois minutes et il lui faudrait s'allonger sans cesse, sous peine d'engueulades infinies avec sa fille ! Pearl serait surveillée et devrait renoncer à toute liberté. Tout était très prévisible…

Le jour de la sortie de la clinique, la famille était partie comme prévu au nord de Gatlinburg, dans les Smoky Mountains. Là, il faisait en effet beaucoup moins chaud. Le paysage était magnifique ! La rivière qui coulait devant la maison que Tamara avait louée apportait une brise constante, rafraîchissante. Les enfants se baignaient tous les jours avec leur grand-mère et le bruit de l'eau qui coule sans interruption entre les pierres était magnifiquement apaisant. Howard était venu rejoindre tout ce petit monde pendant quelques jours. Pearl avait inventé plein de jeux pour Luke et Ava et le soir elle s'était mise à faire des parties de Monopoly avec sa fille et son gendre, histoire de meubler le temps… Oui, cela avait été fort agréable, ces soirées passées à ne rien faire, à rire devant la perte ou le gain d'un terrain, d'une gare ou d'un service public ou encore à constater la ruine de Howard qui, comme l'affirmait sa femme, n'était doué d'aucune façon pour le capitalisme… Ce n'est pas avec un tel mari qu'elle deviendrait riche ! On faisait des balades chaque jour en famille, et les enfants espéraient rencontrer un castor, un cerf et même un ours. Les oiseaux s'envolaient à toute allure alors que Luke leur courait après et Howard avait dans un porte-bébé dorsal une petite Ava qui rêvait d'être un jour aussi grande et aussi libre que son frère. La canicule était terminée. Même à Chattanooga. C'était l'été chaud du Sud, certes. Mais l'air des montagnes semblait bon, presque tendre après la violence du climat en ville. Les repas étaient délicieux et interminables... Tamara finissait à peine de faire la vaisselle du midi qu'elle commençait à préparer le repas du soir. On faisait des courses sans arrêt. On avait toujours oublié d'acheter quelque chose... Et cela permettait d'aller refaire un tour à Gatlinburg, cette ville kitsch, hautement touristique, que Pearl n'arrivait pas tout à fait à aimer, mais qui la rendait tout de même joyeuse, sans qu'elle sache trop pourquoi. Le musée des vieilles voitures, le musée de cire ou encore celui des disques les plus vendus au monde l'amusaient vraiment. Il y avait dans toute cette production de nostalgies diverses le signe d'un véritable ennui qui envahissait le présent. Et en entrant dans le complexe aménagé pour vivre de façon simulée un « authentique » tremblement de terre, Pearl s'était dit que cette époque lui rappelait un peu l'ère romaine en pleine décadence, sur laquelle elle avait beaucoup lu après avoir vu un historien parler de son livre à la télé. Mais de ses réflexions sur la répétition de l'histoire et la fin d'un monde, Pearl ne soufflait mot à sa fille ou à son gendre. Howard et Tamara étaient des jeunes gens enthousiastes qui croyaient beaucoup au progrès et qui n'aimaient guère les pensées pessimistes. Ces enfants de gauche espéraient encore que le monde pourrait changer et Pearl préférait ne pas leur faire perdre leurs illusions et leurs combats. C'est elle-même qui avait inculqué à la petite Mara ses idées de lutte pour une vie et une société meilleures, et il aurait été ridicule à Pearl d'avouer qu'elle ne savait plus trop où en était sa réflexion sur ces sujets graves. De l'espoir, Pearl se demandait s'il fallait vraiment en avoir... Mais cette crainte face à un avenir inconsistant, Pearl la gardait pour elle. De plus, après l'hôpital, en sentant la force brutale de l'inquiétude que ressentait Tamara, Pearl avait décidé de jouer la comédie du bonheur… Et elle s'était presque convaincue que tout allait bien. Il faut dire qu'elle vivait des moments extrêmement heureux avec les petits et avec Mara et Howard. Elle arrivait à apprivoiser le Tennessee. En fait elle n'avait jamais eu le temps, quand elle était venue vivre avec sa fille en Georgie, de visiter ce coin de pays. Les Smoky Mountains ne sont pourtant pas bien loin d'Atlanta… Oui, mais à l'époque, il fallait travailler sans cesse, puisque les vacances étaient rares et surtout exorbitantes pour une mère divorcée. Pearl devait convenir qu'il y avait dans toutes ces heures volées au quotidien routinier, quelque chose de précieux, de magique et elle ne voulait surtout pas montrer à sa Mara l'angoisse qui l'étreignait durant les nuits sans sommeil et qui arrivait à se dissiper dans la journée. Au contraire, elle mentait effrontément à sa fille en prétendant prendre les somnifères et les tranquillisants qu'on lui avait prescrits, alors qu'elle se gardait bien de toucher au moindre médicament. Pearl ne croyait pas dans cette médecine-là. À Honolulu, elle fréquentait un réseau de cliniques de soins naturels ou homéopathiques. Pearl se doutait bien que Tamara fouillait dans ses bagages dès qu'elle avait le dos tourné. Et il fallait ruser pour que sa fille ne voie pas que le flacon de médicaments restait plein. Pearl préférait le jogging et le tennis à toutes ces solutions chimiques. Dès son retour à Hawaii, elle consulterait son naturopathe pour qu'il l'aide à perdre du poids. Pearl avait toujours lutté contre ses déprimes par l'exercice, le travail et quelques granules inoffensifs. Mais ici, Tamara lui interdisait de bouger, sauf durant les promenades en famille. Pearl acceptait la loi de sa fille en se disant que tout n'était que momentané et qu'il valait mieux, dans les circonstances, être docile. Il suffisait de ruser un peu.

À l'hôpital, alors qu'elle venait de se réveiller et qu'elle repensait à ce qui avait déclenché sa syncope, Pearl avait feint l'ignorance quant à l'exécution de Smokey Nelson. Elle n'avait jamais parlé du condamné à mort aux médecins qui s'expliquaient mal l'agitation de cette femme aux allures douces. Et Tamara, qui visiblement avait tout de suite compris de quoi il retournait, n'avait pas soulevé la question devant sa mère. Ce silence tacite que Pearl et Tamara observaient sur les causes de l'évanouissement n'avait été rompu qu'une fois. Un soir, alors que Pearl et Mara se trouvaient dans la chambre des enfants, au moment de les mettre au lit, Pearl avait demandé à brûle-pourpoint à sa fille, qui lui tournait le dos, occupée à ranger les vêtements de Luke dans le placard : « A-t-il été exécuté ? » Tamara avait répondu aussitôt, très fermement, comme avec soulagement : « Oui ! » Et elle avait ajouté lentement, comme à contrecœur : « La nuit dernière. » À cela, Pearl n'avait pas répliqué. Elle avait pourtant eu envie de hurler. Elle avait pris très fort les enfants dans ses bras pour leur souhaiter bonne nuit. En elle, quelque chose venait de se briser définitivement... Mais sur le coup, il fallait faire taire la sauvage contraction de son être qui souffrait. Pearl verrait à Honolulu, quand elle serait seule ! Pour l'heure, elle était incapable de juger l'impact de ce qu'elle voyait comme une catastrophe. Le reste du séjour s'était donc effectué sans autre allusion au mort. Cette constante comédie avait rendu Pearl un peu tendue. Elle s'en voulait de mentir à sa fille, de ne pas être capable de parler.

Mais qu'aurait-elle dit ? Et à quoi une conversation sur le sujet pouvait-elle bien servir ? De toute façon, il était clair que Tamara préférait rester muette sur Smokey Nelson. Pearl avait compris le jour de son évanouissement qu'au début de son séjour, sa fille lui avait caché l'exécution de Smokey. Il valait mieux faire comme si de rien n'était et passer des jours heureux. Pearl trouverait un moyen de réfléchir à tout cela plus tard. Il suffisait d'être très patiente et un peu dissimulatrice.

La solitude avait néanmoins beaucoup manqué à Pearl durant son séjour dans le Sud. Elle n'était plus habituée à vivre continuellement avec des gens. Elle avait besoin de respirer, de penser, de faire quelque chose de cette tristesse féroce qui l'envahissait depuis son évanouissement. C'est pourquoi elle avait insisté pour aller passer la nuit à l'aéroport d'Atlanta juste avant de prendre l'avion. Pearl avait dû se battre avec sa fille. Tamara ne voulait pas que sa mère dorme à l'hôtel. L'avion ne décollait qu'à dix heures cinquante et en partant tôt, on n'aurait aucun mal à arriver à temps pour faire l'enregistrement des bagages sans trop de panique. Pearl n'avait pourtant pas cédé. Voilà plus d'un mois qu'elle se pliait à tous les règlements et diktats de Mara, mais au sujet de la nuit qu'elle voulait passer seule à l'hôtel, Pearl était restée intraitable. Elle avait expliqué fermement à Tamara et à Howard, qui s'était mis de la partie pour convaincre sa belle-mère, qu'elle avait besoin de se retrouver de longues heures avec elle-même avant de retourner au travail. À Honolulu, malgré tout, les choses se précipiteraient. Il fallait donc avoir une soirée pour reprendre son souffle, pour penser. Tamara devait trouver que l'idée de dépenser une nuit d'hôtel pour rien était ridicule, mais le ton de Pearl avait été très assuré et la mère était parvenue à ses fins. Pearl, devant la fenêtre du Hilton de l'aéroport d'Atlanta, alors qu'elle surplombait les pistes d'atterrissage et de décollage et qu'elle apercevait au loin les tours de la ville, était heureuse d'avoir un moment à elle. Un vrai temps d'arrêt pour réfléchir un peu à tout ce qui lui était arrivé durant le dernier mois. Un instant singulier pour renouer peut-être avec la vie.

★

Tamara avait été surprise quand sa mère lui avait dit au revoir assez précipitamment devant l'hôtel Hilton. Pearl avait refusé que Mara l'accompagne à la réception ou dans sa chambre. Elle avait embrassé sa fille rapidement en lui murmurant à l'oreille de retourner auprès des enfants et de prendre bien soin d'eux… Pour Tamara, il y avait quelque chose d'absent et de presque dur dans le dernier regard que sa mère avait posé sur elle, comme si Pearl ne voulait pas reconnaître la présence de sa fille et la difficulté de la séparation. Tamara qui, depuis presque un mois, ne lâchait pas sa mère d'une semelle et ne lui laissait aucune initiative, s'était habituée à une grande docilité maternelle et ce changement d'attitude et de ton l'avait désarçonnée. Dans les derniers jours au retour de Gatlinburg, Tamara avait insisté pour que Pearl revoie les médecins et refasse des examens. Tout allait à merveille. Néanmoins, on avait prescrit de nouveaux médicaments et d'autres somnifères. Était-ce cette ordonnance que Tamara était allée chercher elle-même à la pharmacie qui ne convenait pas à Pearl, qui lui avait changé l'humeur ? Il faut avouer que la mère de Tamara avait toujours eu des lubies de solitaire, mais le séjour à Gatlinburg faisait croire à Mara que tout était possible... Alors qu'elle venait de rouler plus de deux heures, du Hilton de l'aéroport à chez elle et qu'elle était en train de garer sa Ford Astro dans l'entrée de garage, Tamara revoyait l'ambulance qui s'était arrêtée devant la maison le jour de la syncope de Pearl. Elle avait eu tellement peur! Mais les semaines qui avaient suivi avaient été très agréables... Tout s'était bien passé... Il n'y avait que l'entêtement de Pearl qui avait insisté pour aller dormir à l'hôtel la veille de son départ pour entacher un peu le séjour... Il faudrait avoir une conversation avec Pearl sur Skype au sujet des médicaments... Pearl devrait peut-être aller voir un médecin à son arrivée à Honolulu, question de voir si tout était bien dosé. En fait, Mara ne comprenait pas pourquoi Pearl avait tenu à aller coucher à l'hôtel, cette dernière nuit sur le continent. Pearl avait été inébranlable. Et aussi pourquoi sa mère ne voulait-elle pas prendre une chambre au Westin de l'aéroport, alors qu'elle avait sûrement des rabais dans cette chaîne où elle travaillait depuis tant d'années? Même le grand-père de Tamara avait travaillé au Moana Westin Hotel, qui était à l'époque un luxueux Sheraton. Grand-papa Watanabe avait passé sa vie comme électricien, mécanicien, déménageur au Moana de Waikiki. Cela devait quand même octroyer certains privilèges! Non, il avait fallu que Pearl réserve une nuit au Hilton, dans ce grand hôtel de presque vingt étages! Elle voulait une vue sur les pistes d'atterrissage et sur la ville! Pearl avait toujours aimé avoir une perspective sur le monde. C'est pourquoi à Honolulu, dans le petit condo coquet de Pearl juché au vingt-deuxième étage d'un grand immeuble climatisé, toutes les fenêtres donnaient sur Diamond Head... Et c'est pourquoi aussi ce logement minuscule avait coûté aussi cher! Avec les enfants et Howard, il fallait s'entasser durant les vacances dans ce deux-pièces ridicule... Sa mère aurait dû acheter quelque chose de grand et de moins extravagant, mais là encore, Pearl n'en avait fait qu'à sa tête! En pensant à tout cela, Tamara était un peu en colère contre sa mère, mais le souvenir de l'ambulance devant la maison ranimait ses inquiétudes quant à la fragilité de Pearl. Il était temps que cette dernière prenne des décisions importantes et pense à un autre mode de vie. Tamara aurait voulu convaincre sa mère de venir habiter à Chattanooga en famille et elle avait cru en voyant combien sa mère avait passé un bon moment chez elle et près de Gatlinburg que c'était dans la poche! L'épisode du Hilton, et surtout le ton avec lequel Pearl avait affirmé que rien ni personne au monde ne la ferait changer d'avis sur cette dernière nuit dans le Sud, avait fini par faire comprendre à Tamara que sa mère avait peut-être feint la soumission dans les dernières semaines et qu'elle était aussi têtue et déterminée qu'avant... Elles n'avaient pas discuté ensemble de l'exécution de Smokey Nelson. Mara ne savait toujours pas comment Pearl avait appris la nouvelle ce fameux jour de la syncope. Quand Pearl s'était réveillée dans l'ambulance, qu'elle avait ouvert les yeux, elle avait regardé sa fille avec détresse, c'était le regard de 1989 et des années qui avaient suivi. Tamara ne pouvait pas s'y tromper et puis, de toute façon, elle avait bien senti que Smokey Nelson était revenu dès qu'elle avait vu sa mère évanouie dans le salon. Dans l'ambulance, Tamara n'avait pas bronché et elle avait fait comprendre à sa mère qu'il était inutile de parler de tout cela. Dans un rictus grimaçant, presque horrifié, Pearl avait souri à sa fille. Mais elles n'avaient plus jamais abordé la question, même tacitement, sauf un soir, le soir de l'exécution, lorsque Pearl avait demandé si c'était fait... Pearl avait quelque chose d'une sorcière... En fait, elle avait questionné sa fille la journée même où Smokey allait être enfin supprimé. Tamara avait menti à sa mère... Smokey allait mourir plus tard dans la nuit. Il était en train de vivre ses toutes dernières heures. Alors, Tamara avait préféré dire que la chose avait déjà eu lieu. C'était jouer plus sûr... Sa mère l'avait crue ou en tout cas n'avait pas poursuivi la conversation. Elle aussi devait être soulagée... Tamara était vraiment contente que cette histoire soit bel et bien derrière elle. Le malaise de Pearl était simplement physique et peut-être un peu hormonal. Il y avait aussi le surmenage de Pearl à Honolulu auquel il était nécessaire de mettre un terme. Les nuits sans sommeil que les somnifères venaient, Dieu merci, de régler, n'avaient pas arrangé les choses! Et puis le jogging! Quelle idée à cet âge-là! À Gatlinburg, sans la télé, sans la radio, on vivait hors du monde et c'était mieux ainsi. Mais Howard, qui était retourné à Chattanooga le 13 août, avait appelé sa femme la veille, le jour et le lendemain de l'exécution pour la tenir au courant et lui donner les détails de l'affaire. Howard ne comprenait pas bien pourquoi sa femme refusait de parler de tout cela à sa mère et il avait même eu le culot de dire au téléphone à Tamara qu'il plaignait ce type. Mara n'en avait pas cru ses oreilles! Elle avait reposé le combiné du téléphone de fort mauvaise humeur. Elle voyait bien que Howard ne saisissait pas tout le mal que Nelson leur avait fait... Mais au bout de tant d'années de mariage, il n'y avait pas à expliquer à son mari ce qu'il n'avait pas réussi encore à comprendre ! Howard n'aurait jamais accès à la douleur de Tamara et cette dernière se consolait en se disant que c'était peut-être mieux ainsi… Les vacances avaient été merveilleuses ! Si Tamara ne s'était pas inquiétée pour l'argent durant cette période très pénible de récession et de chômage, tout aurait été parfait. Les enfants avaient joué avec leur grand-mère. On avait passé de très belles soirées ! Pearl reviendrait sûrement. Tamara ne perdait pas espoir que sa mère décide un jour de s'installer avec elle à Chattanooga. Les coups de tête et les caprices comme celui du Hilton n'avaient pas eu lieu à Gatlinburg. Tout compte fait, Pearl s'était quand même adoucie avec l'âge… La veille de son retour à Honolulu, elle était peut-être vraiment inquiète pour son retour au travail. De plus, Pearl, Tamara le voyait bien, avait tout maintenant d'une vieille fille avec ses manies et ses rites obsessifs. À long terme, ce mois très agréable passé en famille permettrait à la mère de réfléchir à la suite des choses. La fille en était persuadée… Oui, tout s'était bien déroulé… C'est ce que Tamara se répétait dans sa tête… Et c'est la première chose qu'elle dirait à Howard en poussant la porte de la cuisine où il serait en train de nourrir les enfants : « Oui, tout s'est très bien passé. Les choses s'annoncent bonnes pour l'avenir. » Et elle embrasserait son mari et ses enfants très tendrement…

★

Dans un des restaurants de l'hôtel Hilton de l'aéroport d'Atlanta, Pearl venait de se commander un French Cosmopolitan en attendant que son plat de pâtes aux fruits de mer et sa salade verte lui soient servis. D'habitude, Pearl ne buvait guère. Il lui arrivait parfois à la sortie du travail d'aller prendre un verre avec des collègues ou encore de savourer un petit vin blanc à table. Mais elle n'achetait pas d'alcool pour la maison. Elle trouvait que siroter un cocktail toute seule était quand même une habitude regrettable qui conduisait souvent à l'abus... Combien d'amis s'étaient abîmés dans l'alcool ? Elle ne pouvait en faire le compte... Néanmoins, voilà un mois qu'elle n'avait pas avalé une goutte de vin ou de vodka et cela lui manquait un peu. Tamara et Howard n'absorbaient jamais le moindre alcool. Pearl ne se rappelait plus d'ailleurs quelle était la cause de cette abstinence. Cela devait être une autre loi bien absurde de sa fille... Howard n'avait de toute façon guère voix au chapitre... Le Cosmopolitan était bien frais et le petit goût de lime ravigota un peu les papilles de Pearl. À côté d'elle, un couple de jeunes gens se courtisait gentiment. Un peu plus loin, près des cuisines, une famille fêtait un anniversaire en chantant. Quand le serveur revint, Pearl avait déjà fini son drink. Elle en commanda un autre, de bonne humeur. Le serveur lui fit un clin d'œil, un petit signe de connivence qui la mit un peu mal à l'aise. Ce garçon plus jeune que sa fille devait penser que cette vieille dame était une ivrogne tout à fait indigne. Mais le visage joyeux de cet assez bel homme lui donna l'envie de répondre en souriant. Les choses pouvaient quand même être très simples ! Quand le repas fut servi, Pearl demanda un verre de vin blanc pour accompagner les pâtes... Après tout, elle ne faisait rien de mal ! Elle avait simplement envie de célébrer sa première vraie soirée dans le Sud... Qu'elle avait souffert d'être enfermée dans le monde étroit de sa fille! Et c'est seulement à l'hôpital, pendant trente-six heures, qu'elle avait eu l'impression de respirer un peu l'atmosphère de ce coin de pays qu'elle avait choisi de nombreuses années auparavant... C'est elle qui avait voulu venir à Atlanta à l'époque, et cette région, elle l'avait d'abord aimée passionnément avant de finir par la détester à la fin des cinq années et simplement à cause des événements du motel Fairbanks. S'il n'y avait pas eu le meurtre et tout le procès, Pearl serait probablement restée à Atlanta et aurait mené là une bonne existence. Mara aurait grandi, volé de ses propres ailes. Pearl se serait très certainement remariée. Mais la vie en avait décidé autrement... Quand le serveur vint desservir la table, Pearl jeta un coup d'œil à sa montre. Il n'était que dix-neuf heures. Elle avait donc la nuit à elle. Comme elle avait bien fait de venir tôt à Atlanta! Elle demanda au garçon qui emportait déjà son assiette s'il connaissait une boîte de jazz en ville où elle pourrait passer la soirée, sans trop avoir l'air déplacée, malgré son âge. Le serveur rit de bon cœur devant la gêne de Pearl. Il lui dit d'attendre quelques secondes. Il débarrassa la table et revint rapidement avec un papier sur lequel il avait soigneusement inscrit le nom d'un bar et une adresse. Ils acceptaient là-bas les très vieilles dames... Il suffisait de prendre un taxi et d'y aller. Il n'y en avait pas pour bien longtemps et elle y serait vite. Pearl demanda au serveur amusé de mettre le montant de l'addition sur le compte de sa chambre. Elle avait décidément encore trop mangé. La petite robe noire qu'elle avait enfilée en descendant au restaurant la serrait un peu.

Un groupe d'enfants en maillot revenaient de la piscine et il fallut à Pearl se faufiler parmi cette horde de gamins joyeux afin de trouver l'entrée principale de l'hôtel. Beaucoup de gens semblaient avoir eu la même idée qu'elle et voulaient passer une dernière soirée à Atlanta avant de prendre l'avion. C'est un sentiment bien naturel que de vouloir, avant de retourner chez soi, passer une soirée mémorable dans la ville où l'on se trouve. On a ainsi l'impression de rester un peu plus longtemps en voyage, de voler des moments de bonheur, de commettre un petit péché. Pearl demanda au chauffeur de la conduire au Sun Dial Bar, 210 Peachtree Street. L'homme acquiesça en démarrant rapidement et dit dans un éclat de rire : « On est partis pour le Westin. » Pearl ne comprit pas bien la remarque. Elle répéta alors l'adresse et le nom du bar qu'elle lisait sur le bout de papier donné par le serveur en pensant que l'homme n'avait pas bien entendu ce qu'elle avait dit. Il devait confondre... Mais le chauffeur lui expliqua que le Sun Dial se trouvait en fait au sommet d'un grand hôtel d'Atlanta : le Westin... Cela fit sourire Pearl. Il n'y avait pas moyen de se déplacer dans ce monde moderne sans retomber sur soi-même ou son propre passé... Le Westin... Elle demanda au chauffeur ce qu'il pensait du Sun Dial. L'homme qui était d'origine turque, comme il le confia lui-même à Pearl durant le trajet, lui dit que c'était un endroit où il conduisait pas mal de clients. Le bar situé au soixante-treizième étage de l'hôtel effectue sans cesse un tour complet sur lui-même et embrasse éternellement ainsi toute la ville. Les mercredis et les jeudis soirs, un groupe de jazz était là sur place et tout le monde semblait s'amuser dans le ciel bleu d'Atlanta. Si haut, on voit loin… En mars, une tornade s'était abattue sur le centre-ville. Un vrai événement. Il paraît que c'était spectaculaire au soixante-treizième étage… Il fallait commencer la soirée là, pour contempler la vue et se plonger dans une atmosphère assez feutrée, et puis la finir dans un bar du tonnerre, The Churchill Grounds Jazz Café, installé dans la même rue, à côté du Fox Theater… Comme cela, on pouvait avoir un vrai goût du Sud. Pearl avoua alors au chauffeur qu'elle avait déjà habité en Georgie, dans la banlieue d'Atlanta, de 1984 au début de 1990, qu'elle connaissait un peu Peachtree Street, bien qu'on lui ait beaucoup expliqué que toute la ville avait complètement été transformée avec les Jeux Olympiques de 1992 et que le centre n'était plus aussi inquiétant qu'avant. À l'époque, elle avait une petite fille et ne venait pas souvent le soir boire un verre dans les quartiers un peu chauds… Cela avait dû beaucoup changer… Elle avait aussi entendu parler du plan d'aménagement tout récent de la mairesse noire Shirley Franklin qui métamorphoserait encore une fois la cité. Depuis de nombreuses années, les sans-abri avaient, paraît-il, presque totalement déserté le cœur d'Atlanta, et ils se retrouvaient à la périphérie. Ce n'était pas bien drôle pour eux ! C'est ce qu'un reportage à la télé avait appris à Pearl. Cette situation l'avait peinée… Elle essaya de demander au chauffeur ce qu'il pensait de ces mutations de la ville. Mais celui-ci ne s'intéressait pas trop aux développements de l'urbanisme et au déplacement de la pauvreté à Atlanta. Il préféra se lancer dans le récit de sa propre histoire. Il était arrivé en Georgie, il y avait à peine trois ans. Avant il vivait à Toronto, au Canada. Ses parents avaient immigré là quand il était enfant. Il venait d'épouser une fille de la Floride, elle aussi originaire de Turquie, qu'il avait rencontrée au Canada. Il s'était laissé tenter par le rêve des États-Unis. Il songeait maintenant à rentrer à Toronto. Oui, Atlanta était devenue une ville cosmopolite. Il pouvait y trouver des compatriotes, vivre dans sa communauté, mais la récession était en train de frapper durement. La politique, lui, il s'en moquait. Ce ne serait jamais son pays. Et puis, comme musulman, pouvait-il vraiment être américain ? Le temps du melting-pot était fini. Cela avait-il même existé ? Aux États-Unis, c'était pas compliqué. Il y avait des possibilités de se faire une vie… On trouvait un peu de racisme, aussi. Les immigrants ne gagnaient pas des masses. Parfois, il entendait des réflexions un peu désagréables. Lui, il n'était pas trop noir, alors cela allait encore… Il ne rappelait à aucun Blanc une vieille culpabilité… En le voyant, on pensait plutôt au World Trade Center… Mais rien de grave… Dans son travail, on ne lui demandait pas grand-chose. Seulement de connaître les rues… Le chauffeur riait en montrant d'un signe de la tête à Pearl les affiches jonchant l'autoroute et indiquant la direction pour se rendre au Martin Luther King Jr., National Historic Site… « On peut faire un détour, juste avant d'arriver au Westin, si cela vous intéresse… Pour passer devant sa maison ou encore pour voir sa tombe. Je n'ai jamais visité l'endroit, mais je conduis pas mal de clients là. Des gens dans votre genre… Cela doit vous passionner, vous, ces choses-là, non ? » dit-il à Pearl en se moquant gentiment d'elle. Décidément, les hommes qu'elle croisait ce soir la trouvait amusante… Elle devait leur sembler décalée, hors du temps présent. Pearl refusa cette invitation à se rendre à Auburn Avenue. Elle n'avait pas vraiment envie de revoir la maison de Martin Luther King. Un panneau sur la route venait de retenir son attention. Il fallait prendre à droite à la sortie 85 pour se rendre à Aurora. Or, c'est dans cette banlieue-là que Pearl vivait au milieu des années quatre-vingt avec sa fille Tamara. C'est dans ce même endroit qu'avaient eu lieu les événements du motel Fairbanks, qui se situait à environ six milles de chez elle. Durant quelques instants, Pearl resta interdite. Toutes ces choses existaient vraiment, avaient une réalité tangible et n'étaient pas simplement des spectres de noms, de rues, de lieux errant dans sa tête. Elle se demanda alors s'il n'était pas temps pour elle de retourner sur les lieux du crime… Il suffisait de demander au chauffeur d'aller à Aurora et de se diriger vers la maison qu'elle venait d'acheter à l'époque. Juste faire un tour. On n'avait même pas besoin de descendre de la voiture… Puis elle pouvait demander au chauffeur de poursuivre l'aventure jusqu'au motel Fairbanks, rue Munro. Le Fairbanks appartenait maintenant à une grande chaîne internationale. Pearl l'avait constaté en naviguant sur Internet. Il ne fallait que quelques phrases simples lancées au chauffeur taquin et dans quelque trente minutes elle se retrouverait devant la chambre 55. C'est dans la 55 qu'elle avait trouvé les quatre corps mutilés en poussant la porte, après avoir tambouriné longtemps contre celle-ci, dans l'espoir d'en réveiller les occupants, qui ne répondaient pas au téléphone et qui n'étaient pas venus régler leur chambre. Juste quelques mots et elle se tiendrait droite dans le parking du motel où elle avait parlé pour la première et dernière fois à Smokey Nelson. C'était à portée de la main. Pearl demeurait perplexe. Comment faire quelque chose du miracle que constituait sa proximité avec son passé ? N'avait-elle pas manigancé dans sa tête cette soirée à Atlanta pour se retrouver là ? Pour retourner sur l'aire de parking de l'ancien motel Fairbanks ? N'était-ce pas son désir secret, la suite logique des choses, que d'aller respirer l'air de la banlieue, à Aurora ? Mais là, alors que les signes sur la route montraient clairement le chemin de 1989, Pearl ne savait pas si elle avait vraiment envie d'y retourner. Avait-elle seulement quitté cette époque ? Et ce serait vraisemblablement la réalité qui serait infidèle au souvenir... Mieux valait en rester là... Aller au Sun Dial Bar, puis au Churchill Grounds Jazz Bar et garder cette période caduque bien au chaud dans un coin de son cœur. Intacte. Le monde actuel ne lui apporterait rien qu'elle ne sache pas... Pearl se détendit tout à coup... Le miracle demandait peut-être seulement à être savouré, sans interprétation... Les rendez-vous manqués avec la vie, Pearl les avait vus se succéder durant son existence... La seule rencontre à laquelle elle ne s'était pas défilée était celle qui avait eu lieu sur le parking, le 20 octobre 1989. Mais de ce hasard si grandiose, si terrible, elle n'avait pas pu faire grand-chose...

Voyant que sa cliente s'était tue, le chauffeur avait fait de même... Il régnait alors dans le taxi un silence bienfaisant qui faisait honneur à la beauté du soleil couchant. La sortie pour Aurora était maintenant dépassée. Le taxi allait prendre le Freedom Parkway jusqu'au Andrew Young International Boulevard et puis après, il y aurait ces rues, ces avenues que Pearl connaissait bien il y a vingt ans. Mais tout avait tellement bougé. Là, vraiment, Pearl ne savait plus où elle était. En fait, cela la soulageait presque de revoir un Atlanta méconnaissable. Son univers avait disparu... Elle était le dernier témoin d'une histoire obsolète, d'un temps désuet... Smokey était mort maintenant. Cela lui avait fait tellement mal de l'apprendre... La voilà qui restait toute seule avec ce qu'elle avait découvert dans la chambre 55... Toute seule avec une épouvante. Et puis aussi toute seule avec son histoire bébête dans le parking, son histoire d'amour ratée avec un criminel. Qu'il avait été charmant! Comment avait-il été capable de toute cette violence? De ces éventrements et de ces sévices. Elle avait été aux premières loges pour assister au spectacle de la sauvagerie de cet homme. Alors qu'avait-elle vu dans le parking? Et surtout pourquoi durant toutes ces années n'était-elle pas allée rendre visite à Smokey Nelson pour élucider le mystère qui l'habitait? Durant le procès, elle avait compris qu'il ne voulait pas la regarder... Elle avait au tout début, après être retournée à Honolulu, tenté d'entrer en contact avec lui. Elle lui avait même envoyé une très, très longue lettre. Elle en gardait d'ailleurs une copie dans le tiroir de son bureau à Honolulu. Tant de choses à écrire, mais surtout celle-ci: « S'il ne l'avait pas tuée ce matin-là, c'est qu'il n'était pas seulement celui que les journaux avaient fait de lui. Il pouvait se remettre de tout cela. Même en prison. Elle avait été sur son chemin à lui pour lui montrer qu'il était aussi capable de pitié. Car oui, c'est la pitié, la commisération, l'humanité, qui l'avait empêché de supprimer le seul témoin de cette histoire. » Smokey n'avait jamais répondu. Il avait sûrement regretté de ne pas l'avoir tuée. Il avait dû trouver, c'est ce qu'elle avait compris, qu'elle n'était qu'une vieille bonne femme, une folle. Une bigote qui croit au pardon. Cela n'était pas vrai! Elle voulait trouver un sens à la vie. Persuader Smokey Nelson que les choses n'arrivent pas pour rien. Autrement l'existence serait trop absurde... Et puis aussi, elle aurait voulu saisir quelque chose de cet homme. Sa douceur et son atroce méchanceté... Il lui avait refusé tout droit de regard sur sa vie... Pearl avait peut-être été simplement fleur bleue. Voilà une histoire banale... Elle s'était amourachée d'un inconnu. Comme toute femme un peu aveugle devant les hommes, elle avait découvert que le prince charmant cachait un monstre. Et cette fois-ci, c'était un vrai assassin. Comment avait-il pu tuer ainsi? Ces petits enfants éviscérés sur le lit... Leur mère égorgée dans la salle de bains... Et le père à la porte, le corps criblé de coups de couteau. Pourquoi? Pour quelques centaines de dollars que l'homme avait refusé de lui donner quand la porte s'était ouverte... Il avait fallu que l'on donne à cette famille la chambre 55, dans une aile isolée du motel, là où il n'y avait cette nuit-là personne... On n'avait rien entendu... Cela aussi, c'était un miracle, un abominable miracle... Le taxi venait de prendre Peachtree Street. Pearl avait beaucoup de mal à reconnaître le centre-ville... Pendant quelques secondes, elle tenta de retrouver les images de l'Atlanta des années quatre-vingt. En vain. Il valait mieux ne pas jouer au jeu des comparaisons et accepter le présent... Elle descendit du taxi devant le Westin. Un portier vint lui ouvrir la porte alors qu'elle n'avait même pas fini de payer... Au moment de prendre l'argent, le chauffeur la regarda dans les yeux. Il lui dit d'arrêter de porter le monde entier sur ses épaules. Le racisme, les pauvres, les Noirs, et tutti quanti! Il était temps de vivre! Promener sur ses épaules fragiles la douleur de cette terre ne donnait rien à personne. En lui rendant la monnaie, il lui parla de sa grand-mère turque, une femme bien malheureuse, toujours inquiète...

Elles s'entendraient bien toutes les deux… Pas la peine de toujours penser à la vie, à la mort et au sens des choses… Il n'y a que le présent. Il lui souhaitait donc du bon temps au Sun Dial et puis, plus tard, au Churchill. Un endroit génial ! Si elle pouvait, elle devrait se faire servir par Dogan en se recommandant de Mansur. De toute façon, elle verrait… Ce serait sympa…

Dans le hall, Pearl se dirigea immédiatement vers l'ascenseur qui la conduisit sans le moindre arrêt au soixante-treizième étage. Là, le soleil qui était en train de disparaître à l'horizon donnait au ciel une couleur d'incendie. La vue d'un Atlanta flamboyant sur fond de musique douce plut énormément à Pearl. Le groupe de jazz jouait quelque chose de tendre et triste. Cela tombait bien… Elle se sentait très mélancolique et pourtant quelque peu joyeuse. Un verre ou deux ne pourrait que lui faire du bien.

À Chattanooga, sur l'écran de la grande télévision de Tamara et Howard, le film venait de se terminer. *No Country for Old Men*… Un film bouleversant. Sans femme, mais avec de très bons acteurs… Tamara s'apprêtait à se lever de son fauteuil et à sortir le DVD de l'appareil afin de le ranger dans la boîte provenant du Blockbuster du quartier, quand elle vit qu'Howard s'était assoupi. Elle resta interdite… Il dormait… Elle avait pourtant regardé ce film pour lui… Affalé sur le canapé, son mari était visiblement en train de récupérer les heures d'un sommeil qu'il n'arrivait plus à trouver… Septembre était là et aucun travail dans son domaine n'était offert. On fermait partout des postes ! Il faudrait passer encore quelques mois comme vendeur de voitures, et Dieu sait que les voitures ne se vendent pas en période de récession ! Howard se faisait du mauvais sang pour son avenir et pour les finances de sa famille. Il perdait un peu de sa joie de vivre et de sa douceur. Il y avait eu entre lui et Tamara un certain nombre d'altercations, même devant Pearl. Cela inquiétait pas mal Tamara. Elle ne savait plus comment faire en sorte que les choses fonctionnent bien. Comme avant. Elle gardait pourtant espoir. Certes, elle reprendrait sa tâche d'enseignante au primaire dans deux jours... Personne ne mourrait de faim. Mais le prêt hypothécaire sur la maison était lourd... Pearl avait proposé d'aider la famille. Tamara n'avait pas soufflé mot de ses problèmes d'argent. Sa mère ne pouvait rien savoir de la gravité de la situation, mais cette sorcière qui devinait tout avait laissé tomber au détour d'une conversation que la dépression serait violente et que Mara et Howard ne devraient pas hésiter à faire appel à elle en cas de besoin. Pearl avait un bon salaire et peu de dépenses. Le condo était payé et, franchement, avec la vie qu'elle menait, les folies étaient rares. Tamara devait se résigner à être moins orgueilleuse. Elle demanderait à sa mère de lui prêter de l'argent. Pearl ne voudrait pas être remboursée. Cela créerait des ennuis. Avouer que les choses n'étaient pas aussi roses que Tamara l'avait laissé entendre durant tout le séjour de sa mère ne serait pas facile... On verrait... Peut-être à Noël, si la situation ne s'améliorait pas... Tamara était toujours un peu fâchée contre sa mère. Quelle façon de faire ! Au moment de se dire au revoir, Pearl aurait dû prendre sa Mara dans les bras et la regarder, émue… Elle avait simplement refermé la porte de la voiture après quelques conseils insipides. Tamara était sûre que sa mère appellerait… Pour s'excuser à demi-mot… Il était déjà onze heures du soir… Tamara avait passé la soirée à attendre la sonnerie du téléphone : il n'y avait eu aucun appel. Pearl s'envolerait demain pour Honolulu sans avoir dit au revoir à sa fille correctement. On se reparlerait sur Skype, avec les enfants. Comme si de rien n'était… Sa mère lui en voulait peut-être de quelque chose. Mara n'arrivait pas à imaginer ce que cela pouvait être. Elle avait fait tant d'efforts pour que sa mère soit heureuse durant son séjour… Elle était même épuisée par tout ce qu'elle avait dû accomplir pour que Pearl passe un bon moment. Que pouvait-elle lui reprocher ? Sûrement rien. Il s'agissait plutôt d'un trait de caractère spécifique à Pearl. En voilà une femme entêtée, se disait Tamara ! Et la solitude n'arrange rien… Tout à coup, l'idée que Pearl ait pu vouloir passer une nuit à Atlanta pour aller faire un pèlerinage malsain au motel Fairbanks traversa l'esprit de la fille… Mais elle repoussa vite cette pensée saugrenue… Sa mère ne lui avait même pas parlé du passé. Seule la nouvelle de l'exécution de Nelson, le jour de cette fameuse syncope, avait secoué Pearl. C'était normal… Mais après, avec l'air des Smoky Mountains, l'arrêt du jogging et les médicaments, tout était rentré dans l'ordre. Sa mère prendrait l'avion demain matin et voulait simplement passer une nuit seule. Comme le ferait une vieille fille… Oui, c'est cela que sa mère était devenue, une femme d'âge mûr sans mari, sans amant. Depuis de trop nombreuses années. Dès son divorce… Il fallait vraiment que Pearl vienne vivre avec eux… Tout pourrait changer. Elle pourrait même sortir avec un homme de son âge. Un veuf… Howard connaissait beaucoup d'hommes qui cherchent une jolie femme sérieuse.

Dans son fauteuil, ayant renoncé à remettre le DVD dans sa boîte, Tamara pensait à l'arrivée de sa mère à Chattanooga d'ici un an ou deux, aux prétendants qu'elle lui ferait rencontrer et au bonheur de retrouver sa mère, la Pearl des Smoky Mountains… Elle songeait aussi au travail que Howard aurait retrouvé d'ici là. Il pourrait même avoir un meilleur salaire. Il était tellement exploité dans son ancienne compagnie ! Tamara était pleine d'espoir. Elle sentit tout à coup que la vie pouvait être bonne. Elle s'assoupit alors dans son fauteuil, bercée par les ronflements de son mari.

★

Au soixante-treizième étage du Westin d'Atlanta, Pearl se sentit immédiatement chez elle. Elle se dirigea donc sans appréhension vers le bar. La barmaid lui tendit la carte impressionnante des cocktails. Pearl hésita quelques instants entre un Peachy Keen et un French Cosmopolitan. Mais elle finit par opter pour un Atlanta Hurricane. Le nom de cette boisson la faisait sourire. Atlanta avait été réellement une tempête dans sa vie… Oui… Et puis le rhum, les fraises et la piña colada lui semblaient le remède parfait à son vague à l'âme. Un homme vint s'asseoir à côté d'elle. Pearl commença tout de go à discuter avec lui. À son travail, elle avait toujours la manière d'aborder les gens et de les faire parler d'eux. John Morietta se présenta… Il venait de Chicago. Il était à Atlanta pour quelques jours. Il participait à un congrès organisé par sa compagnie spécialisée en produits pharmaceutiques. Pearl lui posa quelques questions. Ils se mirent vite à parler enfants, vies, mariages, divorces, voyages, en riant. Ils s'arrêtaient de temps à autre de bavarder pour mieux écouter la musique qui plaisait décidément beaucoup à Pearl. Même à l'époque, dans les années quatre-vingt, elle avait rêvé de venir écouter du jazz au centre-ville d'Atlanta. Cela n'avait simplement pas eu lieu… Une femme, une chanteuse, s'était jointe au groupe de musiciens. Elle avait entamé un air de blues avec conviction, passion. Cela émut Pearl. Elle se mit à parler d'Honolulu, de son enfance. John Morietta allait tous les ans à Noël avec sa femme se reposer à Hawaii. Il n'était pas un habitué du Westin. Cet hôtel à Atlanta avait été choisi par sa compagnie. Mais oui, il irait au Moana l'année prochaine plutôt que de descendre au Marriott, à Waikiki. Pearl l'avait convaincu… Il viendrait lui dire bonjour avec sa Beverley à un prochain Noël à Honolulu… Pearl lui écrivit son nom de famille et son numéro de téléphone au travail. Elle réfléchit une seconde, puis d'une main assurée inscrivit son adresse courriel sur la feuille de papier. Pearl continuait à prendre des Atlanta Hurricane en se moquant de son manque de résistance aux effets de l'alcool, alors que John préférait étirer son double scotch… Elle ne tenait plus le compte des verres qu'elle venait d'ingurgiter. Mais le rhum commençait à la rendre vraiment joyeuse. Pour une fois qu'elle vivait un peu ! Elle sentit vaguement qu'elle aurait mal à la tête le lendemain pour prendre l'avion. Mais une petite voix intérieure la calma en lui promettant le long temps du vol pour récupérer… Elle s'assoupirait… Ce serait mieux que de ressasser le passé…

Voilà tellement d'années qu'elle ne dormait plus ! C'est comme si toute sa vie, depuis plus de vingt ans, elle l'avait vécue en prison avec ce type, ce Nelson… Comme si elle s'était sentie coupable des crimes… Que devait-elle expier ? Qu'avait-elle fait de si mal en étant séduite par cet homme plus jeune chez qui elle n'avait pu deviner l'horreur ? Toute son existence des vingt dernières années, elle l'avait passée à se demander, de façon bien secrète, ce qu'avait été la nature du désir qu'elle avait ressenti pour cet homme. Elle s'était empêchée de vivre, de trouver le repos… Même la nuit. Tout cela, malgré ses dispositifs, manies et rires pour ne pas sombrer dans l'angoisse… La musique était vraiment agréable… Il commençait pourtant à être tard. Elle ne pourrait pas aller au Churchills Grounds comme le chauffeur de taxi lui avait suggéré de le faire. Tant pis ! John trouvait aussi qu'ils étaient bien là où ils étaient, juchés sur les hauts tabourets du comptoir du bar… Ils passaient vraiment un bon moment… La soirée filait… John annonça tout à coup qu'il était temps d'aller se coucher. Il ne prenait pas l'avion le lendemain matin, mais il devait se retrouver à huit heures dans un séminaire sur la douleur et l'effet de certains médicaments contre la souffrance. Il descendit avec Pearl dans l'ascenseur, la conduisit à travers le lobby et la mit dans un taxi après avoir recommandé au chauffeur de prendre bien soin d'elle. C'était un gentleman. Ils se reverraient à Honolulu avec Beverley. Il le promettait. Ils passeraient une soirée ensemble tous les trois… Le chemin vers l'aéroport dégrisa un peu Pearl. Une profonde tristesse se mêlait à la joie. En elle, une vague de désespoir terrible déferlait, mais le rhum continuait à lui donner l'impression de surfer élégamment sur sa peine. Le retour à Atlanta lui montrait qu'elle avait vécu depuis vingt ans avec des spectres… Que lui restait-il maintenant ? Quel sens avait sa vie ? Elle ne savait si elle avait envie de rire ou de pleurer… Il lui fallait tout simplement un autre rhum…

★

Quand Tamara se réveilla à trois heures quarante-cinq du matin, elle se frotta longtemps le cou. Elle était encore devant la télévision allumée. Elle s'était endormie dans une mauvaise position qui avait réveillé une vieille douleur qu'elle ressentait dans le dos depuis un petit accident où la voiture qui était derrière elle lui avait foncé dessus à un feu rouge. Sa mère était sûrement en train de dormir à Atlanta. Grâce aux somnifères… Elle devrait se réveiller d'ici deux heures pour ne pas rater l'avion. De toute façon, Pearl était toujours très matinale. Howard était encore allongé sur le canapé et continuait à ronfler paisiblement. Tamara décida d'aller se coucher, sans réveiller son mari. Il aurait trop de mal à se rendormir. Elle passa devant la chambre des enfants, à l'affût de leur respiration, et en marchant dans le couloir qui mène à la salle de bains, Tamara se rappela qu'elle venait de faire un rêve étrange, presque effrayant, dont le souvenir abrupt la terrifiait. Elle assistait à l'enterrement de Smokey Nelson. C'était quelque chose de très solennel dans un cimetière militaire très blanc où l'on voyait des croix immaculées à perte de vue. Sa mère était là. Elle pleurait. Pearl ne regardait pas sa fille qui était dans le rêve encore bien petite. Elle n'avait d'yeux que pour la bière de Nelson et puis aussi pour les cercueils très petits, blancs, de quelques enfants morts en même temps que Smokey. Tamara se sentait seule. Sa mère l'avait abandonnée. Elle cherchait du regard quelqu'un qui pourrait la prendre sous son aile. Tout à coup, la cérémonie se précipitait. Il y avait une fanfare. Tout le monde était enterré illico presto. Les gens applaudissaient. Pearl revenait alors vers sa petite fille délaissée. Elle la serrait dans ses bras, très fort. Elle sourit un instant à Mara... Alors qu'elle entrait dans son lit, Tamara se disait que ce n'était qu'un rêve désagréable. Smokey était enterré. Sa mère lui reviendrait. Elle avait tellement souffert de l'absence psychique de Pearl après les meurtres et le procès. Cela avait pris fin. Aux Smoky Mountains... Il faudrait fêter cela... Sa mère serait bientôt avec elle ! Elle partait vers Honolulu le lendemain pour mieux lui revenir. Rien ne les séparerait désormais. Dans son grand lit, avant de se lever et de vaquer à ses nombreuses occupations, Mara put attendre l'aurore en contemplant un avenir faste. La vie la comblerait.

★

Il était quatre heures du matin et Pearl était confortablement assise dans le grand fauteuil de sa chambre en train de siroter, avide, le contenu d'une petite bouteille de rhum provenant du minibar. Devant la fenêtre de l'hôtel Hilton d'Atlanta qui donne sur les avions qui décollent, Pearl venait de comprendre quelque chose d'important. À cette heure-ci, l'aéroport est fermé et le ciel est vide des avions qui normalement n'arrêtent pas d'atterrir et de décoller... Pearl avait pu donc bien réfléchir à sa vie. Tranquillement. Dans les vapeurs douces, parfumées, du rhum… Elle venait d'appeler la réception afin qu'on lui monte d'autres petites bouteilles de Bacardi… Bien sûr que l'alcool n'était pas bon pour elle, mais il lui permettait simplement de constater l'ampleur et la légèreté de sa peine. Sa souffrance durait depuis tellement d'années. Elle traînait son chagrin comme un boulet. Elle n'arrivait même plus à se mentir totalement. Ses habitudes, ses manies, ses exercices et ses emplois du temps l'occupaient certes, mais rien ne calmait sa souffrance. Quelqu'un frappa à la porte. Pearl n'alluma même pas une lampe pour aller ouvrir à la jeune femme qui apportait les petites bouteilles que Pearl avait tout de suite trouvées adorables. Quand elle eut regagné son fauteuil, elle disposa devant elle toutes les fioles bien mignonnes que l'on venait de lui donner. La nuit était belle. Les lumières des pistes d'atterrissage éclairaient la chambre… Pearl jouait avec les bouteilles. Que cette soirée avait été magnifique… Elle se pencha vers son sac à main qu'elle avait mis plus tôt, en arrivant dans la chambre, à ses pieds. Elle en sortit tous les flacons de somnifères, d'anxiolytiques et d'antidépresseurs qu'on lui avait prescrits depuis un mois et qu'elle avait gardés… Au cas où… Avec Tamara qui l'épiait sans cesse, cela n'avait pas été facile ! Les flacons et les fioles dans le scintillement de leurs reflets semblaient danser sur la table… Pearl aimait danser… À Honolulu, elle avait suivi pendant de nombreuses années des cours de tango… Elle se mit à fredonner un air un peu langoureux… Mais quelque chose de plus précipité lui revint à l'esprit : le « Chattanooga Choo Choo ». Ses parents dansaient avec tant de bonheur sur cette chanson… Les flacons lui semblaient pleins de promesses heureuses. Des nuits comme celle-ci, il n'y en avait pas eu souvent dans sa vie… Et il n'en existerait probablement plus ! Pearl redeviendrait vite la dame résignée et insomniaque qu'elle incarnait depuis tant d'années. Elle se connaissait… Non ! Hop ! Choo ! Choo ! Il fallait faire quelque chose, courir après le train pour l'ailleurs. Pas question de prendre l'avion… Ne pas retourner à Hawaii ! Les petits flacons feraient l'affaire… Les mélanges, elle le savait, étaient très violents. Elle trouverait enfin le sommeil. Nelson lui-même, l'assassin, avait fini par le trouver… Quel magnifique hasard… Elle n'était pas loin quand il avait été exécuté… Un miracle ? Oui, elle l'avait reconnu, ce miracle… Voici qu'elle était capable d'en faire quelque chose… Elle se mit à avaler les petites pilules colorées en les arrosant de rhum… Le goût n'était pas du tout désagréable… Ce rendez-vous-là, elle ne voulait pour rien au monde le manquer… Depuis 1989, elle s'était promis cette rencontre. La seule possible… Cela allait marcher… Choo ! Chooo !

RAY RYAN

La nuit est bien noire, Ray, et te voilà en train de te bercer dans ce rocking-chair que tu affectionnes tant et dans lequel ta mère, Gertrude Weaver, la bienheureuse, passait de longues soirées. Combien de fois as-tu surpris G.G., à la fin de sa vie, endormie dans son fauteuil ? Il t'était impossible de la réveiller pour lui demander d'aller s'étendre dans sa chambre tant le sommeil de ta mère âgée était bon, profond. Elle n'avait rien à se reprocher… Que tu aimes ainsi te balancer d'avant en arrière en pensant au plaisir que ta mère avait à contempler le temps qui passait et qui la conduisait vers Dieu… Il est tard, Ray… Les lumières des maisons de Tom et de John qui jouxtent ta propriété viennent de s'éteindre. Tes petits-enfants font de doux rêves et tes fils œuvrent peut-être à agrandir leur famille. Ce soir, les Blue Ridge Mountains n'offrent pas leur silhouette bienfaisante. La lune se dérobe en cette période du mois et les nuages lourds empêchent les étoiles d'éclairer la Georgie. Dehors, l'obscurité apaisante du minuit de cette fin d'été te convient. L'automne est à nos portes. Ce sera un baume ! Tu vieillis et la chaleur commence à t'incommoder…

Tu aimes cette entrée de la nature dans son sommeil d'hiver. Tu voudrais te perdre dans l'ombre dense, épaisse, qui recouvre ta maison et le paysage qui t'entoure sans qu'il te soit possible de le voir… Susan est déjà partie se coucher. Elle est venue te dire bonsoir et s'assurer que tu n'avais besoin de rien. À côté de toi, elle a déposé un grand verre de thé glacé que tu peux siroter dans la douceur de la nuit. Tout à l'heure, tu iras dormir. Tout à l'heure, tu iras reposer aux côtés de ta femme, la brave, la douce Susan, avec laquelle tu as partagé ta vie… Et tu trouveras le sommeil des justes… Mais pour l'heure, tu as décidé de passer un petit moment dans le rocking-chair de G.G. et d'écouter la voix de Dieu, de celui qui est toujours avec toi.

Ta mère, lorsqu'elle n'était pas en train de s'activer dans la cuisine ou dans le jardin, s'asseyait là. Quand tu étais enfant, alors que tu rentrais chez toi après avoir fait pas mal de bêtises, G.G. ne manquait pas de te sourire. Son visage tranquille te rendait toujours heureux, serein. La journée pouvait avoir été bien mauvaise, mais tu savais que tu trouverais une mère apaisante au bout du chemin… G.G. était toujours là pour toi. Comme je le suis. Ray. Mon visage à moi ne peut t'être dévoilé. Mais dis-toi que partout où tu poses le regard, il t'est possible de me voir. Je suis la nuit qui t'enveloppe. Je suis le bruit du fauteuil qui accompagne tes pensées. Je suis le thé glacé que tu avales. Je suis même ton esprit qui en ce moment me cherche, inquiet… Je suis aussi le sourire de ta mère quand elle te caressait le front le soir… Cela t'émeut de voir ces morceaux de passé se détacher de la nuit noire. Oui, tu es fatigué, mon fils… Toutes ces émotions t'ont épuisé. La soirée a été très mouvementée. Susan et les enfants ont tenu à célébrer ton anniversaire en grande pompe... Les petits t'ont présenté des dessins, des poèmes. Cela faisait plus d'une semaine qu'ils se préparaient pour la fête. Et ils ont eu bien du mal à tenir leur langue et à ne pas te gâcher la surprise. De toute façon, tu as agi comme si tu n'avais pas compris ce qui se mijotait... Et tu as joué l'étonné, Ray, avec conviction, avec grâce... Tom, John et Susan ont comploté pour t'offrir ce magnifique fusil que tu n'osais te payer. Le voici qui trône sur le bord de ta cheminée. Dans le noir, tu devines les formes somptueuses de cet engin. Tu aimerais bien caresser la crosse sculptée de ton fusil, mais tu n'as plus tout à fait la force de te relever... Tu es presque assoupi. Tu imagines que tu te serviras de cette arme dans quelques semaines, lors d'une partie de chasse avec tes fils et tes frères les plus proches de toi, William et Marlon. Tu as toujours aimé les carabines, Ray. Et cette passion, tu l'avais transmise à ta fille Sam. C'est elle qui parcourait, enfant, les Blue Ridge Mountains en ta compagnie. Ton Burgess Rifle de 1883 ira bien à côté de ton Chaparral de 1876. Ta collection d'armes prend de l'ampleur, Ray. Avec les années, tu as accumulé pas mal de très belles pièces. Tu en es fier... Tu as beaucoup travaillé pour acquérir ce que tu possèdes... Tu ne pourras malheureusement pas léguer ta collection à ta fille. Et tes fils ne s'intéressent guère aux armes. Ils n'ont aucun sens des belles choses anciennes ! Pour eux, il suffit qu'un fusil fonctionne bien... Tu espères pouvoir faire de ton petit-fils Ricky un vrai Ryan ! Il vient souvent passer du temps avec toi dans la petite maison que tu as fait construire un peu plus loin, en bas de la colline. Là, tu jouis de quelques moments seul et, là, tu exposes tes armes. Dans cet espace qui est le tien, tu as disposé aussi dans une dizaine de vitrines que tu as achetées à Dalton, une série de médailles de guerre et de couteaux de chasse américains. Susan ne vient pas souvent te rendre visite là, mais quand elle doit s'y rendre pour te rappeler de manger avec elle, elle rigole toujours en passant le seuil de la porte de ce qu'elle appelle ton musée… Ricky, le fils aîné de John, vient de plus en plus souvent bavarder avec toi dans cette petite maison. Vous parlez chasse, pêche et surtout tu lui donnes une éducation dont son père se moque, sans avoir le courage de te l'avouer… Tu racontes à Ricky l'histoire de tes armes et tu discutes avec lui des forces et des faiblesses d'un Colt Silver ou d'un Fox Gun de 1877. Tu aimes bien cet enfant et tu as foi en lui. Il est si attentif aux valeurs qui t'habitent. Il t'a même un jour demandé de lui raconter la vie de Sam…

Tu es en train de mettre un coussin sous tes reins, Ray, et tu poses tes jambes sur le repose-pieds de cuir brun qui t'invite à l'abandon et à la détente. Profite mon fils du bien-être qui est le tien… Installe-toi confortablement… Je suis là avec toi. Et ce repos, mon fils, je sais combien tu le mérites, plus que tout autre homme…

Tu as soufflé ce soir les soixante-treize bougies que les enfants avaient disposées en cachette sur l'immense gâteau préparé ce matin très tôt par une Susan bien attentionnée. Les petits t'ont aidé à éteindre toutes les chandelles. Ils riaient de bon cœur. Ils soufflaient très fort au-dessus de ce gâteau gigantesque, une forêt-noire dans laquelle on aurait pu se perdre. Tout a pourtant été mangé! Quel bon appétit a ta famille, Ray! Ils honorent les cadeaux de Dieu! Ils glorifient les joies de la vie ! Dieu aime que les hommes apprécient les bienfaits de la terre et du travail. Et toi, ce soir, tu es vraiment heureux d'être avec les tiens et de célébrer ta longévité, celle que j'ai voulu t'octroyer. Ta vie a été bien remplie ! De grands malheurs et de grandes joies ! Et te voilà en train d'entamer ta soixante-quatorzième année… Tes enfants t'ont souhaité ce soir une longue existence… Mais tu leur as répondu que seul Dieu décide du temps de chacun. Tout est déjà écrit et les volontés humaines ne peuvent rien changer à cela. Il y a tout juste un mois, le 15 août 2008, Dieu t'a comblé de joie… Tu as vu ton souhait le plus cher se réaliser. Tu as vu l'impie mourir devant toi. Cela faisait tant d'années que tu attendais ce moment où la justice divine saurait se manifester et te ravir ! Oui, le mécréant est mort dans la prison de Charlestown, au milieu d'une autre nuit bien noire. Sous tes yeux… Personne ne peut t'enlever cette ivresse… Son visage au moment de sa mort n'a manifesté aucun remords. Il était impassible. Il ne craignait pas Dieu, le misérable… Comme il a eu tort ! Il est allé pourrir directement en enfer. Mais tu sais qu'il a souffert alors qu'il était attaché sur ce qui a constitué son lit de mort et que les aiguilles pénétraient sa chair. Tu sais qu'il a souffert quand son corps a tressauté plusieurs fois. Cette mort t'a tellement apaisé… Il t'a semblé que tu pouvais mettre derrière toi le meurtre de Sam et de ses enfants… Ils te manquent bien sûr… Pas une heure ne s'écoule sans que tu penses à ta fille chérie. Mais le moment du massacre ne te hante plus autant… Oui, il y a eu là comme une sorte de résolution. Le Nelson est mort. Voilà une bonne chose de faite… Et tu remercies et tu loues Dieu chaque jour de t'avoir ainsi exaucé.

Tom était à tes côtés pendant l'exécution du scélérat. Tu as senti la jubilation de ton fils au moment de la mort du monstre… Il t'a semblé que vous étiez ensemble dans cet acte de justice… Œil pour œil, dent pour dent… Comme Dieu l'a décidé… Cet homme n'est plus de ce monde et son calvaire commence. Le voici à jamais séparé de moi. La communion avec Dieu, créateur de ce monde, n'est plus possible. Smokey Nelson est un damné… Malheur à lui ! Tu es exaucé, Ray…

Toi, Ray, mon fils, depuis un mois, depuis ce voyage à Charlestown avec Tom, tu es rempli d'allégresse. Tu sais maintenant que jamais, jamais je ne t'abandonnerai. Et tu chantes mes louanges avec encore plus d'ardeur qu'auparavant. Ce soir, au moment du bénédicité, alors que toute ta famille était réunie pour célébrer ton anniversaire, celui du bon patriarche que tu es aux yeux de tous, tu as insisté pour que vous récitiez ensemble une prière de remerciement. Vous avez tous entonné sous ta direction vigilante : « Ô Dieu, je vous adore avec le plus profond respect et je m'unis à tous les esprits bienheureux qui environnent votre auguste trône pour vous rendre les adorations qui vous sont dues. Nous vous rendons grâce, Seigneur, pour tous vos bienfaits, vous qui vivez et régnez pour les siècles des siècles. Amen. » Oui, Ray, mon fils préféré, je vous écoute, et j'accueille vos offrandes et vos supplications. Je reçois votre bonheur et de mon ciel immense, je vous souris avec une grande bienveillance… Que Dieu vous protège ! Mais surtout que jamais vous ne perdiez la foi en lui ! Malheur à ceux qui doutent ! Avant sa mort, G.G. voulait écrire un livre sur sa propre vie, sur ses épreuves, sur l'Ancien Monde. Petite, elle habitait sur les bords de la rivière Toccoa. Dans le comté de

Fannin. Ta mère se souvenait d'un temps où le lac Blue Ridge n'existait pas encore. Où le barrage hydro-électrique n'avait pas encore transformé la région. Elle pouvait témoigner d'une époque où l'hymne national n'avait rien d'officiel et où l'on entonnait « Hail Columbia » quand on était patriotes… Elle avait vu John Dillinger s'échapper de prison avec un pistolet en bois et Al Capone arriver à Atlanta pour purger sa peine dans un pénitencier fédéral, avant d'être transféré à Alcatraz… G.G. a tenu à t'élever dans les valeurs républicaines qui furent toujours les siennes. Il n'était pas facile à cette femme, veuve très jeune, d'entretenir et de soigner sa nichée de neuf enfants. Malgré tout, elle t'a montré comment respecter ton pays et comment te comporter en vrai croyant. Tes frères aînés Frank et Don sont partis à la guerre dès 1943. Ta mère savait quels sacrifices demande son Dieu. Elle n'a pas hésité à donner ses enfants à sa patrie… Durant toutes ces années où tes frères étaient loin de la Georgie, tu voyais ta mère prier pour que ses fils lui reviennent. Jamais tu ne l'as vue se plaindre. Tu n'étais pas bien vieux, Ray. Ton père venait de commettre ce geste infâme qui l'a privé de vous et de Dieu pour toujours, mais tu te rappelles combien ta mère n'a jamais désespéré. Elle pensait que ses enfants reverraient la Georgie. Et ils l'ont revue… Une nuit de 1944, G.G. fit un mauvais rêve. C'est ce qu'elle confia au matin à ta grande sœur, Mildred. Tu surpris les deux femmes à parler de ce songe qui terrorisait ta sœur. Mais G.G. avait foi en moi. Ce jour-là, elle a dit à ta sœur : « Oui, tes frères sont en danger mais d'ici un an, ils repasseront sains et saufs la porte de cette maison. » Et Frank et Don vous sont apparus un jour sur le pas de la porte. Tes frères faisaient verser leur maigre solde à ta mère pour vous. Elle devait faire des miracles pour parvenir à nourrir toutes ces bouches affamées. Mais avec les prières et l'entraide des voisins, elle y est toujours arrivée. Vous n'avez manqué de rien. Ce n'était certes pas l'aisance. Tu racontes souvent à tes petits-enfants trop gâtés qu'à Noël, tu recevais pour tout cadeau une orange que tu dévorais avidement. Mais G.G. voyait à ce que vous ayez l'essentiel. Elle en avait vu d'autres... Elle était passée par tant d'épreuves ! C'est pourquoi, à la fin de sa vie, G.G. voulait raconter l'Amérique d'antan. Les États-Unis d'avant l'apocalypse moderne que l'on ressent confusément et dont on ne connaît pas l'issue. Seul Dieu sait la fin des choses. Et leur commencement. Cela, G.G. en était bien persuadée, mais elle aurait aimé laisser aux générations futures un récit sur ce que fut la vie dans la foi en Dieu. G.G. avait peur parfois que ses arrière-petits-enfants ne soient plus en mesure de distinguer le bien du mal. Comme elle avait raison ! Ta mère était prophète, mon prophète... Mais son immense confiance en Dieu lui interdisait tout découragement. Et c'est justement un livre contre la désespérance que G.G. voulait vous léguer... Elle aurait aimé colliger un recueil de phrases, d'idées et de prières qui l'avaient aidée à traverser les durs moments que je lui ai envoyés pour éprouver sa foi... Son seul souci était de bien diriger sa famille vers le royaume de Dieu. Je n'ai pas voulu que ce livre soit écrit. G.G. un jour s'est levée avec une révélation. Elle avait compris que tout est dans la Bible, le livre de Dieu. Tous les autres écrits sont mensonges. Il suffirait aux hommes de bien lire pour voir tous leurs maux, toutes leurs souffrances disparaître. Mais il n'en est rien... Vous, hommes, vous, femmes, vous êtes tellement arrogants et n'arrivez pas à interpréter ma parole pourtant scellée dans mon livre. G.G., elle, connaissait la puissance de mes mots. Tous les soirs avant de coucher ses nombreux enfants, elle lisait un passage de la Bible. Elle n'aurait jamais accepté que vous vous endormiez sans faire la prière du soir. Elle venait se recueillir avec vous... Puis elle lavait la vaisselle, nettoyait un peu, rangeait. En bonne maîtresse de maison, elle ne se serait pas couchée avant que tout ne soit en ordre. Pour G.G., il s'agissait d'offrir à Dieu, pour tous ses bienfaits, une demeure ordonnée et propre.

Cette attention qu'avait ta mère à l'égard du divin, je ne l'ai pas oubliée. C'est pour elle aussi, pour sa foi, que j'ai décidé de mettre à mort il y a quelques semaines l'impie. Elle aimait tant la chanson « Sweet Beulah Land ». Tu la regardais souvent alors qu'elle chantait le refrain de cet air à ma gloire. Elle était inspirée. Oui, comme dans la chanson, G.G. s'ennuyait de ce pays dans lequel elle n'avait jamais été auparavant, celui de Dieu. Et elle s'y trouve maintenant. Elle est à mes côtés. Avec Sam et les enfants. Cela, Ray, tu le sais... Oui, tu le sais...

La nuit de l'exécution, toi et Tom, vous avez attendu longtemps dans une petite pièce. Cela t'a semblé une éternité. Malgré tout ce que l'on t'avait laissé entendre, les autorités ont hésité à tuer le monstre infâme qui a pris la vie de ta fille, de ton gendre et de tes petits-enfants. Celui qui t'a ravi la chair de ta chair sans même penser à la valeur de la vie a vécu deux heures supplémentaires... Ce pays n'est plus celui que tu as connu. Au début, Tom et toi, vous ne compreniez pas pourquoi on vous faisait attendre dans cet endroit exigu. Le directeur de la prison, un homme droit, honnête, est venu vous voir au bout d'un moment. Il avait entre les mains un papier lui demandant de faire exécuter Nelson. Il t'a montré le papier et déclaré qu'il ferait en sorte que cet écrit soit acte. Il te le jurait. Mais les avocats avaient, tu ne sais ni comment ni pourquoi, obtenu quelque chose comme un délai. Le directeur devait attendre que la Cour d'appel intervienne. Tu ne comprenais rien à tout cela, Ray. On venait de te dire un peu plus tôt que cette exécution ne posait aucun problème... Tu as eu peur d'être venu pour rien. D'avoir fait tout ce chemin pour voir Smokey Nelson s'en sortir. Tu t'es alors retiré dans un coin de la pièce et tu as prié avec ferveur, avec passion, pour que le meurtrier soit tué. Tu m'as adressé de cette petite pièce perdue dans le grand pénitencier de Charlestown ta plus belle prière. Tu m'as demandé la mort de cet homme. Tout de suite... Immédiatement! Avant la tienne que tu sens de plus en plus proche, même si tu as appris que tu ne décides de rien. Seul Dieu sait le temps des hommes. Tu m'as supplié de prendre la vie de ce Nelson. Je l'ai fait, Ray. Je l'ai fait... Parce que je l'ai bien voulu... Parce que je décide de tout. Aucun appel d'avocats, aucun juge de ce monde ne peut changer mes volontés. Tout à coup, alors que tu n'avais pas vraiment suivi ce qui se passait, un autre homme, le procureur général peut-être, est venu te dire qu'il ne fallait plus s'en faire... Que la justice, que Dieu lui-même étaient de votre côté. Vous alliez gagner la bataille contre le mal. Tu as pleuré, Ray, tu as pleuré de joie, n'en croyant pas tes oreilles! L'attente t'avait ravagé. Tu t'étais rongé les sangs. Tu as pris Tom dans tes bras. Tu as serré ton enfant très fort. Et tu as ressenti une immense compassion pour lui, pour ce fils chéri qui t'a toujours été si fidèle et que tu as pourtant si souvent repoussé. Il y avait en toi, à ce moment-là, un véritable amour pour Tom. Comme si toute l'extraordinaire affection que tu as cultivée pour ta fille, même après sa mort, pouvait soudainement aller vers ton fils Tom. Pendant quelques instants, tu as tremblé de te voir si vulnérable et si heureux de l'être. Des gardes sont arrivés. Tu as dû reprendre tes esprits. Tu es entré dans une espèce de cagibi réservé aux témoins proches des victimes. Tom et toi avez pris place. Tu as murmuré, immensément fier, à Tom : « Dieu est avec nous ! » Un rideau a été ouvert. C'était comme un spectacle. Celui que t'offrait Dieu. Le meurtrier était sur un lit-chariot. Il parlait un peu aux hommes qui se tenaient à côté de lui. Tu ne pouvais pas entendre de quoi ils discutaient, mais que Smokey puisse bavarder avec des hommes t'a semblé obscène. Il n'avait pas beaucoup changé depuis le procès. Presque vingt ans ! En toi, la même colère, la même haine... Tu as alors esquissé dans ton esprit un reproche à mon endroit. Tu t'es souvent interrogé sur le bien-fondé de toutes ces années d'attente avant que la justice soit rendue. Pourquoi Dieu t'a-t-il autant éprouvé ? N'aurait-il pas été plus utile de débarrasser la Terre de cette purulence, de ce fléau ? Mais devant la scène de l'exécution du pécheur, tu as chassé bien vite tes mauvaises pensées et tes possibles blasphèmes. Tu t'es abandonné à la volonté de Dieu... De cette longue agonie qu'a été ta vie, tu ne peux en tenir rigueur à ton créateur. Dieu met à l'épreuve ceux qu'il aime... Il décide de tout ce qui a lieu. Ses desseins sont impénétrables. Alors que tu regardais avec douleur le condamné à mort dont l'existence t'était insupportable, le directeur a pris l'ordre d'exécution dans ses mains. Il l'a lu tranquillement. Il a demandé au scélérat s'il tenait à faire une déclaration. Smokey a à peine esquissé un oui. Mais après un court moment de pause ou d'hésitation, il a crié : « Non ! Finalement non ! Je suis prêt ! » Sa voix t'a semblé immonde. Elle t'a déchiré le cœur. Le directeur a alors fait signe aux gardiens de procéder à la mise à mort. En toi, une joie s'est installée. Une paix radieuse t'a envahi alors que le corps de l'assassin se contractait dans un dernier sursaut. Il y a eu un silence. Un médecin est entré dans la pièce. Il a déclaré que le condamné était bel et bien mort. Alléluia ! Ce sont les mots qui te sont venus à l'esprit quand le docteur a constaté le décès du criminel. « Alléluia ! Alléluia ! Gloire à Dieu dans les cieux et paix à ton peuple sur Terre ! Père, notre Père, à toi revient la gloire, Père. Dieu d'amour, Jésus, Jésus, Jésus, nous t'offrons nos cœurs, bien-aimé fils de Dieu. Esprit, Esprit de Dieu, viens nous enseigner, toi, le souffle de ma vie. » Oui, tu as récité une prière quand tu as su que le meurtrier ne respirait plus le même air que le tien et celui de tes enfants et petits-enfants. Le monde venait d'être purgé du mal. Hosanna ! La plaie était enfin cautérisée… Quelle allégresse !

C'est à ce moment que le miracle eut lieu, Ray ! Tu t'en souviens encore avec émoi, alors que tu portes ton verre de thé glacé à ta bouche et que l'obscurité rend feutrés tous tes mouvements en les absorbant dans sa douceur. Tu n'es pas de ceux qui croient en un Dieu charlatan, mystificateur. Pour toi, l'esprit divin est rigide, impitoyable, grave. Tu es conscient de la sévérité de ton Dieu. Tu ne prêtes jamais attention à ces histoires de bonnes femmes qui voient dans un remède ou un rebouteux un quelconque messie. Tu sais que Dieu ne révèle pas ses volontés aisément et qu'il garde pour des choses très sérieuses l'immensité de son pouvoir. Mais là, dans la salle d'exécution, tu as vu, de tes yeux vu, Sam et les enfants. Ils étaient présents quand le médecin a touché le mort. Ils dansaient dans cette pièce, vêtus de longues robes blanches. Tels des anges diaphanes, ils voletaient dans l'espace. Ils remplissaient la pièce de leur vie. Heureux, béats. Sam s'est arrêtée un instant alors que les petits faisaient des cabrioles à travers la pièce où se trouvait le mort. Elle t'a regardé avec tendresse. Elle était resplendissante. Elle t'a tendu la main. Et son corps éthéré a disparu en même temps que celui de tes petits-enfants, éternellement gamins. Depuis vingt ans, même dans les rêves où ta fille t'était apparue, jamais tu ne l'avais vue aussi légère, céleste... Tout cela a duré à peine quelques secondes... Tu étais médusé par la beauté et la magnificence toute simple de ce tableau vivant! Tu as voulu montrer à Tom sa sœur et ses neveux. Mais tu as vite compris qu'il n'y avait qu'à ton cœur pur que je donnais le privilège de cette vision de l'au-delà. Seul Ray a pu voir l'état de félicité dans lequel flottent pour l'éternité Sam et tes petits-enfants. La mort de Smokey t'a permis de comprendre combien la mort de ta fille n'était pas un malheur. Elle ne demeure triste que pour la vie terrestre, si frivole, si vaine. Sam et les enfants sont au paradis, mon fils. Ils jouissent de la joie éternelle. Dieu les a libérés de la pesanteur de ce monde. Et tu aurais dû te réjouir quand tu as appris leur mort, en les imaginant pénétrer dans mon royaume. Qu'est-ce que l'existence d'un humain devant l'éternité divine? Ce que je peux offrir est l'absolu du temps. Ta mère, Ray, te parlait sans cesse de ma puissance. Cette femme admirable n'entretenait aucune crainte de la mort. Elle avait le mal de ce pays céleste que j'accorde à ceux que je chéris. La mort constituait pour elle une vraie libération. Le moment de mon hospitalité infinie. Et voilà que tu comprends enfin que l'assassinat de ta famille a été pour ceux qui ont péri un évènement joyeux. Oui, Ray, oui... Tu le vois enfin... Je les avais élus ! Comme je t'élirai bientôt, mon fils. Rosa Mae et Josh, les deux chérubins, n'ont pas eu à souffrir longtemps des peines terrestres. Ils sont morts innocents et ont connu immédiatement ma gloire. Tu sais combien ta vie a été lourde, Ray. L'existence humaine est un fardeau pour ceux qui croient totalement en moi. Car il n'y a que la mort qui puisse apporter à l'homme la vraie félicité. Ta vie a été bien longue, Ray. Je tenais à te faire subir de nombreuses épreuves. Mais tu les as toutes passées avec succès. Sois fier de toi, mon fils !

Le 15 août dernier, tu as regardé de tes yeux avides, vengeurs, l'exécution de l'assassin et le spectacle de ma force, et Sam t'est apparue dans cette petite pièce. Tu as alors senti que tu étais au bout de ton chemin et que je t'offrais, de ton vivant, un morceau de paradis. Quelle chance tu as eue, Ray... Tu es béni par Dieu... Dans la voiture qui te reconduisait chez toi, après la mise à mort, il te semblait que ta vie était singulièrement délivrée de son poids. Cette sensation ne t'a pas quitté. Depuis un mois, dans ton cœur, un calme fluide, insaisissable, ondoie sans cesse. Tu es heureux, Ray... Ta vie a un sens. Parce que tu sais bien que Dieu te délivrera de celle-ci. Ce n'est pas à toi de savoir quand. Mais tu as foi en ma générosité. Susan, depuis ton retour de la prison, ne t'a pas posé une seule question. C'est une femme sage. Elle n'a pas à tout savoir. Les faiblesses de son sexe ne lui permettent pas de saisir les enjeux de ce monde. L'intelligence de ta femme, Ray, a toujours résidé dans la connaissance de ses limites... Elle a été ton bras droit, ton tuteur, ton ange gardien en acceptant de ne pas t'agacer avec des interrogations stupides. Néanmoins, Susan t'a fait comprendre qu'elle t'avait vu te métamorphoser. Tu souris, tu blagues depuis le 15 août dernier. Tu es redevenu l'homme qu'elle a connu alors que vous n'aviez que dix-sept ans et que vous ne deviniez pas encore la vie que Dieu vous réservait.

Ce soir dans la nuit noire, Ray, alors que le rocking-chair berce ta vie faste, te revient en mémoire une journée magnifique de 1962, vrai cadeau de Dieu. Toi et Susan vous alliez voir le train, *The General*, passer à Ringgold, en Georgie, petite ville située à une quarantaine de milles de votre maison. Vous vous étiez mariés depuis quatre ans. Sam n'avait pas deux ans et Susan était enceinte de John. Dans la voiture, vous aviez amené aussi G.G. qui tenait à venir voir passer le train de la Confédération. En fait, c'est ta mère qui vous avait poussés à célébrer ce glorieux centenaire. Oui, en avril 1962, la locomotive du *General*, fourbie et remise en état de fonctionnement par le Louisville & Nashville Railroad, refaisait le chemin de 1862 qui mène d'Atlanta à Chattanooga. Cent ans plus tôt, des héros avaient lutté pour que ce train détourné par les hommes de l'Union ne détruise pas les villes du Sud. Des braves avaient couru à pied pour rattraper le *General* et empêcher que ne brûlent des ponts et que ne soient coupées les communications dans la région. Le *General* s'était finalement arrêté non loin de Ringgold et les ennemis avaient été pendus. Cet épisode de la guerre civile est bien connu des gens du Sud. Il les rend fiers.

C'est pourquoi en cette journée d'avril 1962, tu n'avais pas hésité à te rendre jusqu'à Ringgold avec Susan, Sam et ta douce G.G. pour voir le train passer et saluer le courage de ces valeureux hommes. Pour l'occasion, vous vous étiez vêtus des habits de l'époque sur lesquels ta mère et ta femme avaient beaucoup travaillé depuis Noël. Tu étais jeune et beau, Ray ! Comme tu portais fièrement l'uniforme des Confédérés : un veston, un képi souple, un pantalon gris et bleu ciel ! Tu avais fait pousser ta barbe pour cette grande occasion. Ta mère, ta femme et ta fille avaient des robes à la Scarlett O'Hara. Et la petite Sam arborait un grand chapeau qui lui donnait l'impression de s'envoler dès qu'elle se mettait à courir. Dans ta petite maison, il existe une grande photo officielle de vous quatre ce jour-là. C'est une image magnifique, à laquelle tu tiens tant… À Ringgold, dans la beauté de ce jour de printemps, avec ta femme, ta mère et ta fille, vous étiez si altiers, si convaincus de la grandeur du Sud ! Que ce passé t'est doux ! Comme ta vie fut bonne ! Ce soir, tu le sens bien ! Les choses ont bien changé depuis pour les hommes et les femmes de ta région. Les États-Unis se sont transformés depuis cinquante ans. Cela faisait cruellement mal à ta mère. Elle avait bien raison de déplorer la décadence qui s'installe dans votre monde. Toutes les cultures de l'Amérique sont maintenant en voie d'extinction. Au profit d'un esprit malfaisant qui enlève à ton pays sa saveur, sa spécificité… Pourtant Dieu a voulu que les régions aient leur couleur locale. Atlanta n'est pas Chicago ni Detroit, mais viendra un moment où plus rien ne différenciera ces villes. Les hommes détruisent les créations de Dieu. Tu le constates, Ray. Mais ce soir, tu restes dans la joie que je t'ai offerte depuis un mois. Tu crois que l'on ne peut rien faire contre la volonté de Dieu et que l'ordre céleste vaincra. Ta confiance en moi est infinie et tu sais bien qu'un jour je réinstaurerai la grandeur de ton pays. Tes fils et tes petits-fils auront peut-être à se battre pour cela. Pas toi. Ta lutte, Ray, tu l'as menée… Durant toute ta vie. Comme ta mère t'a appris à le faire. Arrive pour toi le moment du repos…

Il est tard, Ray. Tu viens de finir ton thé glacé et tu te décides à quitter le rocking-chair pour aller prendre place aux côtés de ta femme. Depuis de nombreuses années, vous partagez un immense lit afin que tu ne réveilles pas Susan quand tu viens te coucher dans la nuit ou quand tu te lèves avec l'aube. Ton sommeil est court, mais réparateur. Tu penses à la journée qui t'attend demain à la quincaillerie et qui sera longue puisqu'en cette période de l'année, les clients s'attachent à préparer leur maison et leur jardin pour la saison plus froide. Tu imagines que demain soir, à ton retour, tu parleras à Susan de vos vacances de janvier. Elle te supplie depuis des années d'aller passer deux semaines à Fort Lauderdale en amoureux. Tu lui promets chaque année que tu le feras, mais tu n'arrives jamais à abandonner le magasin à tes fils que tu trouves décidément peu aptes au commerce… Mais là, dans la nuit épaisse de septembre, tu viens de décider que oui, tu partiras avec ta femme cet hiver. Il est temps de profiter de la vie avec ta douce moitié et de la combler de cadeaux. Tu as toujours été dur avec Susan. Elle ne t'a bien sûr jamais rien reproché, mais tu sens combien la perspective de ce voyage lui ferait plaisir. Et puis vous pourriez aller à Las Vegas l'automne prochain. Même si tes fils te déconseillent fortement cette destination diabolique et qu'ils poussent de hauts cris dès que tu parles de casino, tu es convaincu qu'un chrétien de ta trempe ne peut pas se perdre dans ces tentations de pacotille. Cette escapade au pays des merveilles factices serait seulement un amusement pour Susan et toi. Vous iriez dans votre R.V., en groupe avec quelques couples qui font partie d'un club. Ce serait divertissant. Tu as acheté cet immense camping-car en 2000 et tu ne t'en es guère servi... Depuis des années, ton frère Marlon qui est à la retraite te demande de l'accompagner, lui et sa femme, dans leurs périples à travers les États-Unis. Tu as un peu peur de constater l'ampleur du désastre américain. Mais d'un autre côté tu as appris que tout ne peut être pourri dans le royaume de Dieu. Tu espères procurer à ton épouse des moments de bonheur. Elle s'entend si bien avec Edwina, la femme de Marlon! Les choses sont simples, douces. Oui, dans les prochains temps, si Dieu te prête vie, tu pourrais laisser la quincaillerie à tes fils. Après tout, cela leur reviendra un jour... Il est temps qu'ils découvrent comment se débrouiller sans toi. Susan n'arrête pas de te le répéter.

Tu t'approches de la chambre à coucher où ta femme repose. Tu entends son souffle profond dans la nuit touffue. Et ta lampe de poche, grâce à laquelle tu te déplaces dans la maison, te permet de ne pas te cogner aux meubles nombreux que ton travail acharné t'a permis d'acquérir. Tu devines que je suis là dans l'obscurité nocturne. Et tu souris à ton Dieu, alors que tu vas soulager ta vessie dans la salle de bains attenante à la chambre. Tu aimerais te plonger dans la grande baignoire que tu as fait installer il y a cinq ans, en même temps que la barrière en fer forgé qui borde ta demeure. Il est très rare que tu aies envie de prendre un bain. Tu es un homme qui prend des douches rapides, efficaces, et qui laisse aux femmes le soin de prélasser leur corps dans les baignoires de marbre. Pourtant, il te semble que t'immerger dans l'eau, cette nuit, constituerait une espèce de baptême. Te voici à jamais réconcilié avec Dieu. En lui, ta foi est maintenant scellée. Un tel rite te semblerait juste et bon. Mais tu te refuses à réveiller Susan avec le brouhaha qu'un tel plaisir causerait. Tu préfères entrer dans le lit à côté de ta femme et t'endormir doucement en ne pensant plus à rien. Lové au cœur de la nuit épaisse, tu espères que je t'envoie de doux rêves. Et avant de sombrer dans le sommeil, tu récites, comme tu le fais chaque soir, une prière destinée à chanter ma gloire. Oui, te voilà endormi, mon fils. Tu commences à ronfler gentiment… Dans l'obscurité dense de la Georgie, Ray, ma lumière sur toi se pose. Et voilà que je t'élis ! Tu n'auras plus à imaginer l'avenir et à te préparer aux mois et aux années qui viennent. Dans les ténèbres qui t'entourent, je suis la clarté. Dans l'engourdissement qui est tien, je t'offre la vie éternelle. Mon enfant, je t'ouvre mon royaume. Je reprends le souffle que je t'avais donné il y a maintenant soixante-treize ans. Bienheureux Ray… Dans la nuit, tu mourras sans t'en apercevoir. Et Susan trouvera ton corps froid demain matin. Tout juste à côté d'elle. Mais elle saura au mouvement figé de ta bouche et de tes yeux que tu es dans un état de béatitude. Elle dira à tous que j'ai déverrouillé pour toi les portes hermétiques de mon ciel. Dans quelques instants, Ray, une crise cardiaque t'emportera loin des soucis terrestres. N'aie pas peur, mon fils, tu ne sentiras rien… Tu seras inondé par l'éclat de ma puissance. Et ton existence t'apparaîtra futile, inadéquate.

Ta mère G.G. viendra à ta rencontre et elle te prendra par la main pour te conduire vers ta fille et tes petits-enfants que tu embrasseras longuement. En mon sein, vous logerez tous désormais. Vous serez enfin réunis. Dans les siècles des siècles. Amen... Oui, Ray, mon fils préféré, pour ton soixante-treizième anniversaire, je te fais le cadeau le plus grand qui soit... Je t'accorde la vie éternelle. Ray... Peux-tu imaginer ce privilège que je t'octroie ? Tu vas enfin revoir Sam, ta fille tant aimée et G.G., ta mère adorée... Oui, Ray, tu seras avec elles pour toujours. Puisque telle est ma volonté... À toi, j'ai tout accordé, Ray, parce que tu le mérites, mon enfant... Profite de cette mort qui sera si douce et accepte la félicité qui sera la tienne jusqu'à la fin des temps... Je t'aime, mon fils chéri, et à toi, je ne refuserai plus rien. Sois tranquille...

Il me reste tant à faire, Ray. Ma tâche s'avère démesurée. J'ai besoin d'hommes nouveaux pour l'accomplir. De garçons déterminés comme l'est ton Tom. Tu étais d'une autre époque, Ray. Ce monde mauvais n'était plus le tien. Je dois fourbir mes armes, déployer mes troupes... Dieu vaincra. Mais l'engagement sera long et beaucoup de batailles seront perdues. J'enverrai cataclysmes et catastrophes sur cette terre. Mais, bien sûr, les humains si impies ne comprendront rien à tous ces avertissements. Faudra-t-il que je malmène la Terre pour qu'ils se repentent de leurs péchés et rentrent dans le droit chemin ? J'en ai bien peur, mon fils ! Je t'épargne la suite des choses. Je te préserve de ma colère et de mon combat. Je ne renonce pas à ma puissance. Au contraire. Ce n'est pas dans les moments de tourmente qu'il faut perdre la foi. Des scélérats comme Smokey Nelson, j'en supprimerai encore beaucoup.

Mes fidèles aussi périront. Mais à eux sera réservé mon ciel. Le sacrifice des vies terrestres, si peu précieuses, m'importe peu. Dieu doit vaincre. Ma guerre contre le mal est sainte. Ma guerre est juste. Je ne peux qu'écraser les forces de Satan, l'axe diabolique... J'ai beaucoup œuvré à un monde meilleur. Je ne peux laisser tomber les bons croyants.

Ray, tu ne sais combien durant les derniers jours j'ai travaillé à sauver l'Amérique. Non, tu ne sais pas quel a été le travail de Dieu depuis plus d'un mois. Que Dieu protège ce qui fut ton pays, Ray, puisque te voici maintenant en train de pénétrer dans cette contrée qui est celle de ton Seigneur. Sois le bienvenu dans mon royaume! Tu y es chez toi maintenant.

SMOKEY NELSON

Le matin de son exécution, Smokey Nelson avait un peu froid. C'était pour lui un sentiment étrange. Il n'avait connu que la chaleur, celle brute, musquée, presque animale, de la Nouvelle-Orléans, sa ville natale, qu'il avait quittée à deux ans avec sa mère, sa tante et sa grande sœur Martha, et puis plus tard, celle cotonneuse, violemment blanche, de l'Alabama, où il avait vécu jusqu'à l'âge de dix-neuf ans, avant d'être incarcéré et condamné à mort dans l'État de la Georgie pour un quadruple homicide volontaire, commis avec préméditation. Smokey n'avait pas l'habitude de ressentir des frissons. C'était un gars du Sud. Il connaissait la sueur, la sienne et celle des autres. Le désir turpide de l'ombre et puis le plaisir, qu'il savourait enfant, de boire une bonne bouteille de Coke bien froide, sortie tout droit de la machine rouge et blanche, véritable caverne de plaisirs, qui trônait devant la station-service où il travaillait dès l'âge de six ans l'été et les week-ends à changer les pneus des voitures. Smokey se rappelait bien cette sensation de rafraîchissement intense, comme celle qu'il voyait représentée dans les publicités de son enfance qui passaient sans cesse à la télévision. Mais le froid, certainement pas… Il ne l'avait jamais ressenti. Il avait parfois imaginé la neige, sans être vraiment sûr de bien comprendre ce qu'était un flocon ou encore une tempête. Un des amis de son oncle avait disparu au Canada, après quelque méfait. On racontait de lui en riant que s'il n'avait pas donné de ses nouvelles depuis très longtemps, c'est qu'il était enterré dans un bloc de glace de l'autre côté des Grands Lacs. Là-haut… Plus haut encore que Chicago. Tout là-haut sur la carte que l'on retrouvait derrière le comptoir sur le mur vert de la station-service et qui portait une punaise rouge dans le bas pour indiquer la petite ville de Selma, en Alabama, où Smokey avait passé une grande partie de sa jeunesse, entre la machine à Coke qui semblait toujours éructer violemment et des pneus en mauvais état, desquels se dégageait une odeur forte de caoutchouc trop chaud se mêlant étrangement aux émanations d'essence. Non, Smokey n'avait jamais senti dans son corps le froid. C'était tout nouveau et très étonnant. Et il fallait décidément, pensait-il en souriant, découvrir cette sensation à l'aube de sa propre mort, pour qu'il puisse regretter encore davantage tout ce qu'il n'avait pas vécu.

Dehors, le soleil de la Georgie allait se lever, inondant de lumière les tentes des médias où des journalistes fatigués, qui représentaient une multitude de chaînes de télé et de radio, se préparaient à faire leur premier bulletin du matin, en touillant un café de fortune qui devait leur donner l'élan nécessaire pour démarrer une autre journée bien difficile. Ce serait encore la canicule… Le début du mois d'août avait été accablant. Cela faisait quinze jours que le thermomètre se croyait tout permis et pointait, arrogant, vers les 115 °F. Il semblait presque impossible de rester dehors sans attraper un coup de chaleur et les déplacements s'effectuaient très lentement, comme pour ne pas mettre en colère l'air vibrant, épais, intensément strié. La Georgie est un État magnifique, celui des pêches, ces fruits juteux, ronds, joufflus, à la chair obscène et innocente, gorgée d'un soleil qui semble ne jamais se départir de la bonté qu'il sait prodiguer à la terre. La Georgie est un lieu béni sur lequel Dieu et le gouverneur de l'État veillent, chacun à sa manière, avec fermeté et indulgence.

Pourtant, depuis le 11 août, l'air climatisé de la prison avait connu quelques ennuis. La raison de ce problème était peut-être la demande incessante et excessive d'électricité dans le Sud, comme c'est toujours le cas pendant les temps de fournaise des mois les plus chauds de l'été, alors que les gens sont désespérément accrochés à leur climatiseur. La Georgia Power était très souvent débordée. Pourtant la rumeur parlait plutôt de quelque bris dans le mécanisme général du dispositif de refroidissement de l'air de la prison, et des vacances du responsable des bâtiments carcéraux. Quoi qu'il en fût, la chaleur commençait à accabler les prisonniers. Ils s'étaient mis à se plaindre, à faire un peu de grabuge, sans jamais qu'il ne leur soit possible d'apprendre la véritable cause de cette variation très désagréable de la température ambiante à l'intérieur de la prison qui commençait à mettre tout le monde à bout. Les gars s'agitaient… Le 14 au matin, tout à coup, après des journées d'étuve et d'étouffement, la climatisation était repartie sans crier gare. Du coup, les autorités du pénitencier avaient décidé de refroidir un peu les esprits échauffés en faisant marcher à bloc le système central de climatisation, ce qui avait eu pour effet de calmer tout le monde. Dans une prison, la veille de l'exécution d'un frère d'infortune, les hommes ne sont guère faciles et les geôliers se tiennent sur leurs gardes. Durant les jours qui précèdent une mise à mort, on constate une recrudescence des incidents dans le milieu carcéral. Les hommes cherchent la bagarre. Des paroles vives s'échangent, des insultes, des invectives, des crachats jaillissent, inopinément. Les corps s'activent et ne supportent plus la soumission à cet ordre du temps monotone, mornement routinier. Même après une exécution, la prison met toujours quelques jours à retrouver son train-train normal. La grogne continue à se faire entendre alors que l'exécuté hante toujours les lieux. Un homme est mis à mort et c'est la cadence idiote des jours qui se suivent et se ressemblent qui, tout à coup, refait surface et envahit les cellules et les espaces communs. L'inhumanité des choses devient subitement insupportable. Dans la prison, on est alors prêt à tout.

Depuis le 11 août, à cause de la chaleur lancinante, les prisonniers étaient franchement excités. Malgré ce que l'on peut croire, la touffeur n'assomme pas les âmes emprisonnées. Au contraire, elle aiguillonne, exacerbe les sens, met les pulsions à cran. La direction de la prison s'était mise à craindre que la révolte ne vienne après l'exécution de Smokey ou encore la veille de sa mort, ce qui n'aurait pas été heureux avec les journalistes aux abois et les manifestants attroupés. Mais l'air climatisé qui avait providentiellement redémarré mettait tout le monde de bonne humeur, les prisonniers comme les gardiens du pénitencier. On avait même invité les gens des médias à venir se rafraîchir dans une salle aménagée pour la circonstance… Les journalistes avaient apprécié ce geste bienveillant et l'ambiance était redevenue peu à peu bon enfant. Ce n'était pas tous les jours que l'on mettait à mort un prisonnier à Charlestown, en Georgie, et Smokey Nelson qui avait défrayé la chronique dix-neuf ans plus tôt à cause de la barbarie de ses crimes braquait peut-être trop les regards des reporters, venus d'un peu partout des États-Unis et même d'Europe, sur la prison au sud d'Atlanta. Le directeur de l'établissement avait refusé, malgré une somme d'argent importante qui lui avait été promise, qu'un journaliste rencontrât Smokey lors d'une entrevue exclusive. Les condamnés à mort n'ont plus rien à perdre et Dieu sait ce que le criminel Smokey Nelson aurait pu sortir aux gens de Fox ou de CNN, si on lui en avait donné la chance. Il était donc préférable pour l'État que personne ne parle, que les détenus ne fassent pas de bruit et se tiennent bien tranquilles jusqu'à ce que les choses se tassent et que le cadavre de Smokey quitte tranquillement, sans le moindre esclandre, sans un mot, la prison dans la fourgonnette mortuaire banalisée. On avait donc servi aux prisonniers pour le repas de la veille de l'exécution, soit le 14 août, du poulet frit et des frites. Il n'en fallait pas plus à toute une population d'hommes incarcérés depuis des années, et contemplant le présent avec voracité et impatience, pour retrouver le moral et oublier un peu que Smokey allait être exécuté. Un bon repas et de l'air climatisé font des merveilles pour l'atmosphère d'un pénitencier. Il y aurait bien d'autres jours pour faire du chahut. Les occasions ne manqueraient pas et mieux valait ne pas gâcher le petit festin qui avait été préparé à l'intention des prisonniers. Ce genre de sollicitude n'est pas monnaie courante à Charlestown.

C'était peut-être le froid intense du climatiseur qui donnait ainsi ces frissons à Smokey Nelson, alors qu'il venait de se réveiller, dans la cellule provisoire que le condamné occupe juste avant d'aller à la mort. Smokey avait lui aussi bien mangé. Le souper d'adieu à la vie qu'on lui avait servi un peu plus tôt avait été copieux et bien réconfortant. Pour ce prisonnier célèbre dont le visage menaçant avait été reproduit sur des millions de premières pages des quotidiens américains, le système pénitentiaire avait fait quelques frais. Smokey ignorait quel était le budget alloué pour le dernier repas du condamné. Mais il savait bien que tout en prison s'inscrit dans une comptabilité scrupuleuse, dans un ordre mesquin, et que même les jours qui s'étaient écoulés dans le couloir des condamnés à mort avaient été l'objet d'un calcul précis, d'une économie parcimonieuse que certains gardiens n'avaient pas oublié de lui rappeler sans cesse et avec hargne. Les prisonniers, et tout particulièrement les condamnés à mort qui demandent un système de surveillance relativement sophistiqué, coûtent trop cher à l'État. C'est ce que l'on entend partout et même jusque dans les prisons. Sur les sites Internet, on dénonce le traitement de prince réservé à ceux qui sont destinés trop lentement à la mort et, dans les pénitenciers, les cuisiniers crachent dans les plats en répétant que la bouffe est trop bonne pour ces ordures de meurtriers qui s'engraissent grâce à l'argent des honnêtes gens dont les impôts sont prohibitifs. Bien qu'il se moquât de la rumeur et surtout de la haine que les représentants des autorités carcérales manifestaient à son endroit, Smokey avait demandé quelque chose d'assez simple : un steak saignant, accompagné de sauce A1, une pomme de terre au four, avec beaucoup de beurre ou de la crème sure, et une grosse salade. Il avait aussi commandé une immense bouteille de Coke, un café chaud et une part de tarte aux pommes, ne sachant pas à l'avance si on lui accorderait tout cela. Smokey avait opté pour le steak, car il en avait peu mangé dans sa vie. Il avait l'habitude du poulet frit ou encore de la nourriture épicée, un mélange de haricots secs et de fèves, que l'on faisait cuire dans le Sud, chez lui. Les steaks et les pommes de terre au four recouvertes de beurre restaient pour lui et pour l'ensemble de sa classe sociale le symbole de la réussite : le repas de l'homme américain de la classe moyenne, blanc ou noir, qui rentre à la maison après une journée de travail et qui, en se mettant les pieds sous la table, attrape avec plaisir son couteau et sa fourchette autour de son assiette pour déchiqueter la viande pleine de sang et la porter à sa bouche avec satisfaction. Cela faisait rire intérieurement Smokey de s'imaginer, la veille de son exécution, en bon père de famille relativement aisé qui coupe son steak tout en réprimandant les enfants qui font trop de bruit devant la télé. Smokey avait donc avalé chaque bouchée recouverte de sauce A1 avec joie et il s'était laissé aller à des fantasmes de vie normale et de bonheur simple, ennuyeux. Il avait pris tout son temps pour recouvrir la pomme de terre au four des trois toutes petites barquettes de beurre qu'on avait consenti à lui offrir. Il avait redemandé du sel, pour donner à la pomme de terre toute sa saveur et avait fini par une salade sur laquelle il avait étalé la sauce blanche qu'il avait extirpée d'un petit sachet, en la poussant avec ses doigts. C'était un repas bien équilibré, s'était-il dit en riant devant la soudaine absurdité des mots. En prison, et de façon plus évidente dans le couloir des condamnés à mort, la langue se révèle toujours très drôle. Les expressions retrouvent tout à coup leur sens propre et les termes sont soudain lourds de signification. Paradoxalement, cette gravité du langage rend léger. Elle est une vraie délivrance. C'est cette sensation aérienne, ailée, que Smokey avait éprouvée alors qu'il qualifiait son repas d'équilibré et de bon pour la santé. Le vocabulaire l'avait tout à coup fait rigoler. La vie n'avait décidément pas grand sens. On peut tenter de la baliser par les mots qui donnent une certaine prise, mais quand ceux-ci nous découvrent leur face bien ridicule, tout fout le camp, s'effiloche et il ne reste du tragique de l'existence qu'un immense éclat de rire.

De bonne humeur, Smokey avait donc pris son temps pour manger. Dans les dernières années, il avait eu souvent le loisir de penser à ce dernier repas et il avait toujours cru qu'il refuserait d'ingérer la moindre nourriture avant de mourir. Il ne voulait rien devoir à cette saloperie de prison et à cette ordure d'État de la Georgie, où il venait de passer une grande partie de sa misérable vie, malgré lui, et qui ne lui avait même pas donné de quoi se pendre discrètement. On ne voulait surtout pas de scandale à Charlestown. La mort, après tout, n'appartient qu'aux bourreaux... Mais devant la fin imminente, l'idée de dévorer un steak payé par la prison, alors qu'il n'avait cessé depuis presque bientôt dix-neuf ans d'être très mal nourri, bouffant chaque jour la tambouille infâme des cuisines et faisant un gueuleton dans de trop rares occasions, comme à la mort d'un congénère ou dans des moments stratégiquement prévus par les autorités pénitentiaires, avait semblé à Smokey simplement succulente. Tout lui paraissait maintenant décidément désopilant, burlesque. Au début de sa peine, Smokey avait lu dans un livre que sa sœur Martha lui avait apporté pour le distraire, qu'un prisonnier célèbre, dont il avait depuis oublié le nom, avait demandé du steak avant d'être exécuté, voulant prendre des forces pour tenir durant la marche fatidique qui conduit de la cellule finale à la salle d'exécution. À l'époque, alors que Smokey avait dix-neuf ans et venait de franchir les portes du pénitencier, cette façon de faire avait paru, au jeune prisonnier, bête. Il ne comprenait pas pourquoi ce type, dont il cherchait encore désespérément le nom, tenait à garder sa dignité devant ses assassins légaux. Il préférait l'histoire d'un autre condamné qui, à l'annonce de son exécution, durant des jours, avait refusé toute nourriture et qui, malgré sa faiblesse, avait craché au visage de son bourreau. Mais après toutes ces années dans une prison infecte à sécurité maximale, Smokey savait qu'il restait peu à un homme comme lui. Il lui restait un steak à savourer, le rire et une certaine façon de ne pas avoir peur de la mort. C'étaient trois choses importantes. En prison, il ne faut pas mépriser les petits riens qu'on pense inutiles. Cela, Smokey l'avait appris.

Durant les dix-neuf années qu'il avait passé à Charlestown, Smokey avait connu vingt et une exécutions. On racontait toutes sortes de choses sur les derniers instants des condamnés. Les légendes couraient vite. Gary Rieter avait, paraît-il, bouffé comme un cochon la veille de sa mise à mort. Il avait demandé trois plats de spaghettis à la sauce à la viande qu'il avait arrosés de grosses bouteilles de Dr Pepper. Sur le chemin qui l'avait mené de la cellule finale à la salle de mise à mort, Gary s'était mis à vomir tout son repas, ne le digérant pas, et avait copieusement dégobillé dans les bras d'un gardien. Cela avait miné le moral des prisonniers qui avaient vu dans le dégueulis de Gary Rieter, le tueur en série qui avait terrorisé l'État quelques années plus tôt et qui ne parlait jamais à personne, un pauvre type, même pas capable de mourir comme il le fallait. Gary avait eu peur : ses vomissements n'indiquaient pas autre chose. Smokey tenait à finir non pas héroïquement, mais au moins sans histoire. Il irait vers son bourreau et la mort calmement. Il ne désirait pas faire de grandes déclarations. Cela n'était pas pour lui. Il n'aimait ni les conversations ni les discours. Il avait toujours été comme cela. Même à son procès, il s'était très peu exprimé. À quoi bon ? Il ne pouvait rien nier. Mais aujourd'hui, dans ses dernières paroles, il dénoncerait sans colère les autorités de la prison, afin d'améliorer peut-être un peu (qui sait ?), pour quelque temps, les conditions de détention à Charlestown. C'était tout ce à quoi Smokey pouvait penser. Il ne voulait pas profiter outre mesure du fait que les vautours de journalistes, auxquels il avait eu affaire quand il était jeune et qui continuaient, les charognards, à rôder de temps à autre autour de lui, tentaient de monter en épingle le moindre de ses propos rapportés par ses avocats à la presse. Il n'avait rien à dire. À dix-neuf ans, il avait tué quatre personnes, dont deux très jeunes enfants. Il s'était acharné sur les corps. Tout avait été horrible, avait-on lu dans la presse et répété à la télé. Smokey s'était vite retrouvé en prison et puis presque aussi rapidement dans le couloir de la mort. Il avait vécu presque dix-neuf ans en prison. La moitié de sa vie y était passée. Ses crimes maintenant lui semblaient bien lointains. Ils n'encombraient que rarement ses pensées. En prison, les souvenirs trop personnels ne servent pas à grand-chose. Ils sont plutôt des ennemis à abattre et Smokey avait toujours tenté sauvagement de les chasser. Quand, dans sa cellule, pour passer le temps, Smokey cherchait à exercer sa mémoire, c'était toujours mécaniquement à travers des listes de lieux, de noms, de personnes. Mais depuis quelque temps et surtout depuis que son exécution avait été fixée au 15 août, Smokey constatait, bien malgré lui, que des morceaux de son enfance flottaient à la surface de la bouillie informe qu'était devenu, malgré ses efforts, son esprit en prison. Sans qu'il sache trop pourquoi, il se mettait même à siffloter dans sa cellule des chansons qu'il partageait enfant avec sa sœur, à Selma, et qu'il avait depuis complètement oubliées.

Martha était, bien sûr, venue lui dire adieu. Dans le lieu prévu pour la rencontre ultime avec sa famille et ses amis, juste après le dernier repas, Smokey avait vu sa sœur s'avancer gravement, lentement, suivie de son mari, Neil, un gars d'Atlanta assez sympathique, pour ce que Smokey pouvait en savoir. Martha avait fait un bon mariage, c'est du moins ce qu'elle ne cessait de dire à son frère et Smokey soupçonnait qu'elle avait décidé d'épouser ce gars d'Atlanta, malgré tout assez falot, pour pouvoir s'installer pas trop loin de Charlestown. Lui et sa sœur avaient toujours été proches. Ils s'étaient toujours aimés et le crime de son frère n'avait rien changé à l'attachement de Martha pour Smokey. Elle pouvait donc venir rendre visite à son cadet, le plus souvent possible. Il savait qu'elle viendrait fleurir sa tombe avec l'assiduité qu'elle avait montrée en respectant scrupuleusement les jours de visite pendant toutes ces années. Martha avait maintenant trois enfants que Smokey ne connaissait pas mais dont il avait mis les photos sur le mur de sa cellule, à côté d'un planisphère aux couleurs bigarrées, découpé dans un *National Geographic* que sa sœur lui avait apporté et qu'il regardait toujours avec étonnement. C'est fou combien il y avait de choses à apprendre sur une carte du monde, tant de lieux à connaître au moins par leur nom ou leur place spécifique sur ce grand morceau de papier. Smokey avait très peu voyagé dans sa vie. Il connaissait quelques États du Sud : la Louisiane, l'Alabama et la Georgie. Et même là, sa connaissance se limitait à cinq ou six villes. Quand il était petit et qu'il regardait la carte des États-Unis que quelqu'un avait mise bien en évidence sur le mur vert à côté de la caisse de la station-service de son grand-oncle à Selma, Smokey rêvait d'aller à Atlanta, la légendaire ville du Sud. Il salivait dès qu'on lui mentionnait Peachtree Street, la rue où tout semblait possible et d'où certains gars revenaient en riant, l'air hébété, perdus dans des souvenirs et des péchés. C'est à Atlanta qu'il espérait un jour faire sa vie et puis de là, il pensait partir peut-être sur les routes des États-Unis afin de parcourir cette carte qui lui semblait presque mensongère. Enfant, il se demandait si tous les endroits inscrits sur le grand papier mural existaient vraiment. Et plus de trente ans plus tard, il se le demandait encore. Il n'avait même pas connu Atlanta. À part, bien sûr, quelques lieux très précis comme le palais de justice et la prison. Il ne s'était finalement jamais baladé dans Peachtree Street. À Atlanta, en fait, il n'était même pas arrivé. Il n'avait même pas atteint la capitale de la Georgie, après avoir quitté Selma, en Alabama, petite ville noire à l'ouest de Montgomery, bien connue pour la marche du Bloody Sunday du 7 mars 1965. Le fantôme de Martin

Luther King continuait à hanter Selma pendant la jeunesse de Smokey, malgré le temps qui avait pourtant bien passé. Smokey avait commis ses crimes avant même d'avoir pu voir la cité de ses rêves, l'interdite. Il n'était allé que jusqu'à Aurora. C'est là, dans un motel assez classe de la banlieue éloignée d'Atlanta, qu'il avait tué sordidement quatre personnes : deux adultes et deux enfants, très jeunes. Le planisphère du mur de la prison ne portait même pas le nom de ce bled où la vie de Smokey et celles de quatre innocents avaient pourtant basculé. Smokey parfois essayait de se rappeler si Aurora figurait sur la carte de son enfance. Il ne le savait vraiment pas. Il avait eu l'idée de demander à sa sœur Martha lors d'une de ses visites au pénitencier de Charlestown si elle se rappelait ce détail, mais outre le fait qu'il oubliait depuis dix-neuf ans de le faire, il pensait que Martha, qui avait été beaucoup moins souvent que lui à la station-service, puisque ce n'était pas un lieu pour une fille, ne pourrait se souvenir de cela. La carte du mur vert près de la caisse était très détaillée dans la tête de Smokey. Certains mots, certaines couleurs, certaines routes lui apparaissaient encore clairement, après tant d'années. Néanmoins, beaucoup d'endroits restaient flous lorsque Smokey faisait l'exercice et l'effort de les nommer, et il découvrait ainsi les zones d'ombre de toute mémoire, fût-elle aussi précise que la sienne.

La mère de Smokey avait quitté l'Alabama, avant même que Smokey ne parte de là, et était retournée avec sa sœur à elle vivre non pas à la Nouvelle-Orléans, mais tout à côté, à Algiers, juste sur l'autre rive du Mississippi. Elle était allée une fois en dix-neuf ans rendre visite à son fils à la prison de Charlestown, bien qu'elle allât tous les deux ans voir sa fille et ses petits-enfants à Atlanta. Josephine ne pardonnait pas à Smokey ce qu'il avait fait. Cela ne passait pas. Pour elle, le gamin était tenu de comparaître devant Dieu avant tout, et pour cela, Smokey devait sans aucun doute mourir. Dans l'esprit de Josephine, la loi de l'État de Georgie ne décidait de rien. C'est Dieu qui ne pouvait plus accepter ce que Smokey avait fait et qui désirait causer entre quatre yeux à ce bon à rien qu'était son fils. La mère ne pourrait faire la paix avec Smokey qu'après la mort de celui-ci. Elle ne tenait donc pas à se déplacer pour l'exécution de celui qu'elle avait mis au monde. C'était bien inutile… Sur ce sujet, Smokey avait la même opinion que Josephine. Il préférait que les choses finissent ainsi. Sans histoire. Il avait appelé sa mère quand Martha, son mari, Bob et Hillary, les deux avocats fidèles à Smokey, s'étaient enfin retirés un moment. Une salle et un temps étaient prévus pour une rencontre avec la famille juste avant l'exécution. Puis un dernier coup de téléphone et tout avait été réglé. Smokey avait dit rapidement adieu à sa mère et il lui avait conseillé gentiment de prendre bien soin d'elle. Josephine l'avait vite interrompu et avait exigé que Smokey demandât à Dieu de se dépêcher de la rappeler auprès de lui. À son fils condamné, elle avait encore une fois, à mots couverts, reproché ses crimes en avançant qu'il lui devait bien cela, d'intervenir en sa faveur là-bas. Elle avait surtout insisté pour que Smokey se repentît juste avant de mourir et elle lui avait ordonné de ne pas mentir. Elle lui avait rappelé que le Seigneur est tout-puissant, qu'il n'a rien en commun avec un vulgaire juge du sud des États-Unis et qu'il était préférable de lui dire toute la vérité. Puis, comme elle le faisait chaque fois qu'elle entrait en contact avec son fils, elle lui avait répété ce qu'elle voyait comme le seul vrai espoir pour lui : que les victimes viennent le chercher afin de le conduire dans l'au-delà. À tout cela, elle avait ajouté que si les morts venaient vraiment accueillir Smokey, il ne fallait surtout pas avoir peur et les repousser. Au contraire... Ce serait un signe que le pardon avait été accordé au pécheur. À tous ces boniments, Smokey n'avait rien répondu. Il avait simplement acquiescé. Après tout, il n'avait plus personne à convaincre. De plus, les histoires de sa mère lui semblaient moins grotesques maintenant, avant de mourir, qu'au début de son emprisonnement, lorsqu'il était encore jeune. Même s'il ne craignait absolument pas les morts ou Dieu, Smokey commençait à comprendre combien ceux qui ont disparu ne laissent pas d'une façon ou d'une autre certains vivants en paix, que tout n'est pas complètement clair dans ce monde. Smokey, lui, n'était pourtant pas hanté par ses victimes. Non... Mais c'était plus compliqué qu'une simple culpabilité. Il y a des choses qu'il ne s'expliquait pas trop dans la vie. Il n'arrivait toujours pas à comprendre pourquoi il avait épargné cette femme dans le parking du motel. Pourquoi n'avait-il pas voulu faire disparaître le seul témoin ? Depuis les meurtres, Smokey avait saisi que les êtres sont, malgré leur volonté, soumis à des influences, des humeurs ou des hasards qui leur échappent. Un jour, la science découvrirait le comment et le pourquoi de l'esprit humain, mais il y avait encore pas mal de chemin à faire. Toujours était-il que la vieille Josephine n'avait pas tout à fait tort : c'était peut-être à cause des plaintes des morts ou de quelque chose d'encore plus étrange, comme un hasard extraordinaire, que Smokey allait mourir le 15 août 2008.

Ce n'était certainement pas la justice inique des hommes en laquelle il ne croyait pas qui l'assassinerait. Si on l'avait exécuté au début de sa peine, Smokey aurait volontiers cru en cette version du pouvoir de la loi. Mais, maintenant, tout lui semblait bien différent. Après tant d'années, sa mort semblait à Smokey impensable, irrationnelle, décidée par une autorité mystérieuse, inconnue, qu'il ne cherchait pas à identifier. Il n'éprouvait d'ailleurs pas la moindre frayeur à son égard.

Martha avait compris qu'elle ne devait pas pleurer. Elle avait regardé son frère en se taisant, la bouche grande ouverte. Elle tentait de dévisager Smokey, de le dévorer des yeux pour le garder un peu avec elle, mais ne réussissait pas à articuler un mot. Neil avait rompu le silence en demandant à Smokey si cela allait et puis il s'était repris et avait tenu à savoir précisément si cela irait durant l'exécution. Mais sa phrase s'était arrêtée court. Smokey lui avait fait un petit signe de tête qui signifiait que oui, cela ne pouvait qu'aller et que de toute façon, c'était bientôt fini. Smokey s'était toujours dit que la vie, ce n'était pas grand-chose et au moment de mourir, il n'allait quand même pas changer d'avis. Il s'était tourné vers Martha et lui avait chantonné une chanson venue tout droit de son enfance « I'd like to buy the world a Coke » dont ils riaient déjà, tous deux, quand ils étaient petits. La publicité passait souvent à la télévision au début des années soixante-dix et ils rigolaient bien en la regardant, sachant tout jeunes l'absurdité des choses. L'optimisme forcené, cela n'avait jamais été leur truc et les annonces de Coke les faisaient particulièrement rire à cause de leur ridicule et de leur furieuse joie de vivre. Lors d'une visite à la prison, quelques années plus tôt, Martha avait raconté à Smokey que pour plaire à ses trois enfants, elle était allée voir à Atlanta un lieu dédié aux mérites et à l'histoire du Coca-Cola. Là-bas, on parlait de l'usine Coke en la rebaptisant « The Happiness Factory ». Et tout le monde était radieux dans l'usine du bonheur. C'est du moins ce que le guide, cette journée-là, avait répété *ad nauseam*. Martha savait que cette anecdote mettrait Smokey de bonne humeur. Tous les jours depuis bientôt dix-neuf ans, elle notait dans un cahier les détails et petits récits qui pouvaient intéresser son frère afin de pouvoir avoir des histoires piquantes à lui raconter lors des rencontres à la prison qui lui laissaient en fait peu de temps pour l'improvisation. Au début de l'incarcération de Smokey, Martha venait simplement le voir et ne sachant que lui dire, elle se mettait invariablement à pleurer. Avec le temps, elle avait compris que cette sensiblerie n'aiderait ni son frère ni elle. Elle avait appris à collectionner des aventures anodines et à donner à Smokey un petit morceau d'existence vécue à l'extérieur de la prison. Il pouvait ainsi humer le parfum insipide de la vie qui reste, non seulement pour un prisonnier mais pour les mortels en général, quelque chose de très agréable. La veille de l'exécution de Smokey, Martha n'avait pourtant rien préparé à dire. C'était bête, mais elle ne savait plus quoi raconter. Les jours qui venaient de passer lui paraissaient sans importance. Elle n'avait rien vécu en fait et s'était attardée malgré elle à ne penser qu'à la mort de son frère. De cela, elle s'en était voulu, dès qu'elle était entrée dans la cellule des adieux. Son silence l'avait ramenée dix-neuf ans plus tôt. Mais Smokey, qui tenait à ce que tout soit très simple, s'était permis de chanter, comme pour rappeler Martha à l'ordre.

La chanson avait saisi un peu Martha qui avait éclaté de rire devant l'ironie et la présence d'esprit de Smokey. Elle n'avait pu s'empêcher de penser que c'était peut-être cet humour-là, désabusé, cynique, et cette force devant l'horreur qui avaient conduit son frère à tuer ainsi un jour, de façon incroyablement sauvage, un couple et deux enfants dans un motel. Smokey n'avait pas été élevé dans le crime ou même dans la grande pauvreté. Sa mère s'était saignée aux quatre veines pour faire vivre ses enfants. Soit. Mais Josephine, sa sœur et ses deux enfants avaient vécu en Alabama de façon relativement protégée. Tous habitaient chez le grand-oncle Willy dont la femme était morte depuis quelques années et qui possédait une station-service assez prospère, même s'il fallait y travailler durant de très longues heures, sans aucun jour de congé. Le modeste emploi de Josephine au bureau de poste lui avait quand même permis de mener une vie honorable, voire agréable. Martha avait fait des études de comptabilité grâce aux économies que sa mère et sa tante avait faites durant des années. Qu'était-il arrivé à Smokey ? se demandait toujours Martha. Elle ne s'expliquait pas le parcours de son frère. Le meurtre était étranger à Martha. Et Smokey lui-même avait toujours refusé de donner à sa sœur une quelconque interprétation de son geste. Tout à coup, alors que son frère s'était mis à chanter en riant, Martha avait compris qu'elle devrait apprendre à se consoler en chantonnant un refrain d'une publicité de Coke. En ces paroles un peu niaises, il n'y aurait aucune vérité. Pas d'épiphanie.

En entrant dans la salle prévue pour la dernière rencontre avec le condamné à mort, Bob et Hillary, le couple d'avocats blancs aux côtés de Smokey depuis le début, avaient tout de suite dit à la volée de ne pas perdre espoir. Ils attendaient encore un appel du gouverneur de l'État qui, à la dernière minute, accorderait sa clémence. Ils en étaient sûrs. Dehors, des groupes hurlaient et manifestaient pour que Smokey ne soit pas exécuté, couvrant les bruits des fous qui réclamaient pourtant à cor et à cri la mort pour l'assassin d'une famille : Smokey Nelson. Il ne fallait surtout pas se laisser abattre, proclamaient Bob et Hillary d'un ton ferme. Un miracle aurait lieu, annonçait Hillary, pendant que Bob faisait oui de la tête, d'un geste démesurément encourageant. Smokey ne voulait pas écouter ses avocats. De l'espoir, Smokey ne savait plus que faire. Il était temps de mourir et il mourrait. Bien sûr, encore quelques jours, quelques années de plus à la prison méritaient qu'on y réfléchisse. Smokey ne crachait pas sur la vie. Mais voilà qu'il était prêt. Tout à l'heure, ce serait fait... Il n'y aurait plus de peur du lendemain, plus de malaise devant la mort. Quel soulagement ! Il n'y aurait plus rien et cela, ce vide inimaginable, presque grandiose dans son insignifiance, Smokey le désirait tout à coup. Quelque chose en lui ne tournait pas rond depuis l'enfance. Il ne savait pas quoi. Et cela ne s'était pas arrangé dans sa cellule. La vie, même la meilleure, comportait l'angoisse du lendemain, la terreur de la mort. Smokey avait toujours été le plus fort contre la frayeur, mais seule la mort pouvait vraiment le délivrer de celle-ci. Il fallait guérir le mal par le mal. Et Smokey était franchement rassuré de penser que dans quelques heures, il n'aurait plus à se réveiller et à découvrir qu'il devait encore trouver une façon de meubler le temps. Il n'aurait plus à imaginer la suite et surtout il ne devrait plus entrevoir sa fin dans un cauchemar, un rêve éveillé, une allusion méchante des gardiens ou encore dans le visage ravagé, ô combien triste et vieux, de sa sœur Martha venue lui rendre visite. La fin approchait. Enfin! Il la remerciait. De plus, Smokey voulait garder son sang-froid. Il n'avait aucune envie de se laisser emporter par des sentiments extravagants, incontrôlés devant la mort qui peuvent vite faire perdre la raison. Smokey tenait à étudier la situation dans laquelle il se trouvait, sans pathos et de la manière la plus réaliste possible. Il pensait beaucoup à deux gars qu'il avait connus à Charlestown et que l'on avait graciés à la dernière minute. Ces types ne s'en étaient jamais remis. On ne peut approcher sa mort de si près, sans être déçu de voir qu'elle n'a pas voulu de nous. La mort a quelque chose de terrifiant, mais aussi de délicieusement maternel. Elle met fin à tous les soucis. Les gars qui y avaient échappé n'en étaient en fait jamais revenus. Il y avait quelque chose en eux de cassé. Smokey préférait de loin la mort à ce retour vers une vie de zombie. Il n'avait pas voulu contredire, durant leur dernière visite, Bob et Hillary qui faisaient tout pour lui depuis déjà tant d'années... Il les avait laissé rassurer Martha et Neil. On verrait bien, après tout... Mais Smokey s'était dit que la mort très, très probable serait tout de même un peu douce. Presque une amie.

L'injection létale n'était qu'un mauvais moment à passer. Cela ne durerait pas très longtemps. Les histoires d'horreur sur les bavures lors des exécutions capitales aux États-Unis avaient heureusement presque cessé. Seules quelques organisations contre la peine de mort les colportaient. Ce genre de récits qu'on se racontait pour se faire peur était chose du passé. En Georgie, la mise à mort par électrocution a disparu des pratiques de l'État depuis le 5 octobre 2001, lorsque la Cour suprême a fini par juger cette méthode trop cruelle. On a préféré à cet ancien procédé barbare et inhumain, l'injection dans le corps d'une dose mortelle qui, affirme-t-on, assure aux condamnés une mort plus paisible. L'efficacité de ce changement de perspective quant au moyen d'exécuter la sentence prononcée par un juge est, tout le monde en est persuadé, réelle. Mais cette transformation dans la loi et dans son application avait eu quelques effets, il ne faut pas le nier, sur l'imaginaire des condamnés à mort. Pendant des années, Smokey s'était vu griller sur la chaise, tel du bacon, le cerveau cuit. Par intérêt et par souci de mieux comprendre ce qui lui arriverait, il avait lu pas mal de livres savants décrivant avec force la pose minutieuse des électrodes sur le corps, la mise en place du casque de métal sur la tête. Smokey savait que, si tout allait bien, la décharge de 500 à 2000 volts devait durer trente secondes. Il avait appris à apprivoiser les images de lui serrant la chaise jusqu'à s'en casser les mains et les bras, les images de lui déféquant, les images de lui vomissant du sang, alors que la vapeur et la fumée surgiraient autour de la chaise de la mort et que son corps prendrait éventuellement feu. Il avait compris que ses organes et ses membres seraient trop chauds pour que les gardiens puissent y toucher immédiatement après l'exécution. Il savait que sa peau serait brulée par endroits. Smokey s'était fait à l'idée qu'il allait mourir cramé, comme un morceau de viande. Cela avait fini par lui entrer dans la tête et lui plaire. Il n'y avait pas là de surprise. Tout était prévu. Quand la loi avait changé, Smokey avait éprouvé bien sûr un petit soulagement, parce que l'électrocution ne semblait guère être une partie de plaisir, mais il avait surtout senti en lui une grande angoisse face à l'immensité du travail encore à abattre. Il s'était senti désemparé devant la nécessité d'apprivoiser une tout autre conception de la mort qu'il ne connaissait pas encore et sur laquelle il faudrait à nouveau se documenter. Smokey dut donc apprendre, à force d'étude, qu'il mourrait encore attaché, mais que les membres de l'équipe de mise à mort poseraient des aiguilles dans les veines de ses bras. Il découvrit qu'on enverrait d'abord dans son corps une première dose de produits, du thiopental sodique, qui devrait l'endormir doucement. Puis, une substance paralysante, dont Smokey oubliait le nom, entrerait en lui et paralyserait ses muscles avant de stopper rapidement sa respiration. Enfin le chlorure de potassium se chargerait d'arrêter de faire battre le cœur. La mort résulterait vraisemblablement d'une overdose d'anesthésiants et d'un arrêt respiratoire et cardiaque. Smokey avait lu qu'aucun médecin ne serait à ses côtés pour suivre le processus de mort. On laisserait faire le boulot par des techniciens inexpérimentés qui parfois ne distinguent pas bien un muscle d'une veine. En effet, l'éthique médicale interdit à ceux qui ont fait le serment d'Hippocrate toute participation à un quelconque arrêt de la vie, à un assassinat. Mais un docteur serait là et viendrait bien vérifier la mort de Smokey. Il remplirait la déclaration de décès et cocherait la case homicide pour indiquer la cause de la mort. L'exécution capitale pour un médecin ou un esprit rationnel reste un meurtre. On ne peut appeler autrement sur les formulaires prévus à cet effet le type de mort que subit le condamné. Bien sûr, si Smokey n'avait pas de chance, on ne lui donnerait pas suffisamment de calmants. Il serait alors assez conscient pour ressentir une douleur extrême sans pouvoir l'exprimer à cause de la substance paralysante qui l'empêcherait de bouger ou de se manifester. Cela pourrait être franchement terrible. Mais tout cela irait très vite. C'est ce que les livres disaient. Du reste, en général, les choses se déroulaient sans problème. Il n'y avait pas trop à s'en faire. L'important pour Smokey était de rester calme, de savoir ce qui allait se passer et de comprendre qu'il n'y avait rien d'inconnu là-dedans. Les bavures s'inscrivaient à l'intérieur d'un dispositif qui avait tout prévu, même ses propres erreurs.

La Georgie avait donc adopté une méthode de mise à mort qui consiste à faire tuer, sans trop le faire souffrir, un homme par des représentants de la loi. On ne voulait pas d'histoire en Georgie et Smokey comptait sur cet ordre-là, qu'il avait pourtant méprisé très longtemps, pour se donner le courage dont il aurait besoin (il n'était pas dupe de lui-même) juste avant de mourir. Au moment où Bob et Hillary avaient quitté les lieux en disant à Smokey quelque chose comme « À tout à l'heure », Martha avait vu un prêtre entrer pour venir parler à Smokey. De cette visite, Martha s'était étonnée. Son frère n'avait jamais été croyant. Bien au contraire. Il l'avait toujours embêtée en se moquant de sa foi à elle, des prières de leur mère et de leurs bondieuseries de bonnes femmes noires. Martha avait cru que Smokey allait renvoyer le prêtre, ce qu'il n'avait pas fait. Il avait plutôt donné péremptoirement congé à sa sœur et à son beau-frère d'un mouvement de tête impatient et avait ainsi refusé de prolonger les adieux. Martha était partie vite, assommée. Son mari avait essayé de la soutenir, mais elle s'était dégagée de cette étreinte bienveillante. Elle devait porter seule son corps tout à coup ridicule, lui aussi appelé à disparaître un jour. Dans quelques heures, elle apprendrait l'exécution de son frère, la Georgie ne permettant pas aux proches du condamné d'assister à la mise à mort. Pour le moment, elle pensait seulement au fait qu'elle devait ramasser ses forces. Se tenir debout toute seule lui permettait de croire qu'elle serait capable d'entendre l'annonce de la mort de son frère Smokey sans défaillir. Elle tenait donc à rester droite et à marcher sans trébucher.

Quand Smokey se réveilla dans la dernière cellule, celle de la mort, il avait froid. C'est immédiatement ce qu'il ressentit : le froid. Il s'était assoupi quelque temps. Peut-être une demi-heure. Peut-être vingt minutes. Il était deux heures trente du matin, mais il ne se rappelait plus très bien du moment où il avait fermé les yeux. Il se souvenait d'avoir lutté contre la lourdeur de ses paupières et de son esprit. Son exécution aurait lieu à deux heures quarante-cinq. Il restait peu de temps. Il s'en voulait un peu de s'être endormi pendant quelques minutes, juste avant sa mort. Dans les circonstances, le sommeil était quand même assez vain. Mais le steak, les pommes de terre et la tarte aux pommes, à laquelle il ne manquait qu'une ou deux boules de glace à la vanille pour être franchement délicieuse, avaient eu un effet bénéfique, presque relaxant sur Smokey. Celui-ci avait fait une petite sieste, comme tant de gens s'en permettent après un bon repas. Et le froid venait assurément de cette digestion inhabituelle qui conduisait tout le sang vers l'estomac et puis aussi de l'air conditionné qui fonctionnait à plein, après des journées d'enfer carcéral. Voilà tout. Il n'y avait pas trop à penser là. Il ne fallait pas chercher midi à quatorze heures. Smokey constatait que le froid n'était pas désagréable.

Cette sensation nouvelle qui chatouillait un peu son corps lui plaisait malgré tout. Il y avait en elle quelque chose d'inusité. Il ne voulait pas trop bouger, pour garder encore un peu en lui cet étrange sentiment de gel qu'il expérimentait pour la première fois. Mais soudain un rêve qu'il avait fait pendant son court repos lui revint à l'esprit. Il ne s'agissait pas d'un rêve d'enfance ou encore d'un rêve lié à la nature de son crime, ce dont sa mère le menaçait souvent. Au téléphone, Josephine se faisait souvent Cassandre pour dire à son fils qu'à la fin, il pourrait avoir quelques visions d'enfer. Non, ce rêve qui lui revenait par bribes, alors que le froid commençait à devenir un peu désagréable, était un rêve idiot, comme l'on en fait tant quand on n'est ni en prison ni dans le couloir des condamnés à mort. Dans ce rêve, Smokey était adulte. Il se trouvait dans un paysage complètement inconnu de lui, un paysage d'hiver. Au milieu d'une tempête de neige. Avec quelques hommes dont il ne voyait pas le visage mais qui étaient vraisemblablement des codétenus ou des gardiens de prison, Smokey s'amusait à lancer des boules de neige très blanches, très cotonneuses. Cela se passait comme au ralenti. Il y avait quelque chose d'intensément doux dans ce rêve. La neige livide presque bleutée enrobait tout, et même le corps nu et noir de Smokey se voyait recouvert de neige, ce qui faisait rire de bon cœur celui-ci puisqu'il se disait dans son rêve: « Merde, me voilà tout blanc maintenant! » Smokey, même s'il trouvait ce rêve niais, constatait qu'il y avait quelque chose en lui de plaisant, de simple. Le froid et la blancheur étaient très curieux, surprenants et comportaient quelque chose de tout bonnement hors de l'ordinaire. Cela mettait Smokey de belle humeur, bien que le froid dans la cellule lui semblât de plus en plus intense et que la mort fût si proche, si proche.

Smokey se sourit à lui-même. Il pensa que sa mère lui aurait dit : « Tu souris aux anges, mon fils », et cela le fit sourire davantage. Smokey comprit qu'il mourrait sans aucune peur, sans aucun regret. La vie était bête. À la fin, un gars noir du Sud, vierge du froid, un criminel au corps et à l'âme noirs et sales rêvait d'une tempête de neige et de batailles immaculées... Il n'y avait rien à comprendre en l'humain et surtout pas dans ses derniers rêves. Ceux-ci n'étaient que le produit indirect de la digestion et de la satisfaction des sens. Rien de plus. Il n'y avait là aucune interprétation à aller chercher, aucun indice d'une intervention ou d'un appel humain ou divin.

En dix-neuf ans de pénitencier comme condamné à mort en attente de l'exécution de sa peine, Smokey n'avait pu s'empêcher d'attendre des signes. Les prisonniers sont incapables de ne pas chercher un sens dans les choses les plus banales, dans les événements les plus fortuits. Ils n'ont que cela à faire : essayer de voir dans le monde un ordre, une rationalité, un agencement secret à décrypter. Au début, Smokey cherchait à lire dans des faits et gestes banals, dans des phrases entendues par hasard, dans des histoires qu'on lui racontait et même dans des rêves qu'il faisait si la mort approchait ou non. Smokey n'était pas superstitieux. Il n'avait pas hérité cela de sa mère, comme c'était le cas de sa sœur. Il pensait simplement que l'intelligence que déploient les rêves était peut-être plus à même que sa conscience d'avoir perçu dans le geste d'un gardien ou dans une parole de ses avocats quelque chose indiquant si oui ou non une journée d'exécution avait été enfin décidée. Il comprenait de façon intuitive qu'il serait bien évidemment le dernier à qui l'on annoncerait la seule chose qui pourtant l'intéressait: sa propre mort. Les gens qui l'entouraient ne voudraient pas le troubler ou lui annoncer une date qui ne serait pas au bout du compte la bonne. S'ils avaient vent d'une décision, Bob et Hillary ne prendraient pas de risques et les gardiens se paieraient le plaisir de ne rien laisser transparaître. Certains désireraient le ménager. D'autres, simplement le punir un peu plus, mais on ne le préviendrait de la date de sa mort que le plus tard possible.

Smokey savait bien que les condamnés à mort en Georgie et plus généralement aux États-Unis ne sont que très, très rarement exécutés au début de leur peine. C'est souvent après plus de quinze à vingt ans de prison que l'on se décide enfin à libérer les types de la vie sirupeuse, violemment monotone, qu'ils mènent dans les pénitenciers de l'État et dans l'ignorance terrorisante du moment de leur mort annoncée sans cesse, mais de façon vague. À son procès, dès qu'il avait connu le verdict, Smokey avait refusé tout appel de ses avocats. En voyant le jury composé de douze personnes revenir dans la salle d'audience sans lui adresser le moindre regard, à part bien sûr cette femme qui n'avait cessé de le dévisager tout le long du procès avec haine, Smokey s'était dit qu'il était condamné à mort et qu'il fallait simplement que cela aille le plus vite possible. Le juge n'avait pas encore prononcé sa sentence que Smokey avait déjà tout saisi. La suite était évidente. Il aurait à subir la peine de mort. Il espérait que cela se ferait rapidement. Durant les interrogatoires et le procès, Smokey avait tenu à ne pas mentir. Il avait horreur d'avouer et, cela, il ne l'avait pas fait. Il avait donc répondu oui aux questions très précises du procureur de l'État quand celui-ci racontait des détails qui semblaient bien reconstituer le meurtre. Il avait répondu non aux descriptions qu'on lui proposait quand il n'était pas sûr de la vérité des faits ou encore quand il ne se rappelait pas les choses ainsi. En cela, la mère de Smokey se trompait sur son fils. Oui, certes, il était un meurtrier, mais il n'avait jamais été un menteur. Pas même au moment de sauver sa peau.

L'expression sur le visage de la jurée qui le regardait avec force et méchanceté tout le long de son procès avait été un signe pour Smokey de sa mise à mort certaine, à plus ou moins long terme. Bien sûr, la nature de son crime ne lui laissait guère de chances et puis son désir inexplicable de ne pas mentir le condamnait au pire. Mais il n'avait pas vu sa mort avant de scruter la face impassible et dure de cette femme. On ne lui pardonnerait rien. En prison, pendant des années, Smokey avait donc passé son temps à chercher d'autres signes, à lire l'imminence ou le retard de la fin. Et puis, après des mois et des mois de jeu de cache-cache avec les indices et les promesses secrètes du monde, après des milliers d'exégèses erronées, de prémonitions foireuses, de rêves perfides, mensongers, abjects, Smokey avait décidé de ne plus croire à aucun signe et d'accepter que l'univers n'avait aucune réelle intelligence ou projet pénétrable. Bien que sa mère, qui croyait partager avec la tante Trudie des pouvoirs occultes en lisant le marc de café, les cartes ou le tarot, l'exhortât sans cesse à scruter frénétiquement les traces que Dieu déposait dans le monde, Smokey avait abandonné toute herméneutique. Martha lui avait, elle aussi, apporté au début de la détention de la lecture qui lui permettrait de se réconcilier avec

Dieu. À tout cela, Smokey préférait lire des livres de géographie, d'histoire, des réflexions scientifiques ou rationnelles, qui expliquaient l'histoire de la peine de mort ou encore qui détaillaient les effets de l'électrocution sur les corps. Smokey n'avait pas été très longtemps écolier. Mais il avait toujours été passionné par l'histoire et les maths. Il possédait un esprit très logique, très cartésien. C'est du moins ce qu'on lui disait à l'école et c'est ce que l'on avait qualifié de monstrueux lors du portrait psychologique que le procureur avait fait de lui à son procès.

C'est par curiosité qu'il avait tenu un peu plus tôt, après la dernière visite de sa sœur et de ses avocats, à voir un prêtre. Depuis plusieurs jours, quelque chose le poussait à rencontrer ce que sa mère continuait à appeler un homme de Dieu. Un pasteur, c'est comme un steak, au dernier moment, cela ne se refuse pas. C'est ce que Smokey s'était dit. Il était intéressé de voir ce que le bonhomme aurait à lui dire. On colportait un peu partout que, parfois, Dieu se révélait aux humains qui voient la mort arriver. On disait aussi qu'il était bon de voir un prêtre pour pouvoir à la toute dernière minute exprimer quelque chose de soi. Smokey avait très envie de savoir ce qu'un prêtre pouvait lui apporter. Or, la conversation avec le vieil homme aux cheveux grisonnants s'était avérée extrêmement convenue. Le prêtre n'avait rien à dire. Il répétait son boniment, cherchait à être solennel, mais n'y arrivait que par toutes sortes de contorsions artificielles des mains et du visage. Il avait accompagné Smokey de la salle des visites à la dernière cellule et était resté un moment avec lui, alors que Smokey téléphonait rapidement à sa mère. Puis Smokey l'avait vite congédié. Il s'était couché sur le lit qui était prévu pour se reposer avant de mourir et finalement s'était endormi à cause de la nourriture trop riche, vraiment délicieuse dans les circonstances.

Depuis son réveil, il ressentait le froid. Et il commençait maintenant à grelotter. Il se demandait, à demi sérieux, si l'exécution n'avait pas en fait commencé et si l'État n'avait pas trouvé une nouvelle méthode de mise à mort par hypothermie pour se débarrasser de types du Sud comme lui qui pourrissent depuis des années dans les prisons, en attente de leur mort, sans jamais avoir connu le gel. La porte s'ouvrit brusquement, laissant passer un air plus chaud. Il savait qu'il ne devait pas oublier de faire une déclaration que l'on consignerait sur l'état lamentable de la vie en prison. Il pensa aussi qu'il serait peut-être bien pour lui de dire qu'il ne regrettait rien. Pas même la vie. Puisque pour celui qui va mourir, plus rien n'a d'importance. Une phrase lui revint en tête, celle qu'un codétenu, un homme très savant, vaguement converti au bouddhisme, qui avait trouvé le moyen de se suicider en cellule, alors que tout le monde veillait à ce que ce soit impossible, lui avait dite : « On meurt toujours comme si on n'avait jamais vécu. » Smokey espérait mourir ainsi, sans souvenirs, remords ou regrets. Devant la mort, il était tout pur, tout blanc. Sa vie, ses crimes n'étaient plus rien. Il n'y avait qu'à suivre les gardiens et techniciens de la mort.

Après des années d'attente, on venait enfin le chercher.

Oui, cela irait vite… La fin était là.

Un vrai bonheur !

Autres romans chez Héliotrope

NICOLAS CHALIFOUR
Vu d'ici tout est petit

ANGELA COZEA
Interruptions définitives

MARTINE DELVAUX
C'est quand le bonheur?
Rose amer

OLGA DUHAMEL-NOYER
Highwater
Destin

GRÉGORY LEMAY
Les modèles de l'amour

MICHÈLE LESBRE
Sur le sable

PATRICE LESSARD
Le sermon aux poissons

CATHERINE MAVRIKAKIS
Le ciel de Bay City
Deuils cannibales et mélancoliques

SIMON PAQUET
Une vie inutile

GAIL SCOTT
My Paris, roman

VERENA STEFAN
d'ailleurs

Série « K »

Cynthia Girard
J'ai percé un trou dans ma tête

Michèle Lesbre
Un lac immense et blanc

Catherine Mavrikakis
L'éternité en accéléré
Omaha Beach

Achevé d'imprimer le 3 juin 2011
sur les presses de Transcontinental Gagné.